Coïncidences oubliées

Le

Matières premières

D0283498

Anthologie de la nouvelle au Québec

François Gallays

Anthologie
de la nouvelle
au Québec

Fides

Les Éditions Fides bénéficient de l'appui
du Conseil des Arts du Canada et
du ministère des Affaires culturelles du Québec.

Données de catalogage avant publication (Canada)

Anthologie de la nouvelle au Québec

ISBN 2-7621-1632-5

1. Nouvelles canadiennes-françaises – Québec (Province).
2. Roman canadien-français – 20ᵉ siècle.
I. Gallays, François.

PSB329.5.Q4A57 1993   C843'.0108054   C93-096118-8
PS9329.5.Q4A57 1993   PQ3916.A57 1993

Dépôt légal: 1ᵉʳ trimestre 1993
Bibliothèque nationale du Qébec

Présentation

Une anthologie est toujours affaire de goût, dit-on souvent pour justifier l'absence de tel ou tel texte qui aurait
dû, selon d'autres, y figurer. Et rien au départ ne paraît
plus formidable que d'avoir à choisir les textes qui de-
vront figurer dans une anthologie, sachant que chaque
lecteur en mesurera les qualités et les défauts par rapport
à l'anthologie qu'il porte en lui. Cela dit, et sans nier la
nature subjective de notre choix, nous prétendons que
celui-ci s'est néanmoins effectué selon quelques critères
que d'aucuns pourront sans doute juger trop peu sophis-
tiqués mais qui ont le mérite d'être clairs. Par exemple,
nous avons voulu que les textes retenus soient à la fois
intéressants et exemplaires. Intéressants, c'est-à-dire aptes
à capter l'intérêt du lecteur, à susciter chez lui de l'émotion, de la fascination, voire de la répulsion; exemplaires,
c'est-à-dire qu'ils proposent une façon novatrice de créer
un personnage, d'organiser une histoire, de fabriquer un
récit. À l'examen, il n'est pas sûr que le lecteur retrouve
au degré souhaité la conjugaison de ces deux qualités
dans chacune des nouvelles retenues, mais nous croyons
qu'une de ces deux qualités au moins caractérise

fortement chaque nouvelle. De plus, nous avions le souci que ces textes portent les traces de leur époque, en soient en quelque sorte les témoins. C'est d'ailleurs l'ordre chronologique de parution qui a déterminé l'ordre de leur présentation.

À cet égard, un phénomène s'est imposé au fil de la lecture des textes comme une évidence: c'est qu'il existe une étroite parenté entre l'écriture pratiquée dans la nouvelle et celle qui s'observe dans la production romanesque de la même époque. Certes, comme les auteurs de nouvelles le font souvent remarquer, la nouvelle est autre chose que le roman, autre chose qu'un roman bref, sur lequel son auteur aurait séché avant d'aboutir. Toutefois, cette distinction mérite d'être quelque peu nuancée. Car s'il est vrai que les histoires racontées diffèrent, tant du point de vue du contenu que de la forme, selon la nature générique du texte, s'il est vrai aussi que tant la nouvelle que le roman obéissent à une intentionnalité qui les distinguent l'un de l'autre, il est non moins vrai que la nouvelle participe étroitement, au même titre que le roman, aux explorations des formes d'écriture, des ressources de la langue, des frontières du langage.

Ainsi, se multiplient les marques d'une pratique de l'écriture caractéristique du nouveau roman français dans certaines nouvelles où le texte, aux dépens de l'histoire racontée, privilégie la matérialité même de l'écriture, ou, encore, dont l'histoire racontée épouse l'acte même d'écrire.

Il est par conséquent impossible de fonder sur cette base une distinction entre l'écriture romanesque et l'écriture nouvellistique. Par ailleurs, parallèlement à cette recherche dans l'écriture, nombre de nouvellistes ont choisi de cultiver l'autre versant du langage, celui de la substance, c'est-à-dire du sujet, de la matière même à laquelle la forme de la nouvelle promet existence, accorde vie. Se coulant dans des formes plus classiques, formes éprouvées, ces nouvelles cultivent le toujours fertile et inépuisable terreau humain qui recèle même après des siècles d'exploitation de quoi étonner, surprendre, ravir l'esprit de l'observateur, du lecteur.

Les textes qui composent cette anthologie démontrent à l'envi qu'il existe un corpus de la nouvelle au Québec qui est non seulement abondant mais riche et diversifié. Il mérite certainement d'être plus et mieux connu. Aussi, nous pensons que par l'intérêt qu'il suscitera chez ses lecteurs et, encore mieux, par le plaisir qu'il leur procurera, ce livre pourra servir de passerelle aux recueils de nouvelles, d'hier évidemment, mais aussi d'aujourd'hui. Car s'il est vrai que se manifeste aujourd'hui au Québec une activité accrue dans le domaine de la nouvelle, il est non moins évident que celle-ci s'enregistre bien davantage dans la production (création et édition) que dans la réception. Dès lors, on peut craindre que la nouvelle n'emprunte une voie analogue à celle qu'a suivie la poésie: une augmentation des recueils publiés sans aucun effet d'entraînement chez les lecteurs.

L'anthologie que voici contribuera quelque peu, nous l'espérons, au recrutement et à la formation de ce public lecteur.

François Gallays

Nous remercions Gilles Dupuis pour l'assistance qu'il nous a apportée dans le choix des textes. Nous remercions également France Beauregard et Monique P.-Légaré pour l'assistance qu'elles nous ont apportée dans la préparation du manuscrit et nous remercions le Centre de recherche en civilisation canadienne-française de l'Université d'Ottawa pour avoir rendu cela possible.

Albert Laberge

Les noces d'or

Né à Beauharnois en 1871, Albert Laberge meurt en 1960.
Journaliste, romancier et nouvelliste, il a tenu la chronique des
sports à *La Presse* de 1896 à 1932. Il a publié *La Scouine*, son
unique roman, en 1918 à soixante exemplaires. Ses neuf recueils
de contes et de nouvelles seront aussi publiés à compte d'auteur
et à très faibles tirages. Aux antipodes du roman de la terre
de l'époque, l'œuvre de Laberge, si elle soutient la qualification
de réaliste ou de naturaliste, ne saurait toutefois être considérée
comme une simple copie de la réalité. L'abjection, au cœur
de son esthétique, déforme le réel autant sinon plus que
l'idéalisme des romanciers du terroir.

«Les noces d'or» dans *Visages de la vie et de la mort*, Montréal,
édition privée, 1936. Cette nouvelle sera reprise dans l'*Anthologie
d'Albert Laberge* préparée par Gérard Bessette, Montréal, Le Cercle
du livre de France, 1962, puis dans une seconde édition, en 1972.

À Claude-Henri Grignon

Il y aurait bientôt cinquante ans que les époux Mattier, fermiers dans le rang du Carcan, près de Chambly, étaient mariés. Comme les Huneau, leurs troisièmes voisins, avaient célébré à l'été leurs noces d'or et qu'ils avaient reçu de riches cadeaux de leurs parents, le père Julien Mattier crut qu'il serait opportun de fêter le cinquantenaire de son mariage avec Amanda Level, la fille de l'ancien forgeron. Et, lorsqu'il disait fêter, ce n'était pas faire bombance et célébrer joyeusement qu'il avait dans l'idée, car il était d'une grande frugalité. En plus, il était pauvre, avait toujours été pauvre et les siens l'étaient aussi. Mais il voulait réunir ses enfants qui, pour la circonstance, lui apporteraient sûrement quelques présents. Jamais il n'avait manqué d'accrocher tout ce qu'il pouvait. L'occasion se présentait belle. Il fallait en profiter. Ayant donc décidé en lui-même de cette réunion de famille, il alla en dire un mot à sa fille Mélanie qui cuisinait des soupes et des tartes au fond d'un *quick lunch* de pauvres, de la rue Craig, à Montréal. Chaque fois qu'il allait en ville vendre ses produits au marché, il allait la voir, histoire de dîner sans bourse délier. Il mangeait, puis:

— Ma fille paiera, disait-il au patron.

Il avait toujours agi ainsi. Toute sa vie il avait exploité ses enfants. Lorsqu'il s'était marié à l'âge de 23 ans, son père lui avait donné comme patrimoine cinq cents piastres en argent, une paire de chevaux estropiés et une charrette. Avec cela, il s'était établi. Il s'était acheté une terre de cinquante arpents qu'il avait payée quatre mille piastres et s'était mis à travailler ferme pour acquitter sa dette.

Les années s'étaient écoulées, le temps avait passé. Mattier avait eu quatre enfants, trois filles et un garçon.

Afin d'économiser et d'aider son mari, la femme Mattier travaillait aux champs avec son homme lors de la fenaison et des récoltes. Les enfants aussi avaient fait très jeunes l'apprentissage des rudes travaux de la terre. Et l'on ménageait. Aux repas, l'on ne mangeait que des soupes maigres, du pain rassis, des pommes de terre, du lait écrémé et peut-être deux livres de lard par semaine. La crème, le beurre, les œufs, les rôtis de porc et les autres produits étaient portés au marché de la ville et vendus. L'hiver, le fermier Mattier confectionnait des balais de branches de bouleaux et ses enfants fabriquaient des chevilles de bois, des tiges pointues qu'il allait vendre aux bouchers qui s'en servaient pour leurs rosbifs. L'on ménageait, l'on vivait pauvrement, très pauvrement, pour payer l'hypothèque sur la terre.

Une hypothèque sur une terre, c'est comme le cancer ou la syphillis. Un homme achète une ferme. Il emprunte, disons, deux mille piastres ou plus pour commencer et la grève d'une hypothèque. Il lui communique alors la maladie. C'est comme un garçon avarié qui couche avec une belle fille et lui communique son mal. Ça ne guérit presque pas. Ça traîne, ça empire puis, souvent, c'est la mort triste et lamentable. Le fermier travaille dur pour payer son hypothèque. S'il a de la chance, il réussira à se défaire du fardeau dont il s'est chargé, à guérir la maladie. Mais souvent, c'est le contraire. Il est en retard pour ses paiements. Sa dette grossit. Au bout d'un certain nombre d'années, le cultivateur est parfois obligé d'emprunter de nouveau. C'est une deuxième hypothèque, à un taux plus élevé. La maladie s'aggrave, la situation devient critique. Il faut faire face à de gros intérêts. Une malchance arrive. Il faut donner une troisième hypothèque. Pour cela, il faut trouver une garantie additionnelle, un billet promissoire. Alors, on va voir un parent pour lui faire endosser l'effet. Trois hypothèques sur une terre. La maladie est arrivée à sa dernière période. Pas de remède possible. La belle terre que vous aviez achetée à l'âge de vingt-cinq ans, alors que vous étiez plein de courage et d'énergie, vous vous la faites enlever à cinquante, après avoir travaillé, sué, peiné, et vous vous en allez les mains vides, les forces épuisées, le corps usé, le cerveau en détresse, pendant qu'un autre, plus jeune, recommence à son tour la même expérience.

Le père Mattier était ladre, violent, têtu, injuste, âpre au gain, dur pour lui et les siens, dans son désir d'amasser de l'argent pour payer la terre, faire disparaître l'hypothèque. Il se privait, lui et sa famille, pour économiser, économiser davantage. Lorsqu'on était à table, il regardait chaque bouchée que ses enfants avalaient et ses regards étaient un reproche muet. Et toujours mal vêtus, en haillons. Il fallait ménager, ménager toujours. Les enfants avaient peu fréquenté l'école et étaient restés ignorants, illettrés.

La famille vivait dans une vieille maison en bois, une vieille maison penchée, de quatre pièces: la cuisine, la salle à manger et deux chambres. Au-dessus, il y avait un grenier où l'on gardait la farine, le tabac, les pois et le blé d'Inde pour la soupe. Le toit avait constamment besoin d'être réparé car l'eau des pluies passait à travers, à maints endroits. Les trois filles couchaient dans un sofa, une large caisse qui se repliait et que l'on fermait le jour. Quant au garçon, il dormait tout simplement sur la peau de buffle qui servait l'hiver au père à se protéger contre le froid lorsqu'il allait au marché, à la ville.

Parfois, le père Mattier faisait des rêves.

— Quand on aura fini de payer la terre, disait-il, on se fera bâtir ane belle maison en briques avec des chambres en haut.

Pour eux, ces chambres d'en haut représentaient le dernier mot du luxe et du confort.

Naïfs, crédules, les enfants croyaient cela ferme. Ils oubliaient un moment leur vie de misères et de privations, voyaient déjà en imagination la belle maison en briques avec ses chambres en haut.

— Ben, moé, j'coucherai dans celle d'en avant, pis j'mettrai des crochets pour mes robes, déclarait Mélanie.

Elle était en guenilles à ce moment, mais, sûrement, lorsque la maison de briques serait construite, elle aurait des robes.

Et, alors, la mère elle-même, aussi simple, aussi innocente que ses petits, voyait la bienheureuse maison. Ce qu'elle était belle! Il ne fallait pas l'endommager, salir les pièces.

— Descends de la chambre d'en haut! Que je ne te voie pas dans la chambre d'en haut! criait-elle, fâchée, à Mélanie.

Ces imaginaires chambres d'en haut, c'était son salon. Il ne fallait pas y entrer, y mettre les pieds.

Lorsqu'Emma, l'aînée des filles, avait eu quatorze ans, le père, assuré qu'elle pourrait gagner quelqu'argent, s'était pressé d'aller lui trouver une place de servante. Il l'avait engagée à la ville dans un restaurant où elle lavait la vaisselle, les planchers et les crachoirs. Et, chaque mois, le père venait retirer ses gages qu'il empochait jusqu'au dernier sou.

Ensuite, ce fut le tour de Mélanie. Il la plaça chez un couple âgé, un hôtelier retiré des affaires qui vivait avec une vieille maîtresse. Là encore, il passait régulièrement chercher l'argent qu'elle gagnait. Ensuite, ce fut Rosalie, la plus jeune des trois, qui partit. Le père Mattier retirait maintenant les gages de ses trois filles.

Lorsque les travaux ne pressaient pas trop, le père louait son fils Eugène chez les voisins, mais allait lui-même se faire payer ses journées.

Un jour, le fils, fatigué de ce régime, s'était fâché, était parti. Il s'était dirigé vers la ville où se trouvaient ses sœurs. Par nécessité, il avait volé. La première fois, il avait dérobé la montre d'un pensionnaire dans la maison où il logeait. Il avait été arrêté et envoyé en prison pour quinze jours. Une deuxième fois, il avait pris une sacoche dans une auto. Cette fois, il avait passé deux mois à l'ombre, comme disent les journaux.

Le père Mattier était maintenant seul pour faire ses travaux. Il continuait d'aller chercher les salaires de ses trois filles et de vendre les produits de sa ferme. Il réalisait de bons montants, mais il était maladroit, sans dessein, malchanceux.

Une fois, sa grange et sa remise avaient brûlé à la fin de l'été, avec toute la récolte de l'année et une bonne partie des instruments aratoires.

Et pas un sou d'assurance. Alors, pour reconstruire et s'équiper à neuf, il avait grevé sa terre d'une deuxième hypothèque. Puis, par son entêtement, il avait eu un procès qu'il avait perdu et qui lui avait coûté gros. Une fois encore, il avait endossé un effet promissoire de cinq cents piastres pour son frère Trefflé et il avait été obligé de payer. Une année, il eut une fameuse récolte de pois, mais, comme sa grange était déjà remplie de foin et d'avoine, il avait mis ses pois en meules, cinq meules, et avait attendu à l'hiver pour les battre. Mais alors, arrosés par les torrentielles pluies de l'automne, les pois avaient gonflé et germé et se trouvaient impropres au commerce. Au lieu de les vendre une piastre et quatre sous le minot comme il l'aurait pu s'il les avait battus à l'automne, ses pois ne pouvaient maintenant plus servir que comme

nourriture pour les porcs. Et puis, car la liste de ses cala-
mités était interminable, son beau cheval bai qu'il comptait bien vendre deux cent piastres s'était brisé une jambe
et avait dû être abattu.

Il avait fallu grever la terre d'une troisième hypothèque.

La dette était comme une charrette lourdement
chargée qu'un cheval tente de monter jusqu'au haut
d'une côte. Elle avance, puis sa masse l'entraîne en arrière et elle recule malgré les élans de la bête attelée aux
brancards et qui tire à plein collier. Toute la famille
pousse aux roues, à l'arrière, pour aider. Grâce à ces
efforts conjugués, la charrette avance un peu. Il semble
un moment qu'elle va réussir à monter, à arriver en haut;
un trait ou le bascul se brise, et la charge recule de nouveau. Le feu, le procès, le billet promissoire, les pois
gâtés, le cheval perdu, avaient fait reculer, reculer...

L'on était tout au bas de la côte.

Trois hypothèques, c'était grave, grave...

Puis, les filles avaient cessé d'être les dociles et
patientes pourvoyeuses de leur père. Elles avaient pratiquement fini de lui donner un revenu. À la fin, elles
avaient secoué le joug, et il n'en tirait presque plus rien.
À l'âge de quatorze ans, il les avait mises en service à la
ville.

Mais à laver les planchers et des crachoirs dans un
restaurant, on ne devient pas rosière. Emma était devenue putain dans un bordel de la rue Cadieu. Elle était là
depuis des années.

Mélanie, elle, avait eu un sort presque aussi triste.
Son premier patron, le vieil hôtelier-rentier, l'avait prise
de force le jour même où elle était entrée dans sa maison. Depuis, elle avait fait bien des places. Elle avait finalement échoué dans un petit *quick lunch* où, pour un prix

modique, les vagabonds, les affamés venaient tromper leur faim en mangeant des nourritures grossières et frelatées, préparées avec de la graissaille et des huiles rancies. Comme cuisinière, elle recevait un modeste salaire, mais elle se faisait gruger, rançonner par l'un des habitués de la gargote qui lui faisait payer cher les quelques faveurs qu'il lui accordait. Elle n'avait jamais un sou à elle.

Quant à Rosalie, elle avait fini par se marier, mais son mari l'avait abandonnée au bout de quinze mois. Alors, elle s'était mise à louer des chambres et elle vivait maritalement avec l'un de ses pensionnaires.

Pour ce qui était d'Eugène, il y avait beaucoup d'obscurité dans sa vie, et ses faits et gestes étaient peu connus de sa famille.

Tout en travaillant sur sa terre, le père Mattier pensait souvent à ses enfants qui avaient mal tourné. Il pensait aussi aux hypothèques...

Puis il était vieux. Il avait perdu les forces, le courage, l'ambition. Il avait les cheveux gris, la figure tannée, ridée, maigre, et il avait un petit œil, le droit, qui ne restait qu'à moitié ouvert.

Mais il avait des tracas et plus que jamais il était violent, dur et irritable.

En septembre, il fêterait ses noces d'or et il recevrait quelques présents. Et l'idée des cadeaux le distrayait.

— Tu sais, ça va faire cinquante ans le 20 septembre qu'on est mariés, ta mère et moé, pis on va fêter nos noces d'or, annonça-t-il à Mélanie, après qu'il eut dîné aux frais de sa fille dans la sordide gargote de la rue Craig.

— Oui? Ben, on ira vous voir. Ce sera le 20 septembre?

— Le 20 septembre. Tu l'feras savoir à tes sœurs et à ton frère.

— Oui, oui, c'est ça.

Et le vieux retourna chez lui.

À une semaine de là, le vieux Mattier reçut une communication qui produisit en lui une profonde perturbation. C'était un avis du notaire l'informant que la troisième hypothèque, au montant de six cents piastres, renouvelée tacitement depuis dix ans, devrait être payée à la Toussaint. Le prêteur était mort et l'on avait besoin de l'argent pour régler la succession. Les six cents piastres, il ne les avait pas et il savait qu'il ne pourrait les trouver. Emprunter à nouveau, ce n'était plus possible, car la valeur des terres avait diminué. Alors? Et le désastre, la catastrophe, apparut au vieux fermier. Toute sa vie, il avait travaillé pour payer des intérêts et maintenant, dans sa vieillesse, sa terre allait lui échapper, allait lui être enlevée. Il devint taciturne, nerveux et plus irritable que jamais. La nuit, il se tournait et se retournait sur son vieux lit, dans sa vieille maison, incapable de dormir. Il songeait à l'hypothèque qui deviendrait exigible à la Toussaint.

Les jours s'écoulaient, sombres comme ceux d'un condamné à mort.

Puis la date du cinquantenaire de son mariage arriva.

Ses trois filles et son fils arrivèrent le midi à l'heure du dîner. Ils se retrouvaient dans la vieille demeure de jadis. Souvent, dans leur jeunesse, il avait été question de bâtir un jour une belle maison en briques avec des chambres en haut, mais elle n'avait jamais été construite. C'était toujours la vieille bicoque penchée, avec ses quatre petites pièces, ses fenêtres basses et son pauvre grenier.

C'était une journée grise et triste. Le ciel était chargé de gros nuages noirs, menaçants. Un temps d'enterrement plutôt qu'un jour de noces d'or.

Mélanie avait apporté de la mangeaille de son restaurant pour le repas de fête.

Emma présenta à son père une montre dorée achetée chez un marchand juif. Mélanie lui offrit une pièce d'or de $2.50 et Rosalie donna à sa mère une demi-douzaine de cuillers à thé en simili-vermeil.

— Mais, ma pauvre fille, tu sais ben qu'on a jamais sucré not'thé, remarqua la vieille pour souligner l'inutilité du cadeau.

Quant au fils Eugène, il avait deux flacons de gin ornés d'une étiquette d'or, une nouvelle marque de genièvre qui venait d'être mise sur le marché.

L'on se mit à table, mais le père était taciturne. Le fils déboucha l'un des flacons et tout le monde prit un coup.

— J'en prendrais ben un autre, fit le père.

Et de nouveau, les verres furent remplis et vidés.

L'on mangea et l'on causa. Puis l'on prit d'autres verres de gin.

Le repas était maintenant fini. L'on restait assis à table et le père Mattier examinait sa montre sur ses deux faces et la portait à son oreille pour écouter son délicat tic tac.

— Ben, papa, vous aurez plus besoin de r'garder le soleil pour savoir l'heure, fit Eugène.

Mais le père soucieux regardait longuement sa montre, mais il pensait à l'hypothèque qui deviendrait exigible à la Toussaint.

— Ben, c'est-i ane montre d'or? demanda-t-il soudain.

— J'vas vous dire: alle est dorée et alle paraît comme de l'or, répondit Emma. Faut pas m'en demander plus. C'est tout c'que j'ai pu faire.

Mais le père était tracassé par l'idée de l'hypothèque et après les verres de gin qu'il avait avalés, il avait l'humeur mauvaise et il éprouvait le besoin de se disputer.

— Ben, pour c'que ça t'coûte pour le gagner l'argent, j'peux pas dire que tu t'es forcée, fit-il agressif.

— Mais s'il fallait que j'compte tout l'argent que j'vous ai donné, c'est pas ane montre, c'est ane horloge en or massif que je vous aurais apportée, répondit Emma, cinglée par cette injuste attaque.

— C'est ça, reproche le p'tit brin d'aide que t'as donné à ton père.

— J'vous reproche rien. J'dis seulement c'qui en est quand vous v'nez m'dire que vous trouvez pas vote montre à vote goût.

— Ben, pour des noces d'or, il me semble que t'aurais pu me donner ane montre en vrai or.

— Oui, vous pensez? Ben moé, j'vas vous l'dire: alle est assez bonne pour vous.

— Ben, moé, j'vas t'dire ane chose: c'est qu'ane fille comme toé qui loue le bas pour nourrir le haut, c'est pas ben drôle.

— Si j'sus pas drôle, c'est toujours ben d'vote faute. Qui est-ce qui m'a engagée à quatorze ans pour laver les planchers et les crachoirs dans un restaurant? C'est vous. C'est vous et vous m'avez vendue. Vous veniez chercher mes gages et vous me laissiez même pas un sou pour m'habiller. Pis, si j'sus pas drôle, vous êtes tout d'même venu m'en demander assez souvent, d'l'argent, depuis que j'sus en maison. Même qu'avec c'que je v'nais d'vous donner, vous vouliez monter avec la grosse Angèle.

— Si on peut dire! J'badinais, j'faisais des farces. C'était un compliment, ane politesse que j'faisais à ane de tes amies. C'était pour rire. Pis, tu sais, si t'es pas contente, tu peux y r'tourner dans ton boucan.

— Ben certain que j'vais y r'tourner, et pas plus tard

que tout d'suite. Mais mettez-vous jamais dans la tête de
venir rien me d'mander de nouveau. C'est fini ça. Ben,
j'm'en vas, et, chose sûre et certaine, je remettrai jamais
les pieds ici.

Et, se levant brusquement de table, Emma courut
chercher son manteau et son chapeau déposés sur le lit,
dans la chambre, et sortit en jetant un regard de haine à
son père.

— Écoutez, poupa, vous auriez pas dû parler
comme ça, fit Mélanie lorsque sa sœur fut sortie de la
maison. Emma a bon cœur et elle a fait tout ce qu'alle a
pu faire pour vous, pas seulement aujourd'hui, mais depuis qu'a travaille.

Le vieux les regardait de son petit œil et il avait une
expression mauvaise.

— Tu veux parler pour toé, aussi, j'imagine, fit-il.
Mais j'vas te l'dire à toé aussi. Si tu avais voulu, tu aurais
pu m'aider plus que tu l'as fait. Seulement, tu as préféré
donner ton argent à un paresseux. Ton bourgeois m'l'a
dit ane fois. Il a dit: «Mélanie, c'est ane bonne fille, a
travaille ben, mais c'est d'valeur, a s'fait arracher son
argent par un bon-à-rien. Une heure après que j'l'ai
payée, je suis sûr que l'argent que je lui ai donné est dans
la poche de ce fainéant.» Ben, i m'a dit ça, ton bourgeois.
Pis moé, j'vais te l'dire. Faut pas qu'ane fille soit ben fière
pour payer un homme. Emma, alle au moins, a s'fait
payer. Toé, tu les paies.

— Mettons que j'les paie, si vous voulez. Dans tous
les cas, c'est mon argent et j'sus ben maître d'en faire
c'que j'veux. J'travaille pour. Mais vous, qu'est-ce que
vous faites? Qu'est-ce que vous avez fait depuis cinquante
ans? Vous avez pris note argent pis vous l'avez donné.
Pourquoi? Pour rien. Vous nous avez tout arraché pour le
donner, pour payer la terre et la terre est pas payée. A

s'ra jamais payée. Je l'sais, moé. On aura travaillé toute note vie pour rien, pour rien. On vous l'ôtera, vote terre, et vous finirez dans l'chemin du roi. Vous pourrez prendre ane poche et aller de porte en porte. Pis, vous finirez par crever dans l'chemin.

Plus meurtrières que des coups de couteau, les paroles volaient d'un côté de la table à l'autre, infligeant des blessures inguérissables.

— La terre, vous l'avez aimée plus que nous autres, continuait Mélanie. Si j'me conduis mal, j'mange au moins à ma faim, tandis qu'ici j'ai jamais mangé à ma faim.

Mélanie vomissait tout le fiel qui s'était amassé en elle depuis le jour où son père était allé la mettre en service chez un hôtelier retraité qui l'avait quasi violée dès le soir de son entrée dans cette maison étrangère alors que sa concubine était sortie un moment.

— Effrontée, menteuse! rugissait le père Mattier, blême de fureur et tout secoué par ces vérités et par les paroles prophétiques de sa fille.

Ayant dit ce qu'elle avait à dire, Mélanie se leva à son tour pour prendre la porte.

— Il est d'venu fou! clama le fils. Allons-nous-en.

Eugène et Rosalie repoussèrent leur chaise, saisirent leurs effets et, sans un mot d'adieu, passèrent la porte. Les uns après les autres, les enfants franchirent, pour n'y plus revenir, le seuil de la maison paternelle.

Leurs vies gâtées, gaspillées, aigris par tant de sacrifices inutiles, ils s'en allaient le cœur débordant de haine.

L'une des filles retourna au bordel d'où elle était sortie le matin, une autre reprit le chemin de la cuisine à l'odeur de graissaille où elle cuisait des soupes et des tartes pour un maigre salaire que lui soutirait un mâle rapace et fainéant. Après avoir toujours donné tout son argent à son père, elle trouvait naturel de le remettre à ce vaurien. La troisième des filles réintégra le logis où elle louait des chambres et où elle vivait en concubinage avec un parasite. Le fils rentra aussi en ville où le guettait la prison.

Les deux vieux restaient seuls dans la maison pauvre et hostile. Ils se regardaient en silence.

D'un geste mécanique, le vieux soulevait son couteau, le mettait debout et le laissait ensuite retomber sur la table.

Alors, toujours têtu et pour se donner raison devant sa femme:

— J'ai des enfants sans cœur, déclara-t-il.

Sa vieille aurait voulu protester, mais elle était si faible, si lasse, si molle, si usée, qu'elle n'en eut pas le courage et refusa d'entamer une vaine discussion.

Le silence régna longtemps, longtemps.

De son même geste mécanique, le vieux continuait son manège avec son couteau. Il le mettait debout et le laissait retomber sur le bois de la table.

Puis, soudain, la pluie, qui avait menacé tout le jour, se mit à tomber. Elle tombait à torrents. Elle tombait sur le toit, elle glissait sur les fenêtres basses et c'était comme un déluge de larmes. C'était comme si la vieille maison pleurait, pleurait sur toutes ces vies gâtées, sur le pitoyable destin de ces êtres qu'elle avait abrités et qui, comme des épaves, s'en allaient à vau-l'eau.

Marcel Godin

Simone

Né à Trois-Rivières en 1932, autodidacte, fonctionnaire et journaliste, Marcel Godin est l'auteur de huit romans, d'essais, de pièces de théâtre, de pièces radiophoniques et, enfin, de nouvelles. En plus des deux recueils, *La cruauté des faibles* (1961) et *Confettis* (1976), Godin a publié des nouvelles dans diverses revues (*Situation, Exchange, Brève, Liberté, Revue de Poche, Études françaises, Nous*). Dans ses nouvelles comme dans ses romans, Godin explore avec ironie l'univers de la cruauté où affleure souvent une sensibilité discrète.

«Simone» dans *La cruauté des faibles*,
Montréal, Éditions du Jour, 1961.

Le soleil traverse l'écran de bambou. Une mouche graisseuse et bombée se pose sur ma main. Je fais un geste, la renvoie. Elle va sur l'abat-jour de la lampe éteinte.

Simone est étendue sur son lit. Des sueurs perlent sur mon front et sur mon verre de whisky. Je suis assis sur la chaise d'osier. C'est dimanche. Il fait chaud. Simone est grosse. J'ai horreur des grosses personnes: elles me répugnent. Quand j'ai connu Simone, elle était maigre et délicate.

On n'a pas idée de lire quand il fait aussi chaud. On n'a pas idée de faire quoi que ce soit: même pas l'amour. D'ailleurs, Simone pue. Elle transpire continuellement. Elle est trop grosse. Par la porte de la chambre entrouverte, je vois ses pieds; ils sont comme jaunes, un peu tordus et reluisants.

J'ai enlevé ma chemise et mon pantalon. J'avais la peau un peu moite. Nous devons tous avoir la peau moite. Je regarde les pieds de Simone. L'éventail déplace l'air qui reste chaud. Un son de guitare, puis une voix se fait entendre dans une langue que je ne connais pas. On perçoit bien le tic tac de l'horloge: tic tac, tic tac. C'est horrible.

J'ai beau regarder autour de moi en attendant qu'ils viennent, et songer à notre départ, Simone et moi! Ça fait douze ans. Elle était petite. Elle riait si bien. Notre ménage, notre vie heureuse a duré quatre ans. Quatre ans sur douze! Elle avait été délicate. Je regarde ses pieds. J'ai la certitude qu'ils jaunissent un peu plus.

Je remplis mon verre. Je me lève inconsciemment pour aller chercher un cube de glace. En passant près de la table, je remarque le journal encore ouvert à la page des mots croisés. Simone aimait les mots croisés. Une amie lui en envoyait un recueil, régulièrement. Je retourne m'asseoir à la même place.

Au début, quand elle a bien voulu devenir ma maîtresse, je l'ai trouvée amusante. Elle était prude, pudique, chaste. J'ai réussi à la convaincre de se dégager un tout petit peu. Je me souviens. Après, elle avait trouvé une façon de s'approcher derrière moi, ventre à dos, de glisser ses fines mains dans mes poches et de les frotter sur mes hanches. Nous ne bougions même pas. Nous restions ainsi quelques instants. Le désir montait en nous, nous possédait lentement. C'est un art de laisser attendre les choses, de les retarder, de les sentir longuement avant de consentir à y goûter. Simone cultivait cet art.

Nous nous jetions alors, l'un devant l'autre, corps à corps, bouche à bouche, ventre à ventre, avec des palpitations d'yeux, des soupirs retenus et relâchés, des tremblements de genoux!

Elle avait le don de me départir de moi-même, de me transporter avec grande fièvre, là, justement, dans l'univers souterrain de ses lèvres, dans sa gorge ouverte, dans son ventre huileux. Que de fois, en quatre ans, quand elle était petite et délicate, avons-nous entrepris ce grand voyage!

C'était surtout à table qu'il fallait la voir. Elle mangeait avec une lenteur, une application. Elle contemplait ses aliments, les respirait. Entre chaque bouchée, elle m'en parlait dans les moindres détails.

Elle a grossi lentement. Mon plaisir de la voir manger m'a empêché de la voir grossir. Peu à peu, elle m'a habitué à sa transformation. Je regardais presque toujours son visage. Le visage n'a jamais changé. Elle a toujours été belle. Elle a toujours eu ce regard étrange, de très grands yeux d'un bleu troublant et des cils très très longs qui lui faisaient sur les yeux comme des ailes d'oiseaux. Je lui disais: «Simone, ferme tes ailes.» Elle baissait les paupières et me versait un sourire en entrouvrant à peine ses lèvres roses. Si on avait regardé son visage, rien que son visage, on l'aurait crue si petite et si délicate. Je ne regardais plus que le visage. Il était si beau. Parfois, j'arrivais à oublier le corps.

J'ignore combien de fois j'ai sculpté sa tête. Il y a des jours que je ne travaille plus. Mes outils sont là. J'ai commencé une sculpture d'elle, il y a huit ans. Je ne la finirai jamais.

J'ai envie de fermer la porte de sa chambre. Ses vilains pieds me répugnent.

Comme on est lent, dans ce pays! Comme ils sont lents à venir! C'est vrai; pour eux aussi il doit faire très chaud. Quel métier!

Il est surprenant de constater comme on ramasse peu de souvenirs en douze ans. Toujours les mêmes. Les images qui me reviennent se limitent à ce que j'ai dit: la table, le lit. Pourtant! Nous avons voyagé et vécu. Il y a eu des moments intenses, des tricheries, des disputes. Ai-je déjà tout oublié?

Quand elle se déshabillait, le soir.

De toutes les femmes que j'ai connues, parmi tous les modèles que j'ai eus, aucun ne savait si bien se dévêtir. Elle s'assoyait sur le lit. Elle s'étendait ensuite sur le dos et enlevait ses sandales avec ses orteils en découvrant à peine plus que la naissance de ses genoux. Des fois, elle demeurait longtemps ainsi couchée. Elle parlait seule. Elle disait: «Comme on est bien nu-pieds!» Elle en jouissait quelques instants, puis, elle déboutonnait sa blouse en retenant ses gestes pour me dire quelque chose de très dégagé sur la sculpture, son dernier roman, la jupe qu'elle avait admirée sur la place du marché. Parfois, elle me vantait le café-filtre qu'elle avait bu, l'après-midi même, en compagnie de Solange. Elle aimait parler de Solange. Quand elle avait fini de se déboutonner, elle donnait un petit coup de rein en appuyant ses chevilles sur le bord du lit, puis, s'assoyait.

Je ne connais rien de plus troublant que ce geste de Simone quand elle remontait pudiquement sa jupe pour dégraffer ses bas. Avec délicatesse et sensualité, elle glissait ses mains sous la fine soie et dénudait ses jambes. Debout, elle enlevait sa blouse et m'éblouissait par ses épaules rondes et douces, par ses petits seins aigus, fermes, comme germés. Simone! Simone nue, au lavabo, se lavant les dents. Simone se peignant les cheveux. Simone au lit, limpide, transparente, riant d'un rien, de mon ébahissement, de mon extase, de ma soif d'elle.

Elle était avide de détails, de ce qui pouvait être bon, agréable et susceptible de lui procurer quelques satisfactions. Simone était vivante alors.

Je remplis mon verre. Je me lève stupidement pour aller chercher un cube de glace. En passant près de la table, j'en profite pour fermer le journal. J'ai toujours trouvé les mots croisés ridicules. J'ai envie de plier le journal et d'en finir avec la mouche bombée. Il faudrait me démener, courir peut-être. Il fait trop chaud. En regagnant mon fauteuil je passe devant la chambre, viens pour fermer la porte et m'isoler des pieds nus de Simone. J'ai quand même regardé. Au lieu de fermer la porte, je l'ai poussée avec un doigt. Ça a fait craccc...

Elle est là, endormie. Elle est horrible. Il se dégage d'elle une odeur putrescente. Son visage est paisible. Elle a encore ses grandes ailes d'oiseaux lui voilant les yeux et ce sourire entrouvert sur ses lèvres mauves. J'essaie de m'en tenir au visage mais le corps est là aussi, gros autant que je le déteste et intégré au portrait. Elle est presque nue. Sa poitrine épaisse, mal retenue par son vêtement usé, lui coule de chaque côté du cœur. Ses bras larges, amplement abandonnés, flasques et graisseux, dorment de chaque côté du corps. Le ventre est épais. Les cuisses répandues et gonflées couvrent ce pubis maintenant perdu. Comment ai-je pu tenir ce corps entre mes bras? Comment ai-je pu me griser avec elle en autant de voyages? Comment ai-je pu m'oublier au point d'avoir oublié ce corps?

Ma peau est toujours moite. J'ai chaud. Le tic tac continue imperturbablement. La mouche bombée trotte sur le corps de Simone. Je me recule et regarde encore une fois. Simone reluisante, jaune. Presque verte.

J'ai refermé la porte. Je suis allé à la fenêtre voir s'ils arrivaient. Personne. Je suis retourné à mon fauteuil d'osier. J'ai rempli à nouveau mon verre.

J'ai cru entendre le rire de Simone. Elle avait vingt ans quand nous nous sommes connus. Elle était en vacances sur l'île, se séchait au soleil. Je m'étais approché d'elle et lui avait demandé: «Voudriez-vous surveiller mes vêtements tandis que je me baigne?»

Ce soir-là, nous sommes restés sur la plage jusqu'à la nuit. Simone et moi, à vingt ans, petite et délicate, souriante, avec ses ailes d'oiseaux.

On frappe à la porte. Ce doit être eux. Je vais ouvrir en prenant soin d'endosser une chemise et d'enfiler un pantalon. Ils sont quatre. Le plus âgé, celui qui a la verrue, sert d'interprète et me pose les questions.

— Marié?

Je réponds:

— Si vous voulez!

— Alors, qu'est-ce que j'écris? dit-il.

— Écrivez *marié*.

Il a écrit *marié*. Après, il a posé d'autres questions: l'âge, le nom des parents, le lieu de naissance et depuis combien de temps nous vivions ensemble. J'ai répondu à toutes ses questions. Il a demandé où elle était. Je l'ai conduit dans la chambre. Les trois autres hommes ne l'ont pas suivi. Ils sont restés assis autour de la table, les yeux rivés sur la bouteille de whisky. Le vieux a regardé Simone, s'est penché sur elle.

— Étrange, a-t-il dit, elle ne sent pas bon. Il y a longtemps?

— Quelques jours, ai-je répondu.

— Je vois, murmura-t-il.

Il a demandé des vêtements.

Ensuite, il m'a fait signe que ce n'était pas nécessaire. J'ai compris. Il l'a recouverte d'un drap, complètement.

Sur le point de quitter la chambre, a fait demi-tour, a relevé le drap pour voir le visage. Il a regardé encore quelques instants, chassant la mouche bombée qui tournait autour de lui. Il m'a regardé.

— Elle est belle, hein! s'exclama-t-il.

En sortant de la chambre, il a fait signe aux hommes qu'ils pouvaient l'emmener. Ils l'ont glissée dans le fourgon. En refermant la portière, le vieux a ajouté:

— Il faudrait l'enterrer immédiatement, c'est contagieux.

J'ignore pourquoi il a craché par terre. Ils sont partis.

J'ai respiré longuement.

Je referme la porte, regagne ma chaise d'osier, bois lentement une dernière gorgée de whisky. La mouche se pose sur ma main. Je fais un geste pour la chasser. Il fait toujours aussi chaud. Le guitariste joue encore.

Je m'endors en pensant à Simone, quand elle était petite et délicate. «Simone, ferme tes ailes...»

Jacques Ferron

Cadieu

~~~~~

Né à Louiseville (Maskinongé) en 1921, Jacques Ferron meurt en
1985. Après avoir fréquenté les collèges Jean-de-Brébeuf, Saint-
Laurent et de l'Assomption, il fait sa médecine à l'Université Laval
et un stage de trois ans dans le corps médical canadien, puis un
second, de deux ans, à Petite-Madeleine en Gaspésie. Il ouvrira en
1949 un cabinet de consultation à Ville Jacques-Cartier où il
pratiquera la médecine jusqu'à sa mort. Prolifique, Ferron a publié
des pièces de théâtre, des essais, des romans et des contes: *Contes
du pays incertain* (1962), *Contes anglais et autres* (1964). En 1968,
ces deux recueils ont été repris, avec quelques contes inédits, dans
une édition intégrale. Incisifs, caustiques, spirituels, gouailleurs, les
contes de Ferron, tout en s'enracinant dans le monde contempo-
rain, participent à une tradition littéraire millénaire.

«Cadieu» dans *Contes du pays incertain*, Montréal, Éditions
d'Orphée, 1962. Cette nouvelle sera reprise dans l'édition intégrale
des *Contes* publiée chez HMH en 1968.

Une maison du temps des sauvages, maçonnée pour décourager l'incendiaire, qui flamba quand même, mais par le dedans, comme on verra dans ce récit. Maison des ancêtres, propriété de mon père, j'y suis né. D'habitant passée à journalier, elle n'avait gardé de son domaine que les bâtiments délabrés et subsistait dans la gêne. Mon père était un grand homme seul qui ne disait ni oui ni non, les dents serrées, mais, quand il ouvrait, quelle voix! Il chantait à l'église, les matins de grand'messe, gagnant ainsi quelques cennes. Le jour il se louait aux habitants qui le retenaient jusqu'à la brunante. Levé tôt, couché tard, nous restions des semaines sans le voir. Parfois il chômait; c'était lui alors qui ne nous voyait pas. D'enfants nous fûmes cinq, sept, dix. J'étais l'aîné, le premier dans l'échelle. Le père se tenait en haut. Chaque année, je montais d'un échelon, sans parvenir à sa semelle. Derrière moi s'agrippaient les frères et sœurs, avides de vieillir. Les plus jeunes faisaient exception, dans la cour avec les poules et les gorets, insouciants et heureux pour le tourment de notre pauvre mère, qui n'avait point de cesse qu'ils n'aient pris place dans l'échelle absurde, qu'ils ne se soient ajoutés à notre grappe pathétique.

Les quêteux, successeurs des sauvages, arrêtaient parfois à la maison. «Pour l'amour du bon Dieu», disaient-ils, l'air d'y croire ou de ne pas y croire, selon leur technique. Nous leur faisions la charité de mauvais cœur, car nous étions très pauvres, pour les éloigner, par une sorte de peur ancestrale. L'un d'eux ne s'amenait qu'après les naissances, mais il n'en manquait pas une. Il se nommait Sauvageau. Celui-là ne disait rien, tendait la main, prenait et ne remerciait même pas. Mon père avait coutume de lui dire: «Tiens, pour la dernière fois!» Il exprimait ainsi le souhait de sa femme. Mais Sauvageau, le fixant de son œil d'oiseau, haussait les épaules, et mon père comprenait qu'il en était encore, qu'il en restait toujours à l'avant-dernière fois.

Lorsque j'eus quinze ans, je trouvai à m'embaucher. On en fut bien aise. Ma mère me fit même des façons. Elle était plus vieille que moi. De ses beaux jours passés je n'avais pas la moindre notion, ne connaissant que ses heures de tracas, ses moments d'impatience. Je ne compris rien à son regard de jeune fille, je me demandais ce qu'elle voulait. Enfin, s'étant enquise de mes intentions, je répondis qu'avec mon salaire je comptais m'acheter un bel habillement. Elle en perdit ses façons.

Le bel habillement me donnait des droits sur les chemins et autres lieux publics de passage et de rencontre. Cela aurait pu me mener loin, mais je ne m'avançais guère, me rendant tout au plus, le samedi soir, au restaurant cuiquelounche du village, où, juché sur un tabouret, la paille au bec, beau comme un insecte, je savourais des petites sucées d'eau gazeuse. Je ne butinais pas grand'chose avec ma trompe à cinq cennes, mais il m'en coûtait si peu que mes moyens augmentaient. L'habillement payé, j'avais continué de garder mon salaire. J'eus bientôt de quoi me payer une eau plus forte. Je n'en savais rien mais cela se sut et Thomette Damour, un de ces beaux samedis, stoppa son grand taxi noir devant le restaurant cuiquelounche. «Ahouignahan, fit-il, je descends à Montmagny; que ceusses qui ont le gosier sec embarquent avec moi!»

Je revins tard à la maison, saoul et le motton fondu. Ce ne fut pas sans bruit. Le bonhomme grogna. Bah! il se nommait Cadieu comme moi. Il ne m'empêcha pas de dormir. Le lendemain, toutefois, j'étais moins faraud. Lorsque sa femme me rappela que je me nommais d'abord Cadieu comme lui et qu'en pareil cas, surtout si ce père chante en latin à l'église, on retient l'ahouignahan de sa jeunesse, j'en convins, j'en convins. Un mois après j'en convenais encore, mais j'avais repris du poil. Survient Thomette qui me met la main sur la cuisse: «Eh, mon Cadieu, t'as le motton!» — «Motton ou pas, je ne bois plus.» Mais qui parle de boire? Thomette se rend simplement à Berthier, il va saluer son meilleur ami. Vrai? Alors c'est différent, je veux bien l'accompagner. Nous arrivons à Berthier, le meilleur ami n'est pas chez lui. «Il doit être aux vêpres, j'irai à sa rencontre.» Et Thomette de me laisser avec la fille de ce dévot, laquelle me demande: «Puis-je avoir confiance en vous?»

— Oui.

Alors elle donne libre cours à des gentillesses imprévues. Je commence à douter de ma bonne foi. Je n'ai toutefois qu'une parole: qu'elle continue! Elle continue si bien qu'à la fin, grand vilain que je suis, je la mets toute en larmes, la pauvre orpheline. Après, je ne sais plus comment la consoler. Je lui donne une piastre, deux piastres. Elle pleure, elle pleure. Je continue à m'éplucher, elle ne tarit pas. Ce fut ma dernière piastre qui la consola. Thomette revint sur les entrefaites. J'avais encore perdu le motton et j'étais bien dégoûté. «Dis-moi pas que tu veux entrer en religion?» Je ne sourcillai pas: «Oui, je veux entrer en religion.»

— On ne rit pas!

Et Thomette ne riait pas. Ce fut avec bien du respect qu'il me ramena à la maison. Le bonhomme m'attendait au bord de la route. Thomette dit: «Tu prieras pour moi», et repartit dans son grand taxi noir. Je restai dans l'ombre, à côté du bonhomme qui ne disait ni oui ni non, les dents serrées. «Son père, je veux entrer en religion.» Le bonhomme me prit par le bras. Comme nous passions devant la soue, il en ouvrit la porte et me poussa; je tombai à la renverse au milieu des cochons: «Commence ton noviciat icitte, vaurien!»

Le lendemain, mon bel habillement ne reluisait pas. Cependant j'étais devenu un homme. Je mis mon butin de tous les jours et quittai la maison, le village, le comté de Bellechasse, fort de ma vocation, à la recherche d'un autre noviciat. J'allais à pied et marche, marche donc! «Minute, eh, touriste!» Voici qu'à mes côtés hagard, maigre, plus déguenillé que jamais, surgit Sauvageau, la poche sur le dos, qui se met en frais de m'accompagner. Il n'en a pas les moyens, aussitôt hors d'haleine. «Attends, attends!» Moi je continue.

— Bon, va, débarrasse!

Je me retourne: il est planté au milieu de la route, la main sur le cœur, la bouche ouverte, les lèvres noires. Je demande: «Êtes-vous malade?» Alors lui qui manque déjà d'air, il s'arrête de respirer pour me fixer de son œil d'oiseau, curieux de voir l'homme d'une telle question. L'ayant vu, il n'est pas soulagé, se remet à courir après son souffle, pompe et pompe tant à la fin qu'il le rejoint. Cela ne lui redonne pas d'entrain; bouge-t-il que sa suffocation reprend. Je m'offre en aide: la ville est proche, mais il m'indique une grange; je l'y mène. Couché dans le foin, il a meilleure posture. A-t-il encore besoin de moi? Sinon, je continuerai mon chemin. Il me fait signe de rester: «Que veux-tu que je te donne?» Je n'ai besoin de rien; d'ailleurs que peut-il me donner, lui un quêteux?

— Des enfants, en veux-tu? Combien? Un, deux, cinq, douze, dis: tu les auras.

Non, merci. Son œil me fixe: «Aucun» — «Aucun.» Il tire de sa poche une pauvre poupée et une alène: «C'est dit? — C'est dit.» Il transperce la poupée. Cela ne me fit ni chaud ni froid; j'étais trop jeune pour comprendre. «Adieu, lui dis-je, je prierai pour vous. — Ah oui? Et de quel droit, petit? — Je vais entrer en religion.» Sauvageau faillit suffoquer de rire, puis: «Nous en reparlerons. — Mais je ne vous reverrai plus! — Va, va», fit-il avec indulgence. Je continuai donc. À Lévis je m'arrête, perplexe: le fleuve traverse mon projet de passer à Québec. «Prenez le bateau», me dit-on. C'est la sagesse même. Seulement je n'ai pas une cenne, je me bute au péager-casquette-d'amiral. Moi, je porte une chemise d'étoffe du pays, des culottes de feutre. Mes bottes sentent l'écurie plus que la messe.

— Eh bien, ton tiquette?

Je me fouille: je ne l'ai pas, bien sûr. Et, dans l'impossibilité où je suis de faire valoir ma vocation, je me sens mourir de honte. Derrière moi les usagers, tous citadins bien mis, fronts étrettes et mains crochues, commencent à s'impatienter, les uns, à ricaner, les autres. Cependant il y a dans le groupe un rougeaud, habillé comme moi, qui ne prise pas le tableau; il en a bientôt assez, ôtez-vous les fronts étrettes! et le voici devant l'amiral: «Tiens, tes maudits tiquettes!» Puis il me pousse sur le bateau, pas très content; il a pris mon parti, ce n'est pas qu'il m'approuve: est-ce qu'on s'aventure en ville quand on n'a pas une cenne? J'explique mon cas, il se tranquillise: j'ai bien fait, c'est certain, de quitter la maison. Mais il ne peut pas me suivre jusqu'au bout; son père ne chante pas à la messe comme le mien; il préfère, quant à lui, communauté pour communauté, les chantiers au noviciat. «Note que je n'en ai pas contre ta vocation.» Non, bien sûr! Seulement il arriva que je le suivis sur la Gatineau.

Quelques mois plus tard, Rougeaud, le meilleur garçon du monde, était devenu irritable, batailleur. Le père Jessé Marlow, notre bourgeois, un fameux maquignon, ne chercha même pas à le raisonner; il l'envoya à Maniouaki chez une personne, prénommée Blanche, habile à refaire les sangs d'un gars. Nous étions inséparables; je fus donc du pèlerinage. De retour au camp, nous

nous remettons au travail. Rougeaud est guéri; l'humeur ne l'emporte plus. En peu de temps nous aurons regagné l'argent de sa cure. Sur les entrefaites je commence à éprouver une drôle de sensation: quand je change mon poisson d'eau, il est inquiet, j'ai mal à l'âme; comme cela m'arrive de plus en plus souvent, je deviens tout à fait malheureux. Rougeaud me voit la mine; de ce qu'elle cache s'étant enquis: «Bah, dit-il, ce n'est qu'un effort!» Un effort qui ne lâche pas et me vide l'os de sa moelle. Après une semaine je suis faible, faible; la hache me tombe des mains. Rougeaud n'y comprend rien: à Maniouaki nous sommes sortis avec la même fille, la seule Blanche, l'experte du bourgeois; à lui elle n'a fait que du bien, à moi que du mal, d'où vient la différence? Au père Jessé nous en étant remis:

— De ta vocation, répond celui-ci.

Et il n'est pas content du tout. S'il avait su, jamais il ne m'aurait engagé. Ce qui est à Dieu est à Dieu, ce qui est à lui est à lui. Entre patrons on se protège. En tous les cas il ne me gardera pas une minute de plus: ma place est dans un noviciat. Le soir même, je prenais le train pour Montréal.

Le wagon était vide. Entre les arrêts, son âme en peine dans la lanterne, le serre-frein venait s'asseoir dans le voisinage et toussotait. Je feignais de dormir. Une fois, j'ouvris l'œil et n'eus pas le temps de le refermer: par la petite fente il m'avait happé, parlait et ne me lâchait plus. Il m'eut bientôt à sa disposition. Mais qui étais-je au juste? Entre Canadiens on ne sait jamais; il s'agit parfois de décliner ses noms et prénoms pour s'appeler cousin.

— Hein?

— Comment vous nommez-vous?

Je rougis, je n'avais pourtant pas la maladie dans la face. «Je me nomme Dubois, répondis-je, Eugène Dubois.»

— Tiens! fit le serre-frein, j'ai des Dubois dans ma famille.

— Moi de même, dis-je pour couper court, mais je ne les connais pas, orphelin de père et de mère dès la plus tendre enfance. Des gens charitables m'ont recueilli. Je mourais de faim et de froid sur mon petit grabat. Ils m'ont sauvé la vie. Leur nom: Cadieu. Le père est un gros habitant, la mère une vraie sainte. Ils habitent la plus belle maison de Bellechasse. Bâtiments à l'avenant. Dans la cour pavée d'asphalte les enfants s'amusent en silence au milieu des poules distinguées et des cochons timides. Monsieur Cadieu, assis sur le perron, un nouveau-né sur chaque cuisse, chante des cantiques. Aux passants, chapeau bas, il répond d'un petit signe de la tête.

À ce tableau le serre-frein ne trouva pas à redire. Il n'arrivait pas toutefois à comprendre que ces Cadieu de l'Ancien Testament ne m'eussent pas gardé.

— Pardon, ils essayèrent; je les ai repoussés, ingrat, méchant, porté à la luxure, un vrai pourceau dans un nid d'hirondelles. Leurs larmes coulèrent en vain; je suis parti, le blasphème à la bouche, un petit dix-onces sur la fesse droite.

Là non plus, le serre-frein ne trouve rien à redire. Il ramasse sa lanterne, me salue poliment et s'en va. Le train geint aux détours de la nuit. Nous arrivons à Montréal au point du jour. Sur ma maladie le médecin fut aussitôt fixé; tint quand même à m'examiner; ausculta, tripota, flaira; finit par le motton, sur quatre cents piastres m'en prit trois cent quatre-vingts; traitement d'un mois, pas cher; j'étais chanceux. Dorénavant, chaque jour, je lui amène ma maladie, une honorée pour lui, pour moi un éléphant; sa trompe il trempe dans un jus de betterave à la potasse, l'affaire de cinq minutes, et je suis libre jusqu'au lendemain d'aller à ma guise pourvu que je marche le moins possible. Un mois ainsi, quatre-vingts cennes par jour, la soupe des patronages, les dortoirs de la Main, à caboter dans les parages du Parc Viger.

Sauvageau, le quêteux aux lèvres noires, surgit devant moi. Je ne fus pas surpris, ni lui d'ailleurs. «Et ta vocation? — J'y pense toujours. — Dans ce cas pourquoi ne ferais-tu pas noviciat ici?» Je vis à son œil d'oiseau qu'il ne blaguait pas.

— Mais il n'y a qu'une religion!

— C'est entendu, mais tu peux la prendre dans les deux sens, par l'endroit comme tout le monde ou par l'envers comme on fait ici. Je t'enverrai Mithridate. Il t'expliquera. C'est un homme qui connaît toute chose.

Le lendemain, un quidam vint s'asseoir près de moi. Un baveux, sans doute. Mais il me dit d'une voix claire et rapide: «Je sais que tu es de passage et que tu repartiras bientôt.» Je sus qui il était. Yeux vifs, paupières lourdes, le nez busqué, une mèche de cheveux décolorés, il ressemblait à un clown défroqué, converti à quelque affaire sérieuse, à une mission difficile, à la fois extravagante et abjecte. Il me demanda mon nom. Je rougis. Je n'avais pourtant pas la maladie dans la face. Je lui donnai mon alias.

— Dubois, un nom de troupeau enregistré. Eugène me parle mieux. Moi, je me nomme Mithridate. Je suis le roi du Pont. L'eau ne m'intéresse pas, je passe par-dessus le canal, je bois de la robine. Pour vivre il faut se sentir mourir, s'empoisonner à la goutte. Le reste n'est que bagatelle. Je parle en connaissance de cause; j'ai eu une existence antérieure; je portais un autre nom que je n'avais pas choisi, un nom honorable de générations passées et futures; je voyageais du déluge à l'antéchrist, entre squelettes et embryons; je croyais rêver. J'ai sauté du train pour vivre.

C'était là son discours. Je n'y comprenais rien, flatté néanmoins de l'entendre. Ma jeunesse, je crois, l'inspirait. Il était d'ailleurs un personnage dans le Parc, une sorte d'avocat que des gens du dehors, bien vêtus, venaient parfois consulter; un agitateur aussi qui ne restait jamais en paix, allant d'un groupe à l'autre, laissant des remous derrière lui; un robineux qui n'aimait guère la robine, intoxiqué surtout de mots. Il avait réussi à organiser une confrérie de gueux; sur ce raquète se fondait son royaume. Cependant il n'aimait pas le pouvoir plus que la robine; il régnait comme il buvait celle-ci, par respect de son nom et pour donner une raison d'être, disait-il, à l'Académie. Il était terriblement futile.

À mesure que le temps passait, il se rapprochait de moi; bientôt ne me quitta plus. Il me demandait de lui raconter ma vie; l'air de la campagne lui était doux. Son comportement changea. Il se mit à boire la robine à grands traits. Il devenait hagard, désintéressé, silencieux. Puis, un jour, lui qui m'avait gardé jusque-là en dehors de son royaume, il me tendit la bouteille. Par curiosité de novice, pour ne pas lui déplaire, j'y pris quelques gorgées. C'était du feu. Je lui souris, les larmes aux yeux. Les arbres se mirent à saigner doucement la chlorophylle, quelqu'un m'enlaça, je fus entraîné. Par la suite j'entendis le bruit de l'eau. C'est tout ce dont je me souviens. Le lendemain, je m'éveillai au bord du canal; un bateau des grands lacs passait. Je me rendis chez le médecin afin de recevoir mon dernier traitement. L'air pur me donnait le vertige. Lorsque je revins dans le parc, le quêteux aux lèvres noires m'attendait. Il me dit: «Tu peux partir; ton noviciat est fini.»

Je gardai mon alias. Cela me permit de brasser des affaires. Au bout de cinq ou six ans un monsieur je suis, gants, chapeau et tout. J'ai même des amis dans le gouvernement. Seulement je porte encore le nom de ma honte. À celui des aïeux je voudrais revenir, replanter l'arbre généalogique, avoir un parapluie en peau d'ancêtres avec tatouages microfilmés, cœur saignant et fleur de lys. Il faudrait d'abord que je sois reconnu par les miens. Je retourne donc dans Bellechasse. Le bonhomme est sourd, mais il rumine encore son cantique. Les petites sœurs ont grandi; il en reste trois ou quatre. Les frères sont tous partis. «Je suis Monsieur Dubois. — Entrez donc, Monsieur Dubois.» Personne ne m'a reconnu; on me prend pour un épouseur. Les petites sœurs, sagement assises, ont chacune un minet sur les genoux, qui s'étire, qui ronronne, bâille et montre sa gueule rose. La vieille chatte s'affaire autour des chaises: lequel voulez-vous, Monsieur Dubois? Moi, je commence à être dans l'embarras.

— Je suis venu pour acheter la maison.

Les minets de dresser l'oreille: la maison vendue, ils courront en liberté. Le sourd grogne. «Monsieur Dubois a de la grosse argent et des amis dans le gouvernement. Vendons-lui la maison, il te trouvera une place de gardien de nuit. — Hein? — Une place de gardien de nuit.» J'eus la maison pour pas grand-chose, une haute et grande maison qui d'habitant passée à journalier, ayant perdu son domaine, restait à l'étroit, le long du chemin. Pour la libérer j'y mis le feu. Ce fut un beau spectacle. Toute la paroisse y assista. J'allais repartir lorsque j'aperçus mon quêteux aux lèvres noires, les mains tendues vers le brasier:

— Ah, le bon feu, disait-il, le bon feu!

Jacques Ferron

Le paysagiste

«Le paysagiste» dans *Contes du pays incertain*, Montréal, Éditions
d'Orphée, 1962. Cette nouvelle sera reprise dans l'édition intégrale
des *Contes* publiée chez HMH en 1968.

Un paresseux doublé d'un simple d'esprit, celui-ci pensant pour celui-là qui travaillait pour l'autre, vivait tout étonné au milieu d'un grand loisir. C'était dans cette bonne province de Gaspésie, si théâtrale, où du sol on a fait un tas rejeté en arrière, un tas de montagnes pour s'adosser et n'en pas croire ses yeux; voici ce que l'on voit: le ciel descendre, la mer monter et ces deux plans à l'horizon se rencontrer, formant un angle variable; dans cet angle l'espace trouver place et bâiller. Fort bien! Pourtant rien de tout cela ne tient; il suffit qu'un transatlantique au-delà de l'horizon fasse signe du mât pour que cette géométrie s'abîme. Il est difficile de bâtir la mer sur le fluide; l'immensité qu'on lui accorde alors n'est qu'un panier percé. Il n'en restait pas moins que notre homme, nommé Jérémie, avait devant lui bonne provision d'air, de quoi souffler des deux poumons, de la bouche, du nez, comme il voulait et même, lui aussi, bâiller. Mais quand il bâillait ainsi, ouvrant les mâchoires au degré même de l'angle du ciel sur la mer, son ouverture restait plus petite et c'est l'espace qui le happait: il devenait la barque ancrée au large, la barque restée dans l'anse ou cette autre dans l'intervalle, qui va ou revient, avançant à coups de canon sur la tête de son unique piston; il devenait le soleil, source de toute énergie et pourtant moins vantard que le moteur Acadia ébranlant l'univers de son poussif exploit, le soleil dont l'hélice de cuivre tourne si vite qu'il dort sur la pointe, toupie dont l'axe giratoire est le cœur de la trombe d'oiseaux ameutés par le retour des pêcheurs et l'éviscération du poisson; il devenait tout ce qu'il voyait au hasard des yeux avec la préférence que ceux-ci accordent au mouvement. La mêlée des oiseaux le fascinait. Avec quelle hâte apercevait-il au loin un goéland retardataire, le voyait-il approcher, avec quelle hâte de l'y plonger! Ce goéland désormais était le sien, avec lui il se lançait à la curée, entrant, sortant du chaos, n'en ayant jamais assez, parfois bien étonné de s'être dégagé sous forme de mouette, repartant aussitôt à la recherche de son iden- tité, et n'en finissait plus de se perdre puis de se retrou- ver, gobant au passage un bon morceau, se gavant, fientant, pris par le mouvement que l'hélice radieuse, la toupie sommeillant sur sa pointe, abaisse au ras de l'eau, faisant jaillir l'écume, trombe d'ailes folles, cyclone de cris rauques, rage de vie, tourbillon soulevant le cœur de la mer et dressant toute crue une Aphrodite sauvage à odeur de morue. Jérémie se demandait alors de qui il était le jouet, de soi, du soleil ou de Dieu? Sa question se perdait sous forme de goéland, le cou rentré, taciturne, qui s'éloignait d'une aile morne et lâchait une dernière fiente — c'était peut-être la réponse.

Mais le fracas de moteur, la ronde des oiseaux charognards, le soleil tout-puissant, la mort décomposée, la vie qui se bande, Aphrodite, tout cela et le décor, la terre renvoyée dans les montagnes, le village disposé vers la mer comme au théâtre, tout cela n'est qu'un aspect du paysage que Jérémie d'une saison à l'autre, hiver, été, depuis son enfance, peignait sur le jour, esquisse de quel- ques heures, reprise le lendemain, le paysage qu'il n'ar- rivait pas à finir, irritant comme la vie qui n'arrive pas à mourir. Jérémie avait trente-huit ans. Sa grande réussite avait été de se faire accepter par les siens. Le concordat obligeait ceux-ci à lui donner gîte, vêtement et nourri- ture. Longtemps ils avaient résisté. Comme Jérémie sem- blait être un paresseux doublé d'un faible d'esprit, celui- ci pensant pour celui-là qui travaillait pour l'autre, ils lui parlaient très vite avec des jeux de mots, des habiletés de langage, dans l'intention de le mêler, de le décroiser, comme ils disaient, pour obtenir que par inadvertance le

paresseux pensât et le faible d'esprit travaillât. Jérémie
était resté intraitable. Ailleurs qu'en Gaspésie on l'eût
envoyé étudier la peinture chez les fous, car dans les
provinces où l'on s'éclaire à l'électricité depuis plus
d'une génération, on se croit déjà au ciel: on choisit ses
enfants; les autres vont en prison, damnés. La Gaspésie
n'en est pas encore là; on y reste du monde. Aussi, après
faillite des tentatives pour le débaucher, Jérémie eut-il
son concordat. Les négociations ayant été longues, pour
le dédommager du tort qu'elles avaient pu causer à sa
réputation, on convint de ne rien lui donner et de tout
lui devoir, de subvenir à ses besoins en échange de ses
services. Cela équivalait à une reconnaissance de son art.
On alla plus loin: quand vint le recensement, le commis
de Sa Majesté la Reine ayant demandé: qu'est-ce qu'il fait
celui-là? on lui répondit: Monsieur, il fait du paysage, et
le commis de l'inscrire paysagiste; ce qui avait été trans-
crit dans les livres et répandu par toute l'Amérique jusque dans nos plus lointaines capitales. Il n'y avait plus à
en revenir, le surnom resta. Jérémie fut appelé dorénavant: le paysagiste.

Tout le long du jour, il bâillait, pris par l'espace qui
bâillait plus grand, par les couleurs, les lignes, le mouvement et les harmoniques sonores du tableau. Lorsqu'il
faisait beau, il peignait en plein air, autrement derrière
un carreau sur une vitre dont il prenait grand soin
qu'elle adhérât à l'espace. Le soir il était libre; on venait
causer avec lui. Comme il peignait par projection, en
direct, pourrait-on dire, suivant à la perfection la réalité
qu'il épousait, les badauds étaient déjà renseignés sur son
dernier paysage, l'un pour y avoir flâné, l'autre pêché,
tous pour l'avoir vu. Cette participation grandissait
l'œuvre, édifice d'autant plus étonnant qu'il était la
cathédrale d'un jour que la mer engloutissait, la nuit,

édifice d'air et d'eau dont la fluidité périssable était justement la merveille. Jérémie savait se mettre à la portée de ces comparses qui n'avaient retenu de l'œuvre que les cristallisations croustillantes la tapissant, les détails, des riens, des accidents; l'inspiration de l'artiste les laissait-elle indifférents, du moins ils n'en parlaient jamais. «Pas mal, disaient-ils, cette ondée! Bien réussi, ton vent! Pas fameuse, ta bruine du matin!» Appréciation, compliment ou reproche, Jérémie écoutait tout humblement car tout de son œuvre le touchait, même le reflet fugace dans des yeux indifférents. Ces menus bavardages occupaient la soirée, puis un à un les amateurs se retiraient et Jérémie allait se coucher le dernier, seul.

Naguère maigre, mangeant du bout des lèvres, inquiet le jour mais dormant bien la nuit, il avait épaissi, ne se gênait plus pour manger à sa faim et devenait bel homme mais, la nuit, se tourmentait. Le vent de terre qui le soir se met à ruisseler le long des montagnes et peu à peu grossit, torrents d'oiseaux stridents déployant leurs ailes pour éviter le toit des maisons, ce vent lui semblait lugubre. Ce n'étaient plus les ailes blanches du jour couronnant sa création. La malice de la nuit le troublait. Ses terreurs dataient du concordat: l'acceptation des siens l'avait banni de soi, mais ne pouvant s'exprimer en eux selon les coutumes de l'espèce, il restait en peine et ne trouvait de repos que sous le soleil. Il dormait peu, mal ou pas du tout; parfois alors il se levait, sortait de la maison et que rencontrait-il? Des décombres, des noirs amas, le vide, la plainte profonde du vent. Et jusqu'à l'aube il errait sur le rivage, dans les ruines de son œuvre; une de ces nuits-là, se noya.

Le lendemain et toute la semaine qui suivit, il y eut brume. Puis le paysage reparut; désormais il se succéda jour après jour, saison après saison. C'était le paysage que

Jérémie avait peint jour après jour, saison après saison,
depuis des années et dont il laissait provision pour toujours. Personne ne le reconnut. L'artiste avait oublié de
signer.

Anne Hébert

Un grand mariage

Née à Sainte-Catherine-de-Fossambault (Portneuf), Anne Hébert a vécu à Québec pour ensuite élire domicile à Paris depuis de nombreuses années. Poète, romancière, dramaturge et nouvelliste, elle s'est mérité de très nombreux prix dont le prestigieux Femina pour son cinquième roman *Les fous de Bassan*. Outre trois recueils de poèmes et plusieurs pièces de théâtre, Anne Hébert a publié sept romans et un recueil de nouvelles: *Le torrent*. Ce recueil est considéré comme une des œuvres majeures du Québec moderne, tant il semble avoir exprimé avec justesse, et dénoncé, la misère morale d'une certaine époque.

«Un grand mariage» dans *Le torrent*, Montréal, Éditions HMH, 1976. Ce recueil parut d'abord chez Beauchemin en 1950 et ensuite chez HMH en 1963 augmenté de deux nouvelles: «Un grand mariage» et «La mort de Stella». En 1965, il paraîtra au Seuil, mais amputé du texte «L'ange de Dominique». En 1989, il sera publié dans la collection Bibliothèque québécoise.

Augustin Berthelot sortit de la basilique, Marie-Louise de Lachevrotière à son bras. La noce suivait en bon ordre, tandis que la musique d'orgue déferlait en ondes sonores jusque sur le parvis où quelques gamins s'accrochaient aux grilles pour mieux voir les mariés.

Augustin Berthelot eut un geste vague de la main pour saluer les têtes enfantines garnissant les fers de lance de la grille, en deux brochettes serrées et bien distinctes. À droite, les cols marins et les boucles soyeuses de la Haute-Ville, à gauche, les têtes embroussaillées et les figures barbouillées des rues basses.

Le marié avait la taille haute et bien prise, un visage dur et fin. Il éprouvait sa réussite paisiblement, tel un bien dû de toute éternité, pesant à peine à son bras là où une petite main gantée de blanc se trouvait posée. Le sentiment de sa liberté familiale et sociale lui paraissait plus difficile à contenir, le grisait, lui montait à la tête et suffisait peut-être à expliquer une certaine arrogance dans son sourire. Ni père, ni mère, ni frères, ni sœurs, ni oncles, ni tantes, ni amis, ni aucun petits cousins, pouvant le trahir, cachés là parmi les gamins de la Basse-Ville venus pour admirer un aussi grand mariage.

Augustin Berthelot, toutes attaches rompues, entrait dans sa nouvelle vie, libre comme Lazare ressuscité. Ses longues années passées dans le Grand Nord, son exceptionnel succès auprès de la compagnie de la Baie d'Hudson, sa récente nomination chez le meilleur fourreur de la rue Buade, tout cela lui valait une sorte d'auréole accompagnant le prestige très net de sa fortune bien assise.

Un instant, le regard d'Augustin s'attarda sur le groupe d'enfants malingres que le suisse venait de disperser et qui détalaient, comme une volée de moineaux chassés à coups de pierres. «Qu'un seul d'entre eux refuse de fuir et s'arrête sur la place pour narguer le suisse, et il sera sauvé, et je le bénirai dans mon cœur», pensa Augustin. Mais pas un enfant ne s'arrêta. Le frêle galop disparut clopin-clopant. «Mauvaises graines, race de pourris», murmura le jeune époux, entre deux sourires, attentif à saluer, selon sa situation exacte dans la société, chaque invité de la noce de mademoiselle de Lachevrotière dont il était devenu pour la vie, lui, Augustin Berthelot, l'invité d'honneur et le partenaire à parts égales.

Cette main sans vie sur son bras, ce profil anonyme d'ange insondable, entre les plis du voile, Augustin regardait sa femme, comme un songe ancien, venu là à ses côtés lui faire un bout de conduite.

La cinquième, par rang d'âge, des filles de François-Xavier de Lachevrotière, venait de lier son sort au sien, selon les lois de Dieu et de l'Église, mais Augustin Berthelot pouvait croire que rien n'était changé. Il se revoyait, enfant, puis adolescent, à l'heure des vêpres, blotti dans la pénombre d'un bas-côté, épiant les demoiselles de Lachevrotière, emmitouflées de castor, l'hiver, et vêtues de broderie anglaise, l'été, avec des rubans bleus ou roses, noués autour de la taille. Il avait vu ainsi disparaître, en bon ordre, emmenées par des maris bien choisis: l'aînée, la cadette, puis la troisième qui souffrait de coryza perpétuel. Puis il y avait eu les dix années de la Baie d'Hudson et cette tranquille possession de la terre qu'un cœur ambitieux et réfléchi peut réaliser lorsqu'il ne ménage ni ses forces ni cette idée tenace qu'il a de son droit inaliénable. À son retour à Québec, la cinquième des demoiselles de Lachevrotière se trouvait encore libre, et Augustin avait été présenté à François-Xavier par le chanoine Painchaud. Celui-ci avait su rendre un compte précis de la situation florissante d'Augustin, représentant attitré de la compagnie de la Baie d'Hudson auprès de

Holt Howard and Co. et actionnaire de ladite compagnie. L'origine obscure du jeune homme, né rue Sous-le-Cap, n'était évoquée que pour mieux louer son sens inné des affaires et sa force de caractère peu commune. Confidence pour confidence, le chanoine Painchaud avait su faire avouer à François-Xavier les dangers qui menaçaient sa seigneurie de Saint-Joachim largement hypothéquée. Augustin proposa de prendre la chose en main et de sauver l'honneur de François-Xavier, comme s'il se fût agi du sien propre. Les deux hommes mirent donc leur honneur en commun, et le mariage de Marie-Louise fut décidé, tandis qu'Augustin (on était en avril) rêvait de l'automne à Saint-Joachim, au moment où les oies sauvages passent au-dessus du cap Tourmente, dans un fracas lointain de migration massive.

Les longues journées de chasse en forêt, le retour au manoir, à la nuit tombée, l'agrément d'un feu de bois dans la cheminée, sans oublier ces rentes laissées en souffrance par François-Xavier, et que lui, Augustin, saurait bien soutirer aux paysans; tout cela, par avance, mettait le jeune homme dans d'heureuses dispositions de plaisir et d'humeur batailleuse.

Dès après la réception de mariage qui eut lieu rue Saint-Denis, chez les parents de Marie-Louise, les jeunes époux partirent pour Saint-Joachim, ainsi qu'Augustin en avait décidé.

La violente lumière d'automne allumait de place en place les arbres colorés, à moitié dépouillés. L'odeur du sol humide et des feuilles macérées montait tout alentour; Augustin retrouvait son âme sûre et efficace du Grand Nord. Sa connaissance du bois et de la chasse, son expérience auprès des Indiens, traiteurs de fourrures (qu'il avait appris à manœuvrer sans coup férir), au cours de marchés de plus en plus serrés, à mesure que pas-

saient les années d'apprentissage, lui conféraient maintenant toutes coudées franches sur les terres de Saint-
Joachim pour abattre perdrix, outardes, oies et che-
vreuils, ainsi que pour piéger les censitaires retardataires.

Ce n'est que le soir, lorsqu'il rentrait du bois, le
corps fourbu et bienheureux, ou qu'il refermait derrière
lui la porte du petit bureau sans feu de François-Xavier,
après avoir exercé son droit de nouveau seigneur face
aux doléances et récriminations des paysans, qu'Augustin
Berthelot éprouvait une légère hésitation, une ombre
d'incertitude, une sorte de méfiance très désagréable à
l'égard de son savoir-vivre le plus profond.

Il lui fallait rejoindre au grand salon sa femme,
immobile près de la cheminée, perdue dans ses jupes et
ses châles, réfugiée dans une interminable songerie
d'enfant boudeur.

Le grand livre du censier sur les genoux, Augustin
feignait de vérifier ses comptes tandis que Marie-Louise
se rapprochait encore du feu, comme si elle eût voulu
disparaître dedans, se fondre en braises, s'échapper en
fumée par la cheminée, fuir sur le toit, volatilisée, à
jamais délivrée de son corps de jeune mariée. Mais son
âme sèche et hautaine lui était d'un grand secours dans
un si pauvre désarroi. Elle n'opposait à Augustin aucune
autre résistance que celle du plus intérieur et du plus
parfait mépris.

Augustin lui demandait: «Qu'avez-vous fait toute la
journée?» Marie-Louise haussait les épaules et répondait:
«Rien.» Comment pouvait-elle expliquer qu'elle était
demeurée toute la journée près du feu, attentive au jeu
de beauté et de destruction des flammes et du bois, dans
l'espoir insensé de faire provision de chaleur et de courage par tous les pores de sa peau qui se glaçait irrémédiablement à mesure qu'approchait le soir, et le moment

où cet homme, qui était son mari, lui apparaissait dans l'embrasure de la porte, tel un guerrier vainqueur.

Le pied de Marie-Louise se balançait nerveusement au bas de sa jupe, abattant parfois une bûche dans un envol d'étincelles et un fracas de bois éclaté. Augustin suivait le va-et-vient de ce petit pied et s'appliquait à recommencer trois fois chaque addition, comme un nageur à bout de souffle qui se cramponne aux moindres brindilles.

«Qu'avez-vous fait, toute la journée, Marie-Louise?» redemandait-il d'une voix à peine perceptible.

Marie-Louise se leva brusquement, fit bouffer ses jupes, et d'un coup de rein, rajusta sa tournure. Elle regarda son mari d'un œil qu'elle voulait foudroyant, mais son allure de petite fille offusquée fit sourire Augustin qui se leva à son tour et vint près d'elle. Elle répéta: «Rien. Rien. Je vous l'ai déjà dit. Et puis qu'est-ce que vous voulez que je fasse d'autre, je vous prie?»

Elle disait «rien» avec orgueil, comme si ce mot eût été une arme indéfectible, une sorte d'étendard provocant, une déclaration de principes irréfutables.

Marie-Louise s'était approchée de la fenêtre. Elle enleva sa bague et rageusement, d'un geste sûr, elle grava son nom sur la vitre avec son solitaire, à la suite d'autres prénoms féminins qui s'étageaient là depuis plusieurs générations. Elle répéta «rien» dans un souffle, contre la vitre, tandis qu'Augustin s'approchait par derrière et lui mettait les mains sur les épaules.

Il regardait le carreau comble de signatures féminines, gravées en tous sens, comme sur un contrat d'importance. Il évoquait cette longue chaîne de femmes désœuvrées, recluses en ce manoir dont l'emploi du temps avait été «rien», «rien», «rien», alors que là, tout à côté, passait le fleuve immense et dur, et que mille flambées naissaient et mouraient dans cette même cheminée de pierre.

Augustin pensait à sa mère broyée sous des montagnes de linge à laver, suffoquée sous des buées de repassages. Il revoyait aussi les mains osseuses et fortes de Délia la métisse qu'il avait eue avec lui durant plusieurs années à la Baie d'Hudson. Au plus profond de son cœur Augustin éprouvait l'injustice de la vie comme une vieille blessure dont il avait juré de se venger.

Marie-Louise s'était retournée, sans qu'Augustin eût desserré ses mains de sur les épaules enfantines. «Laissez-moi passer, je vous prie.» Elle respirait vite tout contre la poitrine d'Augustin, baissant la tête, évitant de regarder le jeune homme. Elle eut un geste prompt pour se dégager, empoigna ses jupes à pleines mains. «Laissez-moi passer, je vous prie.»

Les jupes et jupons de Marie-Louise exaltaient Augustin. Tout ce paysage de son enfance, blanchi, amidonné, passé au bleu, brodé, festonné, tuyauté; séchant, l'hiver, au milieu de la cuisine, l'été sur des cordes en plein vent, du temps de la rue Sous-le-Cap. «Ne touche pas. Ne touche pas», lui répétait sa mère, laveuse et repasseuse de fin, s'apprêtant à grimper le Cap, ses paquets fragiles sous le bras. De la Grande-Allée aux Remparts, passant par l'Esplanade et la rue des Grisons, Augustin accompagnait sa mère, légère et blanche, livrant son travail aux dames et demoiselles, clientes de la Haute-Ville. «Que peuvent-elles donc faire de tant de pantalons et de jupons?» pensait le petit garçon que ces tournées humiliaient et fascinaient, tout à la fois.

Un instant, Augustin eut envie de renverser Marie-Louise, là, sur le tapis et de se perdre gaillardement sous tant de jupes folles et un si bel abat-jour froufroutant. La pensée de la terreur et de la colère qu'éprouverait certainement la jeune femme, appréhendant l'arrivée possible d'un domestique, décuplait le désir d'Augustin. Il laissa pourtant passer Marie-Louise, furieuse et rougissante, sans la retenir davantage. Un scandale domestique pouvait nuire à Augustin Berthelot auprès de François-Xavier de Lachevrotière dont il valait mieux se faire un allié sûr dans la société et les affaires.

C'est donc la voix très calme qu'Augustin annonça à sa jeune épouse que le voyage de noces était terminé et qu'ils rentreraient, le lendemain, à Québec. «Toutes les rentes sont perçues, sauf quelques récalcitrantes, au sujet desquelles nous aviserons, votre père et moi», proclamat-il sentencieusement, en refermant son livre de comptes.

Une bonne, grasse et frisottée, annonça à voix très haute «que le dîner était paré sur la table». Augustin s'écarta pour laisser sortir sa femme. Il la suivit des yeux et se demanda avec ennui s'il faudrait plusieurs maternités à Marie-Louise avant que ne s'épanouisse son corps grêle.

La haute maison qu'Augustin Berthelot venait d'acheter rue des Remparts, face au bassin Louise, le contentait pleinement. «Comme me voilà bien au centre du monde», pensait-il, foulant les tapis épais, soulevant les rideaux de guipure, pour suivre un instant, par la fenêtre, le mouvement des bateaux dans le bassin. Toute une petite ville têtue, repliée sur elle-même, armée dans son cœur étroit, depuis la Conquête anglaise. Une société aux rites immuables, aux arbres généalogiques clairs et précis, faciles à dessiner jusque dans leurs moindres familles. Et cela remontait à la pépinière clairsemée des quelques «vieilles familles» bourgeoises demeurées au pays après le traité de Paris et qu'on pouvait aisément repérer, pour la bonne fréquentation, au hasard des villes et des manoirs, là où surgissaient parfois des créatures nobles, souvent poétiques et farfelues.

«Mon arbre généalogique à moi, songeait Augustin, il commence avec moi, et tout le passé n'est que misères

et sottises.» La mémoire d'Augustin demeurait un lieu
clos et bien rangé dans son cœur vif, tout occupé des mer-
veilles du présent et de son propre pouvoir sur le réel.

«Une ville, cela s'occupe et se possède comme une
maison, de la cave au grenier.» Le cocher d'Augustin en
savait quelque chose, lui qui conduisait quotidiennement
son maître, été comme hiver, tandis que de beaux chevaux attelés en paire finissaient par attraper le souffle
dans les côtes abruptes de la ville.

Les courtiers de la rue Saint-Pierre, les tanneurs du
quartier Saint-Roch, les capitaines de cargo, les patrons
anglais de Holt Howard and Co., les Français de Révillon,
la compagnie de la Baie d'Hudson, les notaires et les
avocats de la ville et des environs, le haut et le bas clergé,
presque tous, pour une raison ou une autre, avaient affaire à Augustin Berthelot, tandis que le chanoine Painchaud, ayant fait instruire Augustin de ses propres deniers,
en vue de lui inculquer la vocation, songeait avec nostalgie à la perte irréparable d'une âme aussi énergique,
pour le bon équilibre de la hiérarchie ecclésiastique.

Or Marie-Louise demeurait malingre et stérile. Elle
souffrait de migraines et de vapeurs et s'arrangeait pour
échapper le plus possible à son devoir conjugal. Augustin
s'en accommodait fort mal. Si le principe de ne céder à
aucune réminiscence du passé n'avait été si bien ancré en
lui, avec quelle joie il aurait acquiescé au vocabulaire et
aux manières de son défunt cordonnier de père, stockés
là, quelque part dans ses veines, à lui, Augustin. Le vieil
homme, courbé sur de mauvaises chaussures de pauvres,
s'était peu à peu racorni comme un vieux cuir. Lorsqu'il
rentrait, le soir, dans la cuisine encombrée de linge, on
aurait pu croire qu'il continuait de mâchonner de petits
clous de cordonnier. Mais entre ses lèvres minces passaient de petites colères acides, de petits blasphèmes

pointus. Il distribuait les taloches de la même façon
égale, et sèche, souvent interminable.

Augustin n'entrait jamais chez sa femme sans frapper à la porte. La correction de ses manières, sa maîtrise,
en de semblables circonstances, le flattaient plus qu'aucune affaire menée de main de maître, et cela le réjouis-
sait sans doute plus qu'aucun autre plaisir à savourer
auprès de Marie-Louise.

«Ma femme me fait enrager et puis elle m'ennuie,
cette carte pâmée!» Augustin déposa son chapeau, sa
canne et ses gants, s'efforçant de demeurer impassible,
tandis qu'un commis, l'air servile et sournois, lui présentait le dernier courrier arrivé le matin même, de la Baie
d'Hudson.

Augustin se carra dans son fauteuil de cuir, jeta un
regard circulaire sur le bureau aux boiseries enfumées,
voulut congédier le commis. Celui-ci l'arrêta d'un «Pardon
monsieur» dit très doucement, en fermant les yeux, «pardon monsieur, il y a aussi une dame qui vous a demandé
à plusieurs reprises...»

— Une dame, Nicolas?

— Une dame... c'est-à-dire une femme, oui monsieur, plutôt une femme qu'il faudrait dire, monsieur,
je crois...

Augustin déplia une feuille de papier jaune et parcourut d'un coup d'œil rapide le compte des marchandi-
ses à recevoir. Soudain, la date, tout en haut, à droite de
la lettre, arrêta son attention longuement, étrangement,
comme le signe d'une affaire importante encore secrète
et embrouillée qu'il aurait à mettre au clair et à inscrire
victorieusement dans la colonne de l'actif, sous peine
d'ennuis très graves.

«C'est ridicule, qu'est-ce qui me prend, on dirait que
cette date m'inquiète», maugréa intérieurement Augustin,

«25 mai, qu'y a-t-il d'extraordinaire à cela? 25 mai... Ce n'est pas sorcier, ce n'est que l'annonce de l'été, là-bas. Le brusque, le bref, le fiévreux été de là-bas, avec ses mille cascades délivrées, ses mousses douces, sa luminosité accablante, ses bataillons serrés de moustiques, ses odeurs particulières.»

Le commis continuait:

— Une femme, oui monsieur, c'est-à-dire, plutôt une sauvagesse qu'il faudrait dire, je crois, monsieur... Oui, une sauvagesse...

Augustin fixa le commis calmement, comme s'il eût voulu le clouer au mur, tel un minuscule papillon noir, tout fripé d'avance.

— Une sauvagesse, Nicolas? Elle venait sans doute de Lorette pour vendre ses mocassins. C'est à Peterson qu'il faut l'adresser, vous le savez bien...

— C'est après vous qu'elle demandait, monsieur. Elle paraissait ne rien comprendre et répétait, comme une litanie: «Il faut absolument que je parle à monsieur Augustin Berthelot, que je parle à monsieur Augustin Berthelot...»

Augustin lut son courrier, signa quelques lettres et fit appeler son cocher. Il s'appliquait de toutes ses forces à ne rien dire, à ne rien faire qui ne fût très sûr, posé, irréfutable, encore plus que d'habitude, comme si le bon équilibre de sa vie entière eût dépendu du contrôle parfait de ses nerfs, en cette journée d'été 1890.

Comment cela avait-il commencé de se détraquer en lui? Augustin ne le saurait sans doute jamais. Une stricte discipline intérieure l'avait depuis longtemps habitué à ne pas attacher d'importance aux images, aux sensations qui pouvaient passer dans son imagination. Ne voulait-il pas ignorer tout de ce monde insaisissable, incohérent, inutile, délétère qui dormait en lui? «Que les souvenirs et les regrets aillent se faire pendre ailleurs!» avait-il coutume de se donner comme mot d'ordre. Une belle pensée droite, ferme, demeurait pour lui celle que l'on domine et dirige en vue d'un but précis, d'une action consciente et efficace.

Tout d'abord, ce matin-là, rien dans son comportement extérieur ne pouvait donner prise au moindre soupçon. Que des images du Grand Nord passassent devant ses yeux, tenaces et vivantes, l'empêchant de penser librement à autre chose, cela n'était pas encore de la rêverie certes; mais l'insistance même de ces images irritait Augustin. Pour secouer cet agacement qui montait avec la menace du songe, il résolut de prendre un verre au *Chien d'Or*, commettant ainsi le premier impair qui devait le mener à un envahissement en règle de cette vie seconde, douce-amère, si bien cachée en lui.

Comme le cocher, rapide et niais, très rare assemblage de caractéristiques chez un être vivant, sautait déjà à bas de la voiture pour aller chercher les cigares de monsieur, comme d'habitude, Augustin dit qu'il irait lui-même «pour se dégourdir les jambes».

Incapable d'aucune réaction qui pouvait ressembler à de l'étonnement, le cocher remonta d'un seul saut en hauteur sur son siège de cocher. Épuisé par sa propre vitesse, il ne tarda pas à s'endormir, le menton sur la poitrine, offrant aux passants sa nuque maigre de poulet crevé.

Bien calé sur la banquette de velours rouge du *Chien d'Or*, Augustin avala plusieurs verres de bière, alors que le patron lui soufflait à l'oreille qu'une Indienne l'avait demandé, très tôt, dans la matinée. Augustin parla de choses et d'autres, alluma un cigare, et glissa tout bonnement, entre deux bouffées, que ces Indiens de Lorette n'en finissaient plus d'ennuyer Holt Howard and Co. avec leurs brassées de mocassins perlés: «Le marché en est complètement saturé. Mais essayez donc de leur faire comprendre cela ou autre chose?» Le patron hocha la tête et répondit «qu'un entêtement de sauvage, cela valait celui du diable et du bon Dieu, réunis ensemble, sauf votre respect, monsieur Berthelot».

Au sortir du *Chien d'Or*, Augustin maudit l'entêtement des Indiens en bloc qu'il ressentait soudain en lui, d'une façon tangible, mêlé à cet arrière-goût de bière qui s'attachait à son palais.

Lorsqu'il arriva rue de la Fabrique, chez Pelletier et Pelletier, Augustin avait déjà eu le temps, bercé par le petit trot des chevaux, de succomber à une curieuse impression de malaise, tout comme si une avalanche de mocassins le menaçait de toutes parts, pareils à des balles perdues, dès qu'il fermait un œil.

Mademoiselle Fréchette, caissière de son état depuis trente-cinq ans, tremblait encore lorsqu'elle annonça à Augustin «qu'une sauvagesse avait demandé monsieur Augustin Berthelot, sans se gêner le moins du monde, comme ça, à voix claire, par-dessus la caisse».

Augustin eut sa petite conférence habituelle avec Pelletier, père et fils, parut calme et sûr de lui, à outrance, admira et envia sincèrement, dans son for intérieur, pour la nième fois, le génie héréditaire de Pelletier et Pelletier, qui, peu de temps après la Conquête, avaient su créer et maintenir leur commerce, traitant d'égal à égal avec les Anglais eux-mêmes.

Augustin remonta en voiture, maudit l'obstination saugrenue de cette femme qui courait après lui, de par toute la ville, et commença d'éprouver une profonde angoisse. Un visage précis qu'il s'efforçait, depuis le matin, de maintenir au fond de sa mémoire, émergea à la surface et s'imposa comme l'annonce même du scandale en marche vers lui.

Le jeune homme avait beau se répéter: «Il n'y a qu'à vérifier, confronter cette femme, qui réclame à cor et à cri "monsieur Augustin Berthelot", avec l'image de Délia, maintenant bien éveillée, comme toute lavée de lumière crue dans ma mémoire. Si cette femme n'est pas Délia, il n'y a pas vraiment de quoi fouetter un chat. Mais, si elle l'est, toutes les puissances d'intimidation de la terre, religieuses ou civiles, légales ou illégales, ne pourraient pas grand-chose contre l'obstination de cette grande mule de Métisse.»

À ce moment, le goût frais de la bière tenta à nouveau Augustin, comme si le seul fait de boire un verre, dans la promiscuité d'une salle achalandée, pouvait apporter la plus immédiate et la plus sûre solution à ses problèmes. Et puis, dans une taverne, il était sûr de ne point se trouver nez à nez avec cette sauvagesse de malheur qui le cherchait depuis le matin, ni avec son double forcené laissé pour compte à la baie d'Hudson.

«Je fuis pour mieux préparer mon plan d'attaque», essayait-il de se dire, mais le ridicule d'une semblable excuse le fit se détourner de toute préoccupation autre que celle, lancinante, de sa soif.

Augustin ordonna à son cocher de prendre la côte de la Montagne. «Je descends aux Enfers, pensait-il, goûtant la volupté du remords, tandis qu'il s'enfonçait en lui-même dans des régions inconnues de défaites, de fuites, d'abandon. Que le diable m'emporte où il voudra pourvu que je n'aie rien à décider, rien à affronter, rien à prouver, ni à expliquer, ni à justifier, ni à gagner, ni à perdre.»

La côte était raide et mal pavée. Augustin bougonnait contre la lenteur précautionneuse des chevaux, alors que le cocher prenait nettement partie pour ses bêtes «contre monsieur», s'efforçant de freiner la voiture le plus possible, tout le long de la côte.

Sûr de la force de ses poings et de l'endurance de son corps, ragaillardi par je ne sais quel remous de ses nerfs surexcités, Augustin entreprit une tournée des tavernes de la Basse-Ville. Sans quitter son air hautain et désinvolte, il affrontait du regard les regards hostiles des bûcherons crasseux et des marins barbus. Tout en buvant sa bière, ou son gin, à petites gorgées, il résistait avec peine au désir de jeter bas la veste et de se battre d'homme à homme, sans autre espèce d'enjeu que le remuement profond de son sang et la démonstration rassurante de sa force physique.

Mais cette innocence n'était plus permise. En jetant bas la veste, Augustin se dépouillerait d'un seul coup de sa situation et de sa fortune. On ne réchappe pas au scandale. Il remonta en voiture, tandis que le sentiment d'un esclandre imminent lui tenaillait le cœur, comme un étau. «Encore une maudite face d'Irlandais qui me nargue et je ne réponds plus de rien.»

Au quai de la Traverse pourtant, il descendit et accepta de boire un verre, en compagnie d'un capitaine de sa connaissance. Les blagues rituelles passées, le capitaine parla de la bière qui était embouteillée trop jeune, avoua sa préférence pour le rhum, offrit une tournée, et prévint Augustin qu'une sauvagesse cherchait monsieur Berthelot, sur les quais, depuis le matin.

Augustin sourit d'un air vague au capitaine du traversier et lui tendit un cigare. Il quitta le bar précipitamment et remonta en voiture, signifiant à son cocher de suivre le bord du fleuve.

Le vent était vif, la route détrempée et cahoteuse. Augustin avait déposé son chapeau dans le fond de la voiture. Par deux fois les chevaux galopèrent en bordure du fleuve, de la Traverse aux Foulons, des Foulons à la Traverse. «Que j'use mon ivresse au grand air et je n'aurai plus qu'à rentrer chez moi», se répétait Augustin, comme on récite une prière. Mais la vue du fleuve agité roulant ses vagues avec fracas sur les grèves et contre les quais de bois au lieu d'apaiser le jeune homme, le plongeait dans une sorte de tristesse vague à laquelle il cédait de plus en plus. «Je perds pied», songeait-il, livré sans défense, consentant et effrayé aux dangers d'une nostalgie envahissante.

Ce grand gaillard titubant au sortir du café *Louis XIV*, Augustin aurait voulu pouvoir le serrer dans ses bras, comme un frère, et lui avouer, très haut, que son âme de voyou demeurait miraculeusement intacte et fraternelle, en lui, Augustin Berthelot, tandis que ses beaux habits et ses grandes manières n'étaient qu'impostures et mascarades. Lorsque, pour la seconde fois, la voiture s'engagea dans la petite rue Sous-le-Cap, Augustin sentit un attendrissement sans borne s'emparer de lui, comme si une veine douloureuse se rompait, livrant passage à toute une enfance abîmée. «Ma maudite enfance me remonte à la gorge», se dit-il avec colère.

Des lessives séchaient toujours, tendues en travers de la rue étroite. Des femmes en tablier s'interpellaient sur le pas des portes, des enfants sales regardaient passer la voiture. L'un d'eux ramassa une pierre et la lança de toutes ses forces contre l'attelage. La pierre ricocha sur le garde-boue de la voiture. Augustin se retourna et vit la mère qui giflait l'enfant, à plusieurs reprises.

L'échoppe de Jean-Baptiste Berthelot cordonnier n'existait plus ni cette arrière-boutique minuscule que la mère d'Augustin transformait en buanderie. Mais rien ne pouvait empêcher cette odeur âcre de vieilles chaussures et de linge mouillé d'assaillir avec force le jeune homme élégant dans sa voiture légère.

«Ne touche pas!» Le beau refrain! La belle enfance,

entre deux êtres si bien cloués à leur travail, à leur angoisse de gagne-petit, que l'enfant entre eux n'existait que pour les déranger et voler le temps si court, déjà rogné par les quelques heures de sommeil et les instants de repas, brefs, insuffisants et silencieux. On étouffe ici, sans espace ni amour. Alène, ligneul, forme, pointes, fer à repasser, linge fin, gros linge, savon... Si on en faisait un jeu? Ou une chanson? Pour rire un peu? Pour voir? «Ne touche pas! Ne touche pas, ou volent les gifles!»

Sur le passage d'Augustin, le vieux quartier se réveillait, se sensibilisait comme une aiguille de boussole. C'était en lui que tout cela bougeait, vivait, souffrait, ployait sous l'affront. La rue Sous-le-Cap retrouvait le nord en lui, tout comme si son cœur d'enfant fut demeuré ce point vivant, cet épicentre des larmes et de la rage impuissante. Et cela, non, il ne pouvait le supporter! «Que ce petit garçon jette des pierres sur ma voiture, tant pis pour lui, qu'on le gifle et qu'il se mouche. Qu'il se sauve tout seul. Moi, je n'y puis rien. À chacun son tour de choisir la vie ou la mort.»

Augustin commanda au cocher de presser les chevaux davantage, tout comme si une meute d'enfants justiciers menaçait de sauter dans la voiture, de l'écraser sous leur poids, entraînant Augustin avec eux, le remettant bien en place rue Sous-le-Cap, le livrant, désarçonné, démasqué, à la misère et à la honte.

«Plus vite, Hormidas! Sauve qui peut! Je n'ai que faire de cet enfant qui jette des pierres sur la voiture! Je n'ai que faire de cette femme qui s'accroche à mon cou. L'amour est un piège. La pitié aussi.»

Les chevaux ralentirent. On s'était éloigné. Le bord de l'eau était désert. Le fleuve moutonnait au loin. Augustin retrouva soudain la même échappée joyeuse vers le large que lorsque, petit garçon, il s'ingéniait à imaginer des départs magnifiques sur la mer, vers des pays inconnus où il serait le maître et le roi. Mais les rêves de l'enfant Augustin étaient partagés. Il quittait volontiers la forte et belle odeur aux puissants mélanges de goudron, d'huile, d'eau et de bois, pour les promenades sur la terrasse et la place de la Basilique, là où la Haute-Ville et la Basse-Ville se donnaient mutuellement en spectacle les dimanches et les jours de fête.

Lorsqu'il eut douze ans, il lui fallut choisir pour la première fois. Comme l'enfant montrait des dispositions pour les études et qu'il paraissait tellement se plaire aux ors et aux lumières de la Basilique, le chanoine Painchaud crut déceler une vocation religieuse pour laquelle Augustin n'éprouvait pas la moindre attirance. Le chanoine offrit de payer les études du fils de Jean-Baptiste Berthelot, au Petit et au Grand Séminaire. L'enfant regarda le chanoine dans les yeux, et calmement, à la grande surprise de celui-ci, demanda à réfléchir jusqu'au lendemain, avant de donner sa réponse. Mais cette réponse se fraya très vite un passage net, irrépressible dans la tête de l'enfant. «Tout pour échapper à la rue Sous-le-Cap, au cuir et à la lessive, tout pour étudier et apprendre les lois injustes de ce monde, quitte à se les approprier dans leur injustice même, pour vivre. Tout plutôt que de crever parmi les vaincus.» Le lendemain, le petit Augustin répondait au chanoine Painchaud «qu'il voulait bien étudier pour devenir curé».

Casquette à visière, tunique longue, large ceinture verte enroulée autour de la taille, à la façon d'un monseigneur, Augustin entreprit ses études classiques. Sa curiosité, son attention, sa puissance de travail étaient énormes. Il apportait un soin tout particulier à l'étude de la langue anglaise que traitaient de haut ses camarades voués aux beautés gratuites du grec et du latin. «Si les langues mortes mènent à Dieu et aux humanités, moi je préfère l'anglais qui est vivant; et si je suis adroit, je saurai bien, un jour, trafiquer dans cette langue, maîtresse, entre toutes, des biens de ce monde.»

Le cordonnier mourut le premier, puis la blanchisseuse, à quelques mois d'intervalle. Augustin fut convoqué chez le notaire qui lui apprit que l'échoppe de cordonnier et la cuisine-buanderie lui revenaient en propre, de par la mort de ses parents. Mais pour disposer librement de ce bien chétif il lui fallait encore attendre sa majorité.

Le jeune homme avait dix-neuf ans et il achevait sa deuxième année de philosophie, au Petit Séminaire. Il appréhendait les cérémonies de fin d'année, et surtout cette prise de rubans au cours de laquelle chaque élève devait proclamer officiellement son choix d'une profession libérale, ou d'une vocation religieuse.

Pour Augustin les dés semblaient pipés. Toute liberté de choix se trouvait réduite à une alternative: les ordres séculiers, ou les ordres monastiques. Ainsi en avait décidé le chanoine Painchaud. Mais la résolution muette et bien arrêtée d'Augustin n'en était pas moins prise depuis longtemps, tout au long de ces années d'études austères et monotones. À la prise des rubans, c'est donc d'une voix pleine de défi qu'il annonça qu'il voulait étudier le droit.

Cela fit un beau scandale dans la salle des promotions et dans le cœur du chanoine. Augustin fut traité «d'ingrat et d'hypocrite». Le bienfaiteur offensé et ulcéré retira ses bonnes grâces et refusa de défrayer le coût des études en droit.

Le lendemain Augustin quittait le Séminaire. Il vendit ses livres, et, son baluchon sur l'épaule, s'en fut chez le notaire Cyrille Desnoyers. Dominant avec peine son trouble et sa crainte de ne pas être pris au sérieux, le jeune homme ordonna au notaire de vendre la maison de la rue Sous-le-Cap et de placer l'argent de la vente de la façon qu'il jugerait la plus avantageuse. Le notaire, à la fois amusé par tant d'audace juvénile et subjugué par je ne sais quelle conviction inébranlable qu'il découvrait, sensible et forte, sur le visage grave de l'adolescent, se dit que s'occuper des affaires d'Augustin Berthelot ne devait certainement ressembler à aucune autre tutelle routinière. Augustin sentit qu'il venait de gagner un point. Il retrouva un sourire d'enfant dont il n'était pas sans ignorer le pouvoir de séduction. Puis d'une voix enrouée par l'appréhension et l'orgueil, il demanda une avance de 5$ sur l'héritage de ses parents, ce à quoi Cyrille Desnoyers acquiesça aussitôt.

Le lendemain, Augustin lavait le pont de la goélette *Sancta-Maria*, en route pour la baie d'Hudson. On était aux environs de Cap-à-l'Aigle, et la côte sauvage et noire, aux toisons serrées d'épinettes et de sapins, se dressait sous la brume et la pluie comme un mur de malédictions. Ah! ce pays était bien gardé, mais Augustin jura d'y accomplir son destin, à la force du poignet. Que lui importait la nature farouche et démesurée, c'est une petite ville fermée sous la pierre qu'il rêvait de conquérir. «Dans dix ans, je retournerai à Québec et j'y rentrerai comme un maître.»

La voiture était arrêtée. Le cocher, d'un air consterné, essuyait l'encolure pleine de sueur d'un des deux chevaux. «Trop de galop nuit! Trop de galop nuit! C'est fou de faire courir comme ça d'aussi belles bêtes!

Augustin rappela son cocher et lui dit de faire boire les chevaux à l'abreuvoir de la place. La petite place Notre-Dame-des-Victoires était déserte. Le vent y soufflait par bourrasques faisant tournoyer des feuilles mortes et des bouts de papier. On entendait boire les chevaux et cela faisait un bruit arythmique étrange dans le silence. Augustin s'étira les jambes, passa la main sur son front, comme pour chasser un cauchemar, s'étonna de se trouver sans chapeau. «Bon, assez traîné comme cela. Rentrons. Je suis fourbu, moulu, courbattu.» Mais le plaisir excessif et vain qu'il prenait aux sonorités semblables de ces mots le replongea presque aussitôt dans les limbes d'une ivresse triste. Il répéta, sans plaisir aucun, cette fois: «Fourbu, moulu, courbattu... C'est cette maudite boisson qui me tarabiscote les méninges. Bah! l'alcool ça passe sans laisser de trace. C'est comme ce goût qu'on peut avoir pour une femme. L'amour c'est une maladie; quand c'est fini, c'est bien fini...» Augustin de nouveau regarda le fleuve plombé, frangé d'écume. «Partir il n'y a que cela qui compte. Mais je suis lié maintenant, volontairement lié à cette ville de mon enfance, et j'y creuserai mon trou, avec mes dents, s'il le faut. Là-bas, tout là-bas, après des jours d'eau grise: la terre ingrate gelée comme la lune, des vêtements fourrés graissés à l'intérieur comme des sardines, des chiens sauvages aux yeux bleus, puis l'été singulier qui vient avec des lichens doux sous les pieds, des paysages pierreux, des jours de mai aveuglants de lumière, et la femme à l'odeur forte qui se donne sans jamais se reprendre.»

— Qu'est-ce qu'on fait, monsieur, à présent? Qu'est-ce qu'on fait?

La voix geignarde du cocher s'amenuisait, comme au bord des sanglots.

— On rentre, petit bêta, on rentre.

La cloche grêle de Notre-Dame-des-Victoires sonnait six heures. Augustin remit son chapeau. La notion du temps lui revenait, peu à peu, l'empoisonnant et l'irritant contre lui-même: «Tout un après-midi de travail chez le

diable?» Augustin goûtait l'aigreur d'une mauvaise conscience. Mais, la tête sur le billot, il aurait juré qu'il ne
s'agissait que du regret d'avoir gaspillé un après-midi de
travail dans l'alcool et ses fantasmes. «Bah! il suffira d'un
ou deux cachets et d'une tasse de café noir, et cela pas-
sera avec ma migraine», essaya de se persuader Augustin,
tandis que l'image d'une Indienne s'accrochait à sa veste,
et répétant contre son visage: «Tu l'avais promis. Tu
l'avais juré, au nom du Christ et de l'Église. Souviens-toi.
Tu as fait serment sur la médaille.»

Augustin parla à mi-voix, énumérant ses biens et
propriétés, ses prises réelles sur la vie, en guise de défense
contre la voix insidieuse de cette femme en lui: rue des
Remparts, Holt Howard and Co., compagnie de la Baie
d'Hudson, François-Xavier de Lachevrotière, Marie-
Louise Berthelot, née de Lachevrotière, manoir de Saint-
Joachim. La vie est en ordre. Malheur au rêveur qui fran-
chit la zone interdite du passé.

— À la maison, Hormidas, et n'oublie pas de prendre des cachets à la pharmacie!

L'attelage tourna sur la place. Augustin ferma les
yeux. Une sorte de jeu s'organisait dans sa tête fatiguée
qui consistait à faire avancer la voiture et les chevaux sur
une route imaginaire très étroite d'où tout chemin de
traverse se trouvait soigneusement banni.

Lorsque Augustin ouvrit les yeux, agacé par le long
grincement de l'essieu mal graissé, il remarqua une
forme engoncée dans des couvertures qui se levait soudain des marches de l'église, là où elle paraissait pétri-
fiée, une seconde auparavant. Augustin fit arrêter la voiture, sauta à terre et alla tout droit vers cette masse de
vêtements d'où émergeait une tête lisse comme celle
d'un oiseau.

«Autant en avoir le cœur net et parer à toute éventualité.» En disant cela le jeune homme retrouvait sous les mots son cœur net de jeune lutteur ambitieux lavé de tout reproche, débarrassé de toute entrave, prêt à s'engager dans une nouvelle aventure dont il s'agissait de sortir vainqueur, coûte que coûte.

~~La femme gardait une immobilité de morte.~~ Elle le regardait sans le voir de ses yeux fixes, immenses et injectés dans un petit visage tassé, couleur de vieille brique. La dureté des pommettes, le trait très marqué de la lèvre supérieure, la couleur un peu violacée de cette bouche serrée, rien n'exprimait rien, qu'une longue, opiniâtre, intolérable fatigue. Augustin lui prit le bras. Elle ne se défendit pas, mais ne broncha pas, insensible et dure dans le vent qui s'élevait de partout à la fois. Il sentait l'os de l'avant-bras à travers l'étoffe. Un instant il crut qu'elle allait tomber, tout d'une pièce, sans fléchir une articulation, avec un bruit sec de bois mort.

— Mais comment as-tu fait pour venir jusqu'ici?

Elle se raidit de toutes ses forces, comme si les puissances maléfiques de son voyage insensé, alertées de nouveau, l'attaquaient soudain en masse, avec un acharnement accru. Puis elle frissonna de la tête aux pieds. Elle ne dit rien. Elle ne dirait sans doute jamais rien au sujet de ces quelques milliers de milles accomplis, envers et contre tous, dans la solitude, ou selon le bon vouloir de quelques compagnons de route, missionnaire, trappeur, ou marin, par terre et par eau, avec les moyens de transport les plus divers et les plus rudimentaires, souvent à pied, livrée à l'effroi de perdre sa route en plaine ou en forêt dévorée par les moustiques, affrontant le froid, le gel, le vent, le grand soleil, appréhendant les bêtes sauvages et le hasard des rencontres humaines, souffrant la faim, la soif, la crasse, la sueur, avec la patience égale, la force fanatique de quelqu'un qui réclame la vie.

La cruauté de cette aventure, l'énergie farouche qui y avait présidé étaient si évidentes, marquées à même ce visage, qu'Augustin, un instant, admira éperdument la flamme sauvage qui avait ainsi brûlé son ancienne maîtresse jusqu'aux os.

Délia se serait écroulée sur les marches de l'église, si Augustin ne l'avait prise sous le bras, retrouvant son sang-froid, faisant signe au cocher d'avancer la voiture.

À l'Hôtel-Dieu, Augustin obtint pour Délia une petite chambre, un peu à l'écart. Pendant deux semaines, la Métisse fut entre la vie et la mort. Elle semblait se débattre à la fois contre un silence de pierre qui l'étouffait et l'impulsion violente d'un cri qu'elle s'efforçait de retenir avec peine. Sœur Claire, qui avait mission de la veiller et de recueillir ses moindres paroles, s'étonnait de ce mutisme et de la fièvre qui ne quittait pas la jeune femme.

Augustin ne vint pas lui-même. Il délégua le chanoine Painchaud, après lui avoir expliqué toute l'histoire. Soit, il avait vécu avec cette femme pendant dix ans, il l'avait sans doute aimée, mais ce qui compliquait tout c'est cette promesse insensée qu'il lui avait faite de l'épouser, évoquant la tradition qui veut que, dans une région perdue, là où ne se trouve aucun prêtre, l'Église catholique admet qu'un homme et une femme vivent ensemble, à condition qu'ils promettent de s'unir selon les lois de Dieu et de l'Église, dès qu'il leur sera possible de le faire. Délia était chrétienne et elle ne céda à Augustin que lorsqu'ils eurent juré, tous les deux, de s'épouser, en bonne et due forme. Le chanoine Painchaud tempêta contre l'imprudence d'Augustin, contre cette faiblesse de la chair qui l'avait réduit à de si pauvres marchandages, en vue de si pauvres biens. Mais le scandale n'est-il pas le plus grand de tous les maux qui, d'un instant à l'autre,

risquait de s'allumer, aux quatre coins de la ville, comme
des feux de joie mauvaise? Il fallait à tout prix que cette
Métisse retournât d'où elle venait, et cela, le plus rapidement possible, sans avoir parlé à qui que ce soit dans la
ville.

Ni la grande allure du chanoine ni cette croix d'argent qu'il lui tendit et qu'elle porta à ses lèvres, avec
respect et vénération, n'impressionnèrent Délia.

Lorsque le chanoine se fut mis à parler douillettement, emmitouflant les mots les plus cruels de pieuses
douceurs, Délia ferma les yeux, tourna la tête du côté du
mur, tandis qu'une voix de miel n'en finissait plus de lui
susurrer d'horribles choses: Augustin était marié, selon
les lois de Dieu et de l'Église, avec une jeune femme de
la haute société. Tous deux formaient un couple chrétien
exemplaire, digne, distingué, au-dessus de tout reproche.
Rien ni personne ne peut séparer ceux que Dieu a ainsi
unis par les liens sacrés du mariage. Quant à elle, Délia,
elle n'avait plus qu'à oublier un passé regrettable et à
s'en retourner là d'où elle venait, comme une bonne
chrétienne, soumise, respectueuse des volontés insonda-
bles de Dieu. Qui sait si, un jour, un brave homme de
Métis chrétien, touché par la charité, ne se montrerait
pas disposé à oublier cette triste aventure de la baie
d'Hudson et à épouser Délia, tout simplement? Rien
n'est perdu pour qui sait espérer en Dieu.

Le silence obstiné de la jeune femme emplissait
toute la pièce d'un poids énorme de révolte et de mépris.
Le chanoine respirait mal. Il avait chaud. Il n'en finissait
plus de s'éponger le front. Gêné, exaspéré, il se leva
précipitamment et quitta la pièce sans avoir pu obtenir
une parole ni un regard de Délia.

Le long des corridors voûtés de l'Hôtel-Dieu, le
chanoine chercha la paix, se rassurant avec méthode,

comme s'il se fut récité un sermon à lui-même. Le scandale était enfin tombé, il en avait la certitude cuisante. Seule une Métisse avait été atteinte par le choc, et la ville sans doute pouvait encore être sauvée, grâce à ce détournement des foudres du Seigneur. Mais la honte s'établissait si fort dans le cœur du chanoine qu'il se mit à craindre une levée massive de toutes ses lâchetés passées. «Je m'en lave les mains! Qu'Augustin se tire d'affaire tout seul. C'est à lui de jouer sa partie maintenant. Moi, j'y ai déjà trop mis.»

Lorsque Augustin fut entré dans la petite pièce toute blanche et que la lourde porte de chêne se fut refermée derrière lui, il ne put avancer d'un pas et demeura immobile le dos contre la porte. La pitié, un instant, effleura son cœur, comme une menace. Délia s'était levée, toute droite, croisant sur sa poitrine la robe de chambre à ramages, trop grande pour elle, qu'on lui avait passée. Augustin parla en petites phrases brèves et claires, comme une leçon bien apprise, entrecoupées de silences lourds.

Délia pleura doucement, ce grand cri de revendication qu'elle avait porté si longtemps se fondant soudain en des torrents de larmes enfantines. Elle répétait: «Tu l'avais promis. Tu l'avais juré au nom du Christ et de l'Église. Souviens-toi. Tu as fait serment sur la médaille.»

Augustin retrouva, de pair avec les larmes de Délia, toute sa force de volonté, comme si un Dieu noir dans son cœur fortifiait à mesure une insensibilité parfaite.

L'attitude d'Augustin, l'inattaquable réalité de son mariage avec mademoiselle de Lachevrotière, le respect quasi superstitieux de Délia pour tout engagement consacré par l'Église, ne lui laissèrent bientôt pour seule défense que cette résolution désespérée qu'elle avait prise de ne point perdre Augustin de vue et d'habiter désormais la ville de Québec, pour l'apercevoir de temps en temps, ne fût-ce qu'au détour d'une rue. Elle se trouverait bien du travail et rien ni personne ne pouvait l'empêcher de vivre là où elle le désirait, dans le rayonnement même de cet homme qui l'avait possédée et détruite.

Ni le chanoine ni Augustin, ne purent venir à bout de la fermeté de Délia. La Haute-Ville continua de vivre au rythme égal de son travail et de son oisiveté, l'ennui, par endroit, jetait sa mauvaise graine aussitôt étouffée. Nul ne put dire au juste comment cela se fit, mais un jour, Délia, la Métisse du Grand Nord, entra en service chez madame Augustin Berthelot qui, depuis des mois, accumulait les ennuis au sujet de domestiques peu consciencieux.

À cette nouvelle, le chanoine tenta de jouer le jeu, sans grande conviction, dans l'espoir de conjurer le sort et de conférer une allure noble à la tournure des événements. Il félicita Augustin, avec une ironie quelque peu terrifiée, pour son esprit de charité qui assurait ainsi à son ancienne maîtresse, le gîte, le couvert et le travail quotidien.

Des semaines passèrent au cours desquelles Délia apprit son métier, sous la haute direction de madame Berthelot. Puis, ce qui devait arriver, arriva: un dimanche que Marie-Louise se trouvait en visite chez ses parents, Augustin vint frapper à la porte de Délia, tout au fond d'un minuscule corridor, loin du quartier réservé aux domestiques, dans cette partie du grenier qui servait de réserve pour des guirlandes de beaux oignons, des pyramides de citrouilles orange et des barils de pommes sures.

Délia accueillit Augustin sans grande joie apparente, trop blessée encore dans sa foi et son orgueil, mais pourtant déjà envahie, étouffée dans son cœur par ce don

irrépressible d'elle-même qu'elle ne pourrait s'empêcher
d'offrir, encore et encore à cet homme qu'elle aimait
désormais avec un amer goût de larmes. Après avoir
enlevé calmement ses vêtements, elle passa par-dessus sa
tête la chaîne d'argent avec la médaille de Notre-Dame
qu'elle n'avait jamais quittée.

Délia ne devait plus reprendre la chaîne et la médaille, abandonnant ainsi toute prière, tout recours à la
grâce de Dieu, entrant d'un coup dans sa vie d'amoureuse honteuse à qui nul pouvoir du ciel ou de la terre
ne pourrait jamais rendre la fierté perdue.

Quant à Augustin, il retrouva intact et vif le goût
qu'il avait eu pour Délia la première fois qu'il l'avait
prise, grande et musclée pour ses seize ans. Depuis son
séjour à l'Hôtel-Dieu et ces quelques semaines passées
chez les Berthelot, la jeune femme s'était remplumée et
rafraîchie, comme certaines plantes après l'orage. Son
odeur affolait Augustin qui n'en finissait plus de caresser
les longs cheveux et tout le corps ambré et dur. Le jeune
homme se dit que la vie s'arrangeait toujours, pourvu
qu'on y mît le prix. Il était très heureux que l'amour lui
fut rendu, et, en même temps, il pensait à ce contrat qu'il
avait préparé avec un soin judicieux dans tous ses détails
et avec lequel il comptait bien le lendemain prendre au
piège le plus astucieux client de Holt Howard and Co.

C'est vers ce temps que la paix sembla descendre
tout à fait dans la maison de la rue des Remparts. Marie-
Louise venait d'accoucher d'un fils qui fut baptisé, en
grande pompe, à la basilique, sous les noms de: Augustin-
de-Lachevrotière Berthelot, et le jeune père venait de
s'établir à son compte, dans une élégante boutique de la
rue de la Fabrique.

Marie-Louise était-elle au courant des visites noctur-
nes de son mari, au grenier, chez la Métisse? Il n'en fut

jamais question entre les deux époux. Mais le soir du baptême, une fois les invités disparus et lorsque les vestiges de la réception furent soigneusement effacés par Délia, aidée de la femme de chambre et du garçon à tout faire, Marie-Louise et Augustin firent un pacte: maintenant qu'un héritier leur était né, les époux convinrent que toute vie conjugale entre eux s'avérait inutile et indécente. La jeune femme fit ses conditions, sur un tel ton de menace, qu'Augustin demeura persuadé qu'elle était au courant de tout et que cela l'arrangeait de se débarrasser de certaines corvées, au profit de sa servante.

Les années passèrent ainsi. Lorsque Marie-Louise accompagnait son mari dans le monde, elle rayonnait de grâce et de joie sereine, toutes migraines à jamais disparues. Chacun s'accordait à dire que le mariage épanouissait la jeune femme et qu'un couple aussi bien assorti rehaussait toute réception à laquelle il voulait bien participer. On admirait aussi la haute tenue d'Augustin qui n'acceptait jamais un verre d'alcool et qui paraissait si calme et sûr de lui.

Le chanoine Painchaud vieillissait mal, devenait de plus en plus perclus. De son entrevue avec Délia il avait attrapé une mauvaise conscience qui ne guérissait pas. Si d'aventure, on louait devant lui l'ordre parfait qui semblait régner dans la ville, alors que rien ne pouvait donner prise au moindre reproche, tant la bonne tenue des bourgeois empêchait toute vérité de s'exprimer au grand jour, le chanoine pensait avec la colère triste de l'impuissance: «La vaine affaire que la connaissance de soi et des autres. J'ai beau savoir que je suis un salaud, parmi quelques autres, cela ne me change en rien, ni moi ni personne, et une aussi dure lumière se paye chèrement à même ma paix perdue.»

Cette solide épine s'accrochait au vieux cœur du

chanoine tout particulièrement aux grandes fêtes de
Pâques et de Noël, lorsque la basilique parfumée d'encens, rutilante de lumière, toute sonore des accords du
grand orgue et des voix fortes de la manécanterie, déver-
sait ses flots de fidèles par les allées, vers la sainte table.

Toute la maison Berthelot s'agenouillait pour com-
munier en bon ordre: les maîtres d'abord, père, mère et
fils, puis les domestiques par rang d'ancienneté. Clémée,
la cuisinière, qui avait de la moustache et qui avait épuisé
deux maris, Hormidas, le cocher, qui se retenait de pousser des coudes pour avancer plus vite, Louisette, la
femme de chambre, qui détestait la terre entière et les
hommes en particulier et Jos, l'homme à tout faire, qui
prenait plaisir à faire craquer ses chaussures dans l'allée
abandonnée.

Seule, Délia la Métisse demeurait à sa place, à genoux
sur son prie-Dieu, la tête dans ses mains. Ni les sup-
plications ni les menaces d'Augustin, jointes à ses colères
exaspérées, n'avaient pu fléchir Délia. Le seul point
auquel elle s'accrochait de toutes ses forces, comme à ce
qui lui restait d'honneur, demeurait ce refus de commu-
nier, de crainte de commettre une imposture vis-à-vis de
ce Dieu qui l'avait abandonnée.

André Major

Le temps de l'agonie

André Major est né à Montréal en 1942. Journaliste, réalisateur
à Radio-Canada, il est l'auteur de plusieurs recueils de poèmes,
de romans, d'un essai, d'une pièce de théâtre et de trois recueils
de nouvelles: *Nouvelles* (1963) en collaboration avec Jacques
Brault et André Brochu, *La chair de poule* (1965), *La folle d'Elvis*
(1981) et d'une longue nouvelle *L'hiver au coeur* (1987).
Parallèlement à son œuvre romanesque, l'ensemble de ses
nouvelles porte les traces d'une évolution où peu à peu
la forme prend le pas sur l'idéologie.

«Le temps de l'agonie» dans *Nouvelles*, Montréal,
A.G.E.U.M., «Les Cahiers», 1963.

Juste comme j'empoigne la rampe de l'escalier, qu'est-ce que je vois? Quelque chose de noir qui s'agite... Je fais un effort, je titube, je m'approche, inquiet. Ah! c'est ça... Timine, mon chaton, il est là, pendu! Je craque une allumette, je ne suis plus saoul du tout, j'examine... Il ne bouge plus, Timine, il a cédé, lui pourtant si rusé, si vivace! Ils l'ont eu quand même.

— Chiens sales! que je crie aux assassins.

Personne ne montre le nez, personne ne répond à mon cri.

— Chiens sales! que je hurle encore.

La voisine sort, apeurée. Elle m'interroge des yeux.

— Voyez ce qu'ils m'ont fait! Timine, ils l'ont massacré, pendu à la poignée... avec un lacet de bottine. Je ne suis pas méchant, mais quand on assassine mon chat, vous comprenez?

Elle fait oui de la tête, elle s'inquiète à cause de mon air enragé.

— Ah, ça ne restera pas là cette affaire, je vous jure. Je les trouverai les assassins, et ils regretteront!

Elle approuve toujours. C'est facile d'avoir les gens de son côté: suffit de parler haut comme je fais; ils sont terrifiés, ils se mettent à votre service.

Je me penche sur Timine, je le délivre du lacet, je l'étends comme il faut, je le caresse au cas où ça lui rendrait le souffle. Non, les miracles ce n'est plus de notre temps. Il ne bouge pas, il est tout humide de l'écume qu'ils lui ont fait sortir. Je suis trop en colère pour pleurer, je rêve vengeance, je veux rendre justice à Timine.

Je rentre chez moi. Je suis tellement las. Je m'asperge d'eau froide: ça me dégrise pour de bon. Ma chambre est sens dessus dessous. J'enjambe des livres, des disques, des manuscrits, des bouteilles, des vêtements et des journaux.

L'unique lumière de l'appartement est brûlée; j'allume une chandelle. Puis je m'étends sur le lit. Ah, que je suis bien! Le matelas tire de moi toute la fatigue. Je ferme les yeux pour les reposer. On frappe à la porte.

— Entrez! que je crie.

C'est une petite fille, toute timide.

— Eh bien?

Elle n'ose pas parler; elle attend.

— Qu'est-ce qu'il y a?

— Je suis venue à cause du chat...

— Le chat?

— Oui, le chat pendu... Ils n'ont pas voulu être méchants, ils voulaient le pendre pour rire. Ils ne pensaient pas qu'il mourrait.

— Et après?

— Après, je ne sais pas... Ils m'ont envoyée pour vous faire des excuses.

— Bon, ça va. J'excuse tout le monde. Amen.

— Amen?

— Bonsoir, petite.

— Bonsoir, monsieur.

On ne vas pas faire un drame avec la mort d'un chat. Il est mort, on n'y peut rien. Il y a d'autres chats. Du pied je repousse tout ce qui traîne sur le plancher. Je récapitule ce qui s'est passé depuis quelque temps. Tout a commencé il y a un mois — un mois durant lequel j'ai souffert d'un abcès de désespoir qui vient tout juste de crever. Je ne pouvais plus rien supporter. J'ai deviné que ça irait mal; je me suis empressé de me retirer de tout ce à quoi j'étais lié. Et on m'a perdu de vue. Je me suis terré chez moi avec la ferme volonté de me laisser désintégrer par le silence et l'inertie. Quand on perd le sens des choses, vaut mieux disparaître. Ou bien la maladie passe ou bien on en meurt. Je n'en suis pas mort. J'en ai même vécu. J'avais décidé de ne plus rien faire. Rien de rien. Plus d'articles pour le journal, plus de textes, plus de rencontres, plus rien. Toute ma vie m'était tombée sur le dos, et je n'avais plus le courage de la supporter. Cela a duré une semaine. Une semaine de vide. Sans manger. Seul et silencieux. On a beau entretenir tous les espoirs, toutes les raisons de vivre, vient le moment où tout ce qui vous anime s'écroule d'impuissance ou d'épuisement. Et vous descendez au fond d'une ténèbre qui ronge tout, au fond d'une ténèbre où le vertige vous saisit. Vous vous asseyez devant votre mort et vous implorez une raison de vous lever et de marcher. Vous croyez que c'est un moment de vérité.

Comme on ne me voyait nulle part, les amis se sont inquiétés. Ils sont venus me voir. Ils ont bien vu que ça n'allait pas du tout. Mais ils n'ont pas voulu me laisser seul; malgré mon refus, ils m'ont amené avec eux. Boire. Nous avons fait le tour des tavernes que nous aimons. C'était à leurs frais. Ce n'est jamais moi qui paie. Auparavant je ne m'habituais pas au don. Un don, me disais-je, ça vous humilie un peu, parfois beaucoup: tout dépend du bienfaiteur. Ça me répugnait de recevoir: il me semblait que ça gâchait les rapports entre les êtres. Comme si celui qui reçoit devenait l'obligé du donateur. C'est très difficile à expliquer. Mais, avec le temps, je me suis fait au don. Ma vie est faite des dons que l'on me fait. Je n'ai jamais pu remettre ce que j'ai reçu. À force de me laisser saouler par les amis, j'ai fini par croire que c'était normal. Aujourd'hui je reçois sans trop me tracasser; je me dis que ça leur fait peut-être plaisir de donner. Après tout...

Tout ça pour dire qu'ils ont été bien généreux et que, grâce à eux, j'ai perdu conscience de mon dégoût. Puis, au paroxysme de l'ivresse, nous nous sommes quittés. Je

ne suis pas rentré chez moi, je me suis étendu sous un
balcon, sur la terre gelée, et je me suis endormi. Quand
je me suis éveillé le lendemain matin, j'étais plein de
vomissures et je grelottais. Ça ne m'intéressait pas de
rentrer chez moi. J'avais soif. J'entrai dans une taverne,
rue St-Laurent. Une dizaine d'étudiants avaient déjà commencé à boire, bien qu'il fût encore tôt. Je me joignis à
eux. Fernand, leur directeur de conscience, les écoutait
avec ce sourire qui faisait toute sa force. Ils buvaient lentement, avec précision, de manière à jouir de la bière
sans être saouls. L'habitude de bien boire leur est venue
comme ça, rien qu'en observant leurs aînés. Qu'est-ce
qu'ils disaient les gars? Voyons, je me rappelle... Ah oui,
c'est ça, ils parlaient des Québécois, du genre de types
que nous sommes. Ils en disaient des choses, et atroces!
Moi, je rotais consciencieusement, sans avoir l'air de les
écouter, mais le cœur me brûlait comme un œil torturé
par le jus d'oignon. Je vous dis que ça me tourmentait de
les entendre. Nous n'étions, d'après eux, qu'une bande
de pisseux, chialeux, ignorants et impuissants. Seulement
ça que nous étions. Eux, ils étaient les enfants purs. Il n'y
avait pas d'opposition... Je me suis levé en renversant un
verre, j'ai dit:

    — Ce n'est pas honnête ce que vous dites, ce n'est
pas honnête... C'est même écœurant. Nous sommes ci,
nous sommes ça... et après? Faut pas être brillant pour
répéter à la journée longue que nos frères sont des imbéciles. Qu'est-ce que vous faites, vous autres? Je voudrais
bien vous voir faire quelque chose... Ils sont bêtes nos
gens, vous dites. D'accord. Mais à qui en est la faute, je
vous le demande? Et puis vous aimez qu'ils soient ainsi,
ça vous permet de chialer, de vous moquer, sans rien
faire pour eux. Vous croyez qu'ils n'en valent pas la
peine. Si nos gens se fâchaient un beau jour pour vous

prouver qu'il leur reste encore du sentiment? Répondez!
Vous n'auriez plus rien à dire, et ça serait bien... depuis
le temps que vous les noyez de vos méchancetés, que vous
les condamnez. Ah, je voudrais bien vous voir ce jour-là!
Méfiez-vous, les gars, ça viendra... Nos gens ont trop
souffert, ça leur fait une inépuisable réserve de fiel.
Attendez voir!

Je divaguais comme un politicien. Ils me l'ont fait
savoir, ils m'ont assis sur ma chaise. Je n'avais plus qu'à
écouter... Là, profitant de mon silence, ils en ont sorti
des principes. La salive leur manquait... c'est pour ça
qu'ils buvaient. Je m'amusais ferme... Les principes, pour
ceux qui méprisent les autres, ne servent qu'à justifier les
vices. Je n'ai rien contre les principes, remarquez, mais je
pense que les principes qui ne mentent pas sont ceux qui
changent quelque chose. Les autres... Durant trois heures, ils ont parlé. Et moi, je me disais qu'ils n'aimaient
que leur mépris. Je ne me prétends pas au-dessus d'eux.
Pas du tout. Je suis comme les autres, comme tous ceux
qui n'acceptent pas la façon de vivre qui nous rend la vie
si insupportable. Cela vient de ce que j'ai toujours aimé
mon peuple malgré ses tares. Je ne l'ai jamais maudit: je
me serais maudit en même temps. Tout ce que je veux,
c'est qu'il serre les poings et reconnaisse ses ennemis. Je
serai avec lui sans orgueil, avec mon seul désir de nous
sortir de toutes nos misères. Cela, je ne leur ai pas dit, ils
n'auraient pas compris — ils n'auraient pas voulu comprendre. Tout ce qu'ils veulent, c'est détruire. C'est si
facile. Et ça les amuse... Puis ils sont partis un à un. Je
suis resté seul, face à tout ce qui me faisait mal. Je
voulais mettre de l'ordre en moi. Devant ce qu'il y a à
faire je me disais que je n'avais pas le droit de me laisser
ronger par le désespoir. Tu es romantique, que je me
disais. Faut être sérieux. Je voulais bien, mais j'avais

encore le dégoût dans le sang. Arrête de boire, travaille, que je m'ordonnais.

Juste à ce moment, Hector, un mécanicien dont j'avais fait la connaissance dans cette taverne, vint s'asseoir à ma table. Contrairement à son habitude, il était ivre. Ça avait dû aller mal chez lui. Sa femme...

— C'est un bordel chez moi, dit-il.

Ses petits yeux rougis clignotaient. Il se passait la main sur le front, avançait le menton comme s'il avait du mal à avaler.

— Oui, c'est un bordel!

— Ah oui, fis-je.

— Oui!

— Tu exagères, voyons.

— J'exagère, tu trouves. T'es jamais venu à la maison, toi. Je m'en vais te dire une chose, moi... Une fameuse!

Il se concentra un moment, les nerfs du cou gonflés. Ses sourcils se rejoignirent. Je vis que c'était grave.

— Oui, un bordel. Quand j'arrive le soir, Madame est enfermée dans sa chambre, elle ne se dérange même pas pour préparer le souper. Faut que je me débrouille tout seul, c'est gai hein? Le soir... ça c'est le comble! je ne peux pas coucher dans mon lit. Elle ferme la porte à clé, la câlisse! Je couche sur le divan. Le pire, écoute bien, c'est le vendredi soir. Ce soir-là Madame est gentille, je t'assure. Un souper à me rendre malade. Et gentille comme pas une... Je couche dans mon lit ce soir-là, mais ça me coûte mon salaire. Une putain, ma femme, pas vrai?

— Pas tout à fait...

— Oui, une putain! Tu ne vas pas me contredire, c'est moi qui vis avec elle.

— Oui, tu as raison.

— Bon...

Nous avons bu quelques verres, il a parlé tout le temps, puis il est parti. Il y en a plusieurs comme lui, je le sais. Leur vie, voilà à quoi ils ne cessent de penser. Ils ne parlent que de cela, les gens de quarante ans... Pas moyen de faire dévier la conversation! Leurs gaffes, je les connais, et leurs saloperies, leurs déceptions, leurs rêves et leurs audaces, tout ça grouille dans ma tête comme un tas de serpents frétillants. Ils me racontent tout, puis s'en vont soulagés à cause de ma sympathie. Et moi, harassé, je supporte ça sans crier, comme un Christ maladroit. Je ne leur en veux pas du tout, c'est bien le contraire. Mais ils devraient avoir pitié un peu, ne pas se décharger de tout sur moi. Ils devraient voir que je suis jeune encore, et faible. Leur souffrance attise la mienne, voilà ce qui arrive. Ce qui les excuse, c'est que mon malheur ne paraît pas sur mon visage, c'est aussi que je suis toujours prêt à les écouter. Ils en profitent, ils ne savent pas...

Seul encore. Je ne savais plus où aller. J'ai quitté la taverne, j'ai marché rue Sherbrooke. L'idée m'est venue d'aller voir une amie qui me recevait, ne me demandait rien et qui savait apaiser mes rages par sa seule présence. Elle fut surprise de me voir au milieu de la journée, mais elle se fit une joie de m'offrir un peu de son confort. Elle m'apporta de la bière, et nous causâmes. Avec musique et tout. Ce que j'ai dit, je ne m'en rappelle plus. Des sottises sans doute. Nous étions étendus sur le lit, l'un contre l'autre. J'avais chaud, j'étais bien. Elle n'arrêtait pas de m'offrir des cigarettes. Elle me gâtait. Elle ne se gênait pas pour la bière. Nos respirations s'accordaient si parfaitement qu'il me semblait avoir retrouvé le rythme de la vie — cette vie qu'on voudrait inventer. C'était un moment d'entente et de paix. Je n'avais nulle envie de partir. Je passai la soirée avec elle. Elle était si tendre;

j'étais comme ressuscité. Quand elle s'endormit, je
m'arrachai péniblement à sa chaleur. J'arpentais la chambre, je ne me décidais pas à partir. Je ne voulais pas
abuser de son hospitalité, je ne voulais pas être là le lendemain matin. Je m'en allai à regret. Cet intermède était
déjà passé. Dehors il faisait froid. Terriblement. Mes vêtements me protégeaient mal. Où aller? Je ne voulais pas
retourner chez moi. Encore une fois je m'étendis sous un
balcon. À cause du vent qui me faisait trop mal. Il se mit
à neiger. C'était beau et très triste. J'avais envie d'être
aussi léger que mon ombre. J'allumai une cigarette et
écoutai le temps passer. Je me sentais adouci après cette
visite à Nicole. Et hop! je m'endormis.

Ce furent les bruits de la rue qui me réveillèrent le
lendemain matin. J'étais brisé, plein de courbatures et de
crampes. Et tout transi et tremblotant. Je faisais pitié,
crotté et écœuré que j'étais. Mon pantalon de laine était
boueux et ma veste de cuir durcie par le froid. Seul mon
foulard était présentable. Je me ramassai et marchai pour
remettre mes morceaux en place et me réchauffer. Il
neigeait encore. J'avais mal à la gorge et la morve au nez.
Je ne pensais à rien. Pas même à l'amour que j'avais fait
la veille. Ce que j'ai fait? En ordre? D'abord j'allai voir un
ami à qui j'empruntai un dollar. Puis je visitai des librai-
ries. Je chipai quelques livres. Miller, Aragon et Beckett
sous le bras, j'errai dans le quartier chinois. J'étais
malade et fiévreux à cause du froid que j'avais pris sous
le balcon. J'eusse mieux fait de coucher chez Nicole.
L'orgueil c'est bête. Je ne voulais pas me sentir humilié
par son hospitalité. C'était déjà assez de prendre son
corps... J'étais bien avancé, ça oui! Lorsque je fus incapable de supporter plus longtemps cette marche dans le
froid, j'entrai dans un bar que je savais tranquille. Je bus
un bon verre de Brandy, ce qui me fit le plus grand bien,

inutile de le dire. Je rencontrai un ami qui allait d'une cuite à l'autre comme par habitude.

— Je veux une femme extraordinaire ce soir, qu'il répétait.

Moi, malade comme je l'étais, ça me laissait indifférent. Une femme extraordinaire... Il se fâchait.

— Tu te fiches de moi! Qu'il m'arrive n'importe quoi, tu es toujours aussi calme.

— Je ne connais pas de femme extraordinaire... Et puis je suis malade.

— Crève!

— Je voudrais bien.

— Je voudrais bien... Entendez-vous ça! Lui qui aime son malheur comme un vice.

Je ne lui ai pas répondu, je n'en avais pas le goût. Crever, oui, ce temps d'agonie serait fini. Aucune objection, moi. Suffirait de marcher longtemps, très longtemps, au froid, de m'étendre sous un balcon et de ne pas me lever. Et toute ma vie serait oubliée, évaporée. Plus rien qu'un cadavre insignifiant qu'on cacherait sous un tas de terre. Mais ce n'est pas ainsi que cela se passe. J'ai essayé de causer avec Yvon, mais il continuait de m'insulter. Je l'ai laissé faire. Il regardait tout autour de lui, les yeux injectés d'un désir impitoyable. À la table voisine il y avait une fille seule.

— Qu'elle est laide bondieu! Qu'elle est laide!

C'était vrai, mais je n'aime pas qu'on dise ces choses.

— Regarde-moi cette face laide! qu'il criait mon ami.

Elle comprit et rougit, baissant les yeux. Moi, je m'emportai.

— Salaud! tu ne peux pas te taire?

— Pourquoi me taire?

Il a grogné. La fille, elle avait honte d'elle à cause de

ce qu'il avait dit. La rançon de la laideur. Ceux qui sont laids ont plus à souffrir du mépris des autres que de leur laideur. J'ai toujours ignoré la laideur, j'ai même à l'égard de ceux qui en sont affectés une certaine tendresse. Ils ne sont pas responsables de leur tare; c'est méchant de leur en tenir rigueur. J'ai bu un autre Brandy. La fille me regardait furtivement. Très franchement je lui ai souri. J'ai eu tort: elle a cru que je me moquais, elle a tourné la tête et elle est partie. Bien dégoûté, j'ai quitté le bar. Je me sentais aussi seul qu'un réverbère. Je suis rentré chez moi. C'est à ce moment-là que j'ai trouvé Timine pendu à la poignée de la porte.

Je regarde mes livres, mes manuscrits. Je me sens une force nouvelle. L'agonie c'est fini. Je reprends goût au travail, je le sens. Je nettoie la table. Le sens des choses me revient. Je sais que je vais écrire, que je vais conjurer ce vide toujours renaissant que je porte en moi — ce vide qui vous fait demander la raison de la moindre palpitation de vie sachant qu'il n'est pas de réponse. Avant de me mettre au travail, je sors dehors. Prendre un peu d'air. Timine est toujours étendu, sans vie, sombre et libre. Je me penche sur lui, je le regarde. Une auto s'arrête. Des policiers... Ils viennent.

— Qu'est-ce qu'il y a? demanda l'un d'eux.

— Rien... C'est-à-dire que mon chat est mort. On l'a pendu.

— Votre chat?

— Oui, monsieur.

Il sort un calepin, il veut noter des choses.

— Son nom?

— Timine, je l'appelais Timine.

Roch Carrier

La jeune fille

Roch Carrier est né à Sainte-Justine (Dorchester) en 1937.
Recteur du Collège militaire de Saint-Jean, il est l'auteur d'une
douzaine de romans, de recueils de poèmes, de récits
dramatiques, d'essais et de théâtre. Il a publié deux recueils
de contes: *Jolis deuils* (1964) et *Les enfants du bonhomme
dans la lune* (1978). Alors que les romans de Carrier, tout en
accordant une large place au rêve et à la fantaisie, s'inscrivent
néanmoins dans la veine réaliste, ses nouvelles, par contre,
imprégnées de mystère, exigent une autre manière de lire.

«La jeune fille» dans *Jolis deuils,*
Montréal, Éditions du Jour, 1964.

Une jeune fille ouvre la porte et pose le pied sur le trottoir. À proprement parler, ce n'est pas là un geste extraordinaire. Des nuées de jeunes filles ont ce matin posé le pied dehors sans qu'il n'arrive rien. Notre jeune fille n'a donc pas un pied banal puisque, du trottoir, il fait jaillir des jets de lumière. La jeune fille ne s'aperçoit pas du phénomène. Elle avance dans la rue déserte comme pour lui appartenir toute. Autour d'elle, la suie s'efface des pierres, des bouquets naissent aux fenêtres, et dans les bureaux, dans les appartements, les vieilles photos s'animent d'un sourire. Les tentures brûlées, les dentelles fanées recouvrent une fraîcheur parfumée.

Notre jeune fille n'est pas pressée. Les habitants du quartier se prennent à écouter sa respiration comme la voix d'un oiseau insolite. Sous son pas, le béton se change en sable fin adouci par une légère vague d'eau invisible. La ville est parfaitement heureuse. La jeune fille est nue. Voyez son corps taillé dans de l'ivoire précieux.

De son bureau, un président-général de compagnie l'a aperçue. Il la suit. Il la suit en silence. Il serait nu aussi s'il avait pu se séparer de sa cravate noire où scintille une perle.

À cette vue, un garçon boucher arrache son tablier taché de rouge. Il est maintenant drapé de la seule lumière.

Au lieu de siffler et de s'agiter, le policier du carrefour jette casquette, tunique, et surgit nu de son uniforme tombé.

Quelques jésuites sont accourus; les mains jointes sur leurs ventres blancs, ils rendent grâce à Dieu de leur immense bonheur.

Du vingtième étage et de plus haut tombe une neige de salopettes blanches: les peintres en bâtiments descendent se joindre au cortège, devancés par les électriciens.

Les hommes ne sont pas seuls à suivre la jeune fille nue; des dizaines de petites secrétaires ont plié sur leurs machines à écrire leurs robes, leurs jupons et leurs soutiens-gorge à dentelles. Elles multiplient par cent la jeune fille nue.

Il y a tant de lumière et la lumière est si fraîche qu'un arc-en-ciel semble couler dans la rue. Notre jeune fille nue serait l'or que la légende affirme se trouver au pied des arcs-en-ciel. La ville est un bourgeon travaillé par un miraculeux printemps. De partout, la ville éclate de fleurs, de sourires et de chansons. Et notre jeune fille nue va son chemin sans même songer qu'elle est nue.

Les barreaux de la prison deviennent du lierre léger, les usines se vident comme des cages soudainement ouvertes.

On ne saurait maintenant dénombrer le cortège de la jeune fille nue. La garnison entière de la ville s'est mise au pas de la jeune fille nue.

Chez les vieillards, on ne relève plus une seule jambe boiteuse, un seul rhumatisme, une seule ride, un seul cheveu gris; des milliers de femmes ventrues ressemblent maintenant à la plus belle idée que leur jeunesse se faisait d'elle-même. Ils absorbent la jeunesse comme les buvards l'encre.

Voici l'évêque vêtu de sa seule mitre, voici les enfants de chœur, voici les religieuses au septième ciel. La ville immense forme une pieuse procession derrière notre jeune fille nue.

Jusqu'où se rendront-ils?

La jeune fille nue tout à coup ouvre les bras et s'envole. Elle vole d'abord très bas, sans songer qu'elle est devenue un oiseau. Son cortège presse le pas. Ses ailes s'agitent: elle s'élève. La foule court derrière elle. La jeune fille nue monte, monte de plus en plus haut.

Alors un gendarme qui, se dévêtant, a gardé son revolver, tire. L'oiseau est touché. Il tombe comme un caillou. Au sol, l'oiseau reprend la forme de la jeune fille nue.

Le cortège pleure. Il porte la jeune fille nue en un silencieux triomphe. On l'ensevelit dans une robe blanche. Peu ne versent pas une larme noire.

Le soir, une grande danse a lieu sur la place, autour de la guillotine. Chacun va tour à tour offrir sa tête au couperet. Les têtes tombent, s'amoncellent. Les vivants se vêtent du sang des morts. Dans ce costume de deuil, ils se donnent à la mort.

Il ne reste bientôt que le seul gendarme assassin. Il s'agenouille, il introduit sa tête dans le carcan, il déclenche le mécanisme. Sa tête éclate comme une ampoule de verre, libérant un oiseau qui d'un coup d'aile se perche au sommet de la guillotine.

L'oiseau chante.

Qui donc l'entendra?

Roch Carrier

Le métro

«Le métro» dans *Jolis deuils*,
Montréal, Éditions du Jour, 1964.

J'envie Monsieur d'être jeune, me dit la concierge. Ce matin-là, elle m'avait paru plus courbée qu'à l'ordinaire. Ses lèvres étaient lâches. Il me sembla qu'elle avait encore des dents, la veille.

Ce matin-là, des ombres sans corps peuplaient la grisaille humide de la rue, rasaient le mur, boitillaient, tremblotaient, hésitaient. Le poids de la nouvelle journée leur était écrasant. Moi, de mon pas alerte habituel, j'allais vers mon travail comme vers une femme aimée.

Mon vendeur de journaux me reprocha:

— Vous ne me saluez pas aujourd'hui, Monsieur?

J'échangeais d'ordinaire quelques mots avec lui. Incroyablement, je ne l'avais pas reconnu! Il m'apparut avoir vieilli, depuis la veille, de plusieurs années. Les rides torturaient son visage.

À la station du métro, les employés étaient des vieillards appuyés sur une canne ou sur une béquille. Beaucoup étaient étendus dans des lits avec leurs casquettes d'employés. La poinçonneuse était aveugle. Sa main tremblante n'arrivait pas à saisir mon ticket.

Le quai souterrain était désert. Un vieil homme, un contrôleur sans doute, m'insulta sous prétexte que je retardais le départ du train. J'hésitais simplement à monter dans un train que ses fenêtres me montraient hanté par de hideuses vieilles têtes. Je m'accommodais généralement bien de la décrépitude mais monter dans un train bondé de vieillards avait de quoi m'inquiéter. Voilà pourquoi je courais le long du train à la recherche d'un wagon sans vieillards. Je trouvai enfin un wagon vide.

À la station suivante entra une dame âgée, droite comme une épée. Elle portait une grosse fleur de papier à son chapeau. Cette fleur me fascinait; je n'arrivais pas à garder les yeux dans mon journal.

Le métro cueillait une grappe de voyageurs à chaque arrêt. Rien que des vieillards ce matin-là! Le pas entre le quai et le wagon leur était un précipice. Ils arrivaient exténués avec des respirations grinçantes. Leurs costumes extravagants avaient l'air de provenir de vieilles malles abandonnées. Le bruit de leurs cannes et de leurs béquilles entrechoquées me torturait.

J'étais le seul jeune homme du wagon. La pensée que mes compagnons avaient trois fois et quatre fois mes vingt ans me donnait le vertige. Parmi eux, j'étais égaré en une forêt morte où rien n'est vivant que l'angoissante odeur de cendres. Le cœur me battait comme après une course folle.

Les banquettes étaient remplies. Les voyageurs affluaient. Ils avaient la chair des dattes séchées. Ils s'entassaient maintenant dans les allées, serrés les uns contre les autres, bougeant d'un même balancement. L'air était intolérable. Ils s'étaient baignés dans du parfum pourri. Leur voix coulait sur moi en une épaisse mélasse. Ils ne savaient parler que des personnes et des choses mortes.

Mon compagnon de banquette ne bougeait plus depuis quelques minutes. Il avait laissé tomber sa tête sur mon épaule. Le poids me gênait. Après réflexion, je soulevai l'épaule d'un coup sec. Il roula par terre. Personne ne s'émut. On trouva normal qu'il ne se relevât point. Le voyant mort, je criai. Ma voix m'étonna. Elle était toute enrouée, à cause de l'air pollué sans doute. Je voulus m'élancer pour fuir. Les os de mon corps étaient lourds. Le trajet m'avait fatigué. Je sortis doucement. Mon dos était douloureux comme après une nuit de cauchemars.

L'escalier vers la surface me parut comporter des milliers de marches. Il me fallait sans cesse me reposer. Quelqu'un s'offrit à m'aider. C'était gentil; je l'en remerciai.

J'avais hâte de respirer l'air matinal et de voir enfin

la lumière du soleil. À mon grand étonnement, le jour était encore plus noir qu'à ma descente dans le métro.

Mon compagnon n'avait pas laissé mon bras. Nous marchions dans l'incompréhensible nuit sans parler. Parfois, nous nous arrêtions, à un feu rouge peut-être, puis nous repartions lentement, en silence. Après quelques minutes, mon compagnon m'annonça qu'il me quittait:

— Grand-père, voici l'hospice, me dit-il.

H. Jacques Renaud

... and on earth peace

H. Jacques Renaud est né à Montréal en 1943, mais il vit maintenant à Ottawa. Il est à la fois écrivain, poète, recherchiste, traducteur et journaliste. Comme auteur, il pratique différents genres: le roman, la nouvelle, la poésie, l'essai et le récit. Il est devenu célèbre pour son ouvrage *Le cassé* qui, lors de sa publication, fit scandale et influença par la suite toute l'école joualisante. *L'espace du diable*, recueil de nouvelles publié en 1989, fut également salué par la critique spécialisée comme une œuvre remarquable et marquante et comme formant, avec *Le cassé*, un inséparable dyptique.

«... and on earth peace» dans *Le cassé suivi de quelques nouvelles*, Montréal, Éditions Parti Pris, 1964, quatrième édition 1968.

L'aube. La soupane blafarde. La viscosité de l'humidité. Le froid. Une odeur de ciment gelé s'est figée dans mes sinus. L'odeur a disparu. J'ai beau me dilater les narines, je n'arrive pas à la renifler de nouveau. Odeur de ciment gelé! oua! Pis après. M'en sacre. Odeur de quèqchose. Ça puait. Chus jamais allé m'placer l'nez au-dessus du ciment gelé, comme ça, pour le fonne. Pourrais ben dire que ça sent gris. Ah! Pis après. M'en sacre. Pas pour me mettre à recherche des puanteurs. Chus pas imprésario. Me retrouver à dump. Nez dans marde. Pour trouver des puanteurs. Non, non. Hey! Pas si cave.

Il frissonne. Il n'aime pas ça. Il sait qu'une stupide absence de chapeau ou de bottes fourrées, plus la fatigue — il est fatigué — et c'est une pleurésie «légère». Ça lui arrive tous les hivers. Le frissonnement. Ouerch! maudite marde! Bromo quinine — pilule verte. À chaque frissonnement, y répète la même chose. Un vrai chien de Pavlov. Une fringale lance un sang nerveux à ses tempes. Par saccades. D'un coup, sans crier gare, ses mâchoires se décrochent. Ses nerfs cèdent quelque part. L'épaule croule vers la droite. La tête vers la gauche. Puis vrang, la mâchoire. Frissonnement. Des phrases et des mots s'entrechoquent dans sa tête.

«Brassées par bandes, brassées par bandes.» Une écharde de poème. «Un-brin-d'scie-fait-la-planche.» Six pieds. Celui-là, c'est de moi. Comique en barnac, han, Baudelaire? Mon enfant, ma sœur, songe à la partie de fonne d'éparpiller des confettis de poèmes à tous les coins de rues. Un policier au bout de chaque doigt, astiquer rageusement les écuries d'Augias. Je t'aime. Un beau mot — allons — un beau geste. Un beau fumier toute cette anthropophagie. Songe à la douceur d'aller là-bas. Non, non. Pas dans les écuries d'Augias. Tu connais pas Augias? Un beau malpropre. T'en parlerai. Songe à là-bas pis pose pas de questions. Les guerlots sonnent (pause) dans la vallée (demi-pause). C'est une trôlée de morveux dans ma tête grosse comme un orphelinat. Mon enfant, ma sœur, songe un peu, c'est douze dollars pour des bonnes bottes — ben non, voyons, des bottes qu'on se met d'in pieds, cochonne. On est fourré. Là tout n'est qu'ordre et marché, marche par là mon poulet que ch'te pleume, luxe calme et volupté.

La veille, il est allé louer une chambre pour Loulou. Elle a dix-huit ans. Elle est enceinte de lui. Il a trouvé la chambre vers neuf heures. Loulou est venue s'étendre sur le lit. Elle a souri. Ch'suis fatiguée. Sourire triste, pensa-t-il. Triste... non. Je dis ça parce que je sais, moi, qu'elle est lasse et sans doute triste... ça se voit dans les yeux. Lasse et écœurée. Je sais. Si un autre l'avait vue sourire, un inconnu, aurait-il pu deviner ses sentiments réels? Peut-être. Sourire triste... Ça se sent. Ce sourire, ce visage, sont explicites. Ce sourire n'est pas artificiel. Ne laisse rien sous-entendre. Ne cache pas l'écœurement. Il le transforme. Toute la douceur du monde vient se résorber dans un mouvement des lèvres. Loulou sourit.

Être envoûté par le simple contact du regard avec le sourire d'une écœurée. Comprends pas. Veux-tu me dire. Ces sourires-là, on s'en rappelle toujours. Loulou sourit. Loulou sans emploi, sans amis, cassée, fatiguée, à bout. Loulou palpable, aussi, passionnée. Loulou enceinte. Loulou dans marde comme beaucoup d'autres. Loulou sourit. Écœurée, chaleureusement vraie.

Il est allé acheter des hot-dogs et des patates frites, rue Amherst. Loulou s'est endormie après avoir mangé. Pâle. Belle. Ailleurs. Ailleurs. Ayeur. Yeur... le mot se retournait sur lui-même dans sa tête, lentement coulait le long de ses tempes... ayeur... yeur... Tout semblait être ailleurs dans cette chambre. La chaise, la table, le lavabo. Les deux ampoules fixées au mur. L'une, pendante — oblique et raide, plutôt. L'autre, horizontale, plus jeune, sans doute. «Plus jeune», pensa-t-il; c'est stupide. Ampoule «jeune». Oua! Et d'abord, pourquoi plus jeune? Parce qu'elle est horizontale et que l'autre est penchée, oblique? Un mort peut être horizontal ou oblique... aucun rapport avec le dilemme, il y a de vieux morts et de jeunes morts. D'ailleurs, un pendu est perpendiculaire... aucun rapport avec les ampoules, aucune d'elles n'est perpendiculaire... complexe tout ça. Ampoule jeune. Waingne! Parce qu'elle semble résister avec plus de ténacité que l'autre à l'attraction terrestre, voilà... mais il y a des jeunesses molles et des vieillards énergiques. Waingne! C'est pas l'ampoule qui résiste à l'attraction terrestre, c'est la prise de courant...

Il passa peut-être par Lagrange, Newton ou Einstein. Le libertinage de ses spéculations semblait se faire d'une façon de plus en plus autonome et de moins en moins consciente.

Il écoutait le silence: c'était l'assourdissant tic-tac tic-tac tic-tac d'un petit réveil-matin. Lui, il se sentait de plus en plus immobilisé près de la porte. Il parcourut discrètement, du coin de l'œil, le cadran de sa montre. Les aiguilles indiquaient une heure trente-deux, l'aiguille des secondes tournait, plus explicite que jamais. Les secondes passaient, passaient, trépassaient. Un léger pivotement de la tête et surtout des yeux. Loulou dormait. Retour au cadran: l'aiguille tournait. Le silence: tic-tac tic-tac tic-tac. Il dirigea lentement sa main vers le commutateur: ne pas éveiller Loulou. Tic-tac tic-tac tic-tac tic-tac. L'index appuya sur le bouton du commutateur. Clap! Le silence sembla se taire. La noirceur l'acheva. Il n'entendit plus rien. La pénombre l'éveilla un peu. Il osa brusquement la main vers la poignée de porte. Le silence reprenait son tic-tac. Pas de répit. La poignée. Un grinchement.

Il marche depuis environ une heure. Par moments, il frissonne. Loulou: une image qui émerge dans sa tête, persistante et floue, qui émerge entre deux grouillements d'images et de réminiscences imprécises, persistantes. Loulou. La chaise, la table, le lavabo. Les ampoules. La Catherine. Le soir même, vers sept heures, il était allé marcher sur la Catherine, après les bines de l'Eldorado. Catherine rotait déjà son White Christmas, le vessait, le barguinait, le cantiquait, elle pissait partout son rimel de néon. Les cash pis le p'tit change sonnaient à toute volée, etc., etc., etc.

Il marche depuis longtemps. Par moments, il frissonne. Son corps tressaille un court instant. Une avalanche d'images se déclenche dans sa tête. Le frisson cesse; le délire dure et s'apaise. Puis ça recommence. Sueurs de pieds refroidies. Frissonnements.

«L'aube tarde à venir, et dans le bouge étroit
Des ombres crucifiées agonisent aux parois.»

Par ici, Cendrars, c'est Noël à Montréal. Ça pette, ça braille, ça râle. T'aurais dû voir la Catherine hier soir. A jouissait. Une vraie guidoune. Y manquait rien que les dentelles au cul. Mon vieux Cendrars, faudrait vraiment pas qu'elle chante durant l'éternité. «... L'aube a glissé froide comme un suaire...»

Il marche sur le ventre refroidi de la Catherine. Elle s'étale, morne et démaquillée, de l'est à l'ouest, dans sa sueur figée. Tiquée, han, ma grosse? Aigres en bile, chers en sperme tes petits Noëls aux films cochons. Tes saintes réjouissances, tu peux t'les renvaginer. Pis l'Jésus d'cire. Le sauveur du monde y pisse au lit, y pisse partout. Par ici, bain d'pipi, douche de pipi, chapelets, missels sauce pipi: 20% de rabais, avec la taxe ça fait — attends un peu

— ça fait... pipi au lit pipi partout avec garantie pour quarante jours et quarante nuits déluge de pipi sauve qui peut chacun pour soi choit sur l'autre.

zing zing one two
a dit woup Farnantine
la bizoune à Raspoutine
barguine-moé ton violon
l'pays marche à reculons
zing zing two three

Un poignard valse dans mon crâne. C'est un glaçon de joie qui perce mon rhume de cerveau. C'est une croix. Elle se déforme. Elle fond. Elle rétrécit. Elle se fige. C'est un serpent emprisonné. Un signe de piastre. And on earth peace. Minuit chrétien c'est l'heure du crime: l'homme le dollar à la main, touiste et dérape sur l'escalator de son destin, etc. And on earth peace, à rabais, beau bon pas cher. Ils ont l'air cave. Non, ils ont l'air tragique. Ils ont l'air comique. Ils ont les pieds meurtris. Ils sont hypnotisés. Ils sont harassés. Ils suent. Ils s'écorchent l'œil partout. Ils ont mal à l'âme. Elle barbotte dans l'alcool. Dans l'estomac. Dans les talons. Avec la taxe, ça fait...

C'est pas un moulage de cire, un pipi de l'esprit-saint, un leurre solennel que Loulou couve dans son sein. C'est le fruit de la synthèse d'un ovule et d'un spermatozoïde. Waingne. Ça n'attend ni l'opération du saint-esprit, ni le plein-emploi. Ça n'attend pas sagement l'autobus en rang d'oignons gelés. Ça fonce tête première l'un dans l'autre, ça s'étreint, ça s'aime, c'est bohème à s'en faire la morale. Neuf mois plus tard, ça s'est concerté pour demander à manger. Des vrais gavions. Y faut l'vouâr pour le crouâre — comme pour les grandes ventes d'écoulement.

Minuit chrétien. Décompte. Le chiffre d'affaires d'Eaton's, de Morgan's, de Dupuis, de Patente et compa-

gnie, de Bébelle incorporé. La messe de minuit — en-
vouèye, marche. Perds pas ton ticket. Les malengueu-
leries familiales. Les ruelles du bas de la ville où aucun
sapin ne viendra traîner après le premier janvier. Y a des
bonnes âmes qui se font appeler les amis des pauvres.
Une fois par année, y rapaillent une gagne de cassés pis
y leû payent un festin-de-jouâ. O sâ-înte nuit. Y les
aiment-tu donc. Y les aiment comme y sont. Y les aiment
cassés. Faibles. Pitoyables. Y les aiment ignorants.
Carencés. Aliénés. Y les aiment étouffés. Viciés. Vicieux.
Y les aiment comme ça. La pauvreté est une nécessité
sociale. Une fois par année, ça nous permet de nous
retaper la conscience.

Les cassés. Culpabilisés. Conditionnés à la petitesse
morale. Aimez-les comme y sont, y resteront comme y
sont. La tactique, c'est d'leû calfeutrer l'estomac à intervalles réguliers. Le bourrage de crâne fait le reste. Crânes
bourrés, dindes farcies, joyeux Noël.

Ils ont besoin d'amour? Non. Ils ont besoin d'aimer.
Et ils haïssent. Ils se haïssent eux-mêmes. S'aimer eux-
mêmes comme ils sont c'est du masochisme. Quand ils
s'aimeront eux-mêmes pour de vrai, ils auront honte. Ils
feront la révolution. Ils se voudront autres.

Les cassés. Même pas l'instinct sûr des bêtes.

Incarcérés pour vols et viols. Remis dans le droit
chemin de Saint-Vincent-de-Paul. Mets-toé à genoux.
Baise-moé a main. Baise-moé le cul. Plaide coupable, ça
coûte pas une cenne. T'as péché par ivrognerie. T'as
péché par impureté. T'as péché par icitte pis t'a péché
par là. Mon frère en Crisse. Le bonyeu vâ t'pardonner tes
zaveuglements. Nouzô't on vâ t'les conserver. Mange pis
fârme ta yeule.

Dernière cène, brochée sur tapis, latest style: $9.95;
avec la taxe, ça fait... éponge au pipi.

Hypnotisés. Donne in bôbec pis va t'coucher pitou

prie le p'tit Jésus d'réchauffer l'père noël, y pourrait
avouèr frette à souèr dors goudou goudou. Y faut qu'tu
souèyes fin fin sans ça le P'tit Jésus va dire au père noël
de pa v'nir te ouèr. T'à l'heure y va descend' par la cheminée pis pa pi po pi, etc., etc., etc.

— C'est pas une cheminée qu'on a c'est un tuyau
d'poêle.

— Le père noël y peut tout faire. Y est magicien.

— Comme le bon Dieu?

— Comme le bon Dieu. Dors, goudou gou...

— Comme ça, y a deux bon Dieu?

— Ben non, vouèyons! Dors, g...

— T'as dit que...

— Tais-toé pis dors! goudou goudou!

C't'enfant-là y a ben trop d'imagination. Y pose toujours des questions nounounes.

Avec la taxe, ça fait...

Sur la Catherine, un panneau-réclame attire l'attention. À droite d'une colombe blanche et majestueuse, en
exergue: ... and on earth peace. À droite, en bas, c'est
signé: Royal Bank. Et pendant ce temps, comme dit la
chanson, le pathos éjacule dans les cash.

Lui, c'est l'aube, et il marche sur la Catherine. Par
moments, il frissonne. Bromo quinine — pilule verte. Il
est n'importe quoi. Moi, toi, lui. Une obstination fortuite,
insolite, incohérente. Il serait risible de dire qu'il n'est plus
rien. Mais qu'est-il? Fringale, fatigue, douleurs, sueurs de
pieds refroidies, envies de tuer, envies. Une charade fan-
tasque.

Une charade d'envies, d'impulsions irrationnelles.
Un animal blessé qui désespère de trouver exactement
où se situe la blessure. Quelle en est la provenance. C'est
le récit de l'homme blessé à l'esprit et au corps qu'il faut
écrire. Sans arrière-pensées littéraires, sans visées esthéti-

ques. La révolte c'est la réaction scabreuse de l'homme quand il prend conscience de sa situation de cobaye, sans même l'attention qu'on prête à ce dernier. On ne néglige pas et on ne mutile pas impunément l'humain. Un jour ou l'autre, il nous recrache nos verbiages en plein visage. En attendant...

La Royal Bank. Il s'est arrêté devant. Il ne la voit peut-être pas mais il la sent. Tout le fragile humain s'est broyé dans sa tête.

Sur un lit, une fille enceinte. Les toits et les murs se sont effondrés. Il neige. Le lit avec la fille dedans est en plein milieu de la Catherine. La fille y dort. Il est sept heures du soir. Les autos klaxonnent, foncent dans les ruines. Les hypnotisés se ruent sur les vitrines, les défoncent, pillent, massacrent. La hideur se donne des ailes d'anges de carton. C'est le rite, l'incantation du dollar, la masturbation collective, la joie vicieuse des cantiques, les cloches du-û hameau, du nanane, du libertinage des chapelets.

L'imagination multiplie le mal à l'infini; d'abord elle semble couver les impressions. La coquille du crâne se brise. Une écaille entame la cervelle. Les phantasmes germent comme des champignons. On patauge en pleine omelette. Plus l'omelette tremble, plus les pensées glissent et butent, saoules et incohérentes, les phantasmes épuisent. La volonté est inutilisable, infirme.

L'imagination attendait, passive. Un coup dur. Un autre. On s'énerve. On se fatigue. L'avenir devient rebutant, menaçant. Des phobies nous triturent le ventre. Tout l'être se crispe. La conscience est submergée.

Une courte acalmie, parfois... demain, tout à l'heure, dans un instant, déjà tout recommence. Casser des vitrines, des yeules, n'importe quoi. Pire que de tout haïr, tout nous ahurit. Tout le mal est là. La réalité ne nous façonne plus, elle nous défigure.

Alléluia Royal Bank pour tes colombes de Claude Néon, pour tes saintes images d'Elizabeth, vertes, roses, bleues, cananéennes; alléluia pour tes hommes de bonne volonté, ceux de Brink's, ceux-là aussi qui calculent derrière tes guichets, qui ternissent leur œil et leur propre richesse; alléluia pour la caisse de noël, pour les chômeurs toast and beans and vomissures de rage à taverne, and bonjour monsieur l'curé, and toujours pas d'travail, and c'est du sentimentalisme ton affaire, and mon vieux tu perds ton temps, and on écrit pas comme ça, and on attend pour écrire, and on attend la permission, and vous m'faites chier pis j'continue, gagne d'égossés, alléluia Royal Bank pour tes coffres-forts viragos vierges sans joie ni foi, pour ta confrérie instruite, ceux qui savent compter plus loin que 100 000, ceux qui disent moâ, ceux qui disent we, me, I and So what, ceux qui mettent des «S» à salaire, ceux qui mettent des «H» à amour, ceux qui ont mis la hache dedans, ceux qui m'ont fait charrier, ceux qui m'ont fait sacrer; alléluia White Christmas en Floride avec la secrétaire she's so french, plante-la pour la plus grande gloire du Canada, de sa goderie et de nos bonyeuseries, des trusts, des vices à cinq cennes, de nos perversités à rabais; alléluia pour les indulgences salvatrices de nos frustrations d'invertis, alléluia pour la fraternité humaine in the life insurance company, and on earth peace — tu veux rire: alléluia pour nos hernies, nos conscrits, nos pendus, nos prisonniers, nos aliénés, nos curés, nos imbéciles, nos stoûles, peace. At any price. Avec la taxe, ça fait...

Claude Mathieu

Autobiographie

꒰ ꒱

Né à Montréal en 1930, Claude Mathieu est mort en 1985.
En plus d'être professeur de littérature, il a publié un recueil
de poèmes, un récit, un roman, deux recueils de nouvelles:
Vingt petits écrits ou le Mirliton rococo (1960) et *La mort exquise et
autres nouvelles* (1965). Ainsi que le suggèrent les titres, Mathieu
propose dans ses nouvelles un monde fantastique dont la
mort est une composante majeure, mais d'où ne sont pas
exclus pour autant l'humour et le bonheur.

«Autobiographie» dans *La mort exquise*, Montréal,
Le Cercle du livre de France, 1965.

I

Quand il apprit par hasard que, depuis plusieurs générations, des professeurs et des étudiants d'universités allemandes passaient leur vie à consigner sur des fiches, non pas tous les mots latins, mais tous leurs emplois attestés pendant près d'un millénaire de littérature; qu'après avoir consumé leur existence à ces travaux, ils transmettaient la tâche à leurs successeurs; que, l'œuvre n'étant pas à terme, la chaîne se continuait encore et laissait ouvert son dernier maillon en attendant qu'on lui en rive un autre qui restait ouvert en attendant qu'on lui en rive un autre qui restait ouvert en attendant..., un indicible enthousiasme le fit pour la première fois vibrer de bonheur. L'image de ces fiches qui s'accroissaient sans fin, l'idée qu'elles régnaient au-dessus du temps, de la vie et de la mort le comblaient d'un ravissement sans bornes. Ainsi donc des hommes se prolongeaient par leurs successeurs et en arrivaient à doubler, à tripler la longueur de leur vie? Ainsi donc, comme le font les lombrics avec la terre, ces savants mangeaient des mots, les évacuaient sous la forme d'un infini cordon de fiches et se propulsaient de cette manière dans le sol obscur et compact de la science? Ainsi donc des hommes trouvaient suffisant de justifier leur existence par une sécrétion ininterrompue de papier, puis mouraient heureux de leur participation à l'œuvre et de l'assurance d'une relève qui, à son tour, mourrait heureuse de sa participation à l'œuvre et de l'assurance d'une relève qui, à son tour...?

Quand il apprit — ce travail de fourmi exigeant sa fourmilière — qu'il fallut, pour le protéger de la destruction pendant les guerres, des salles souterraines en béton armé, il se rêva cheminant émerveillé dans un labyrinthe dont les ramifications s'avançaient dans la noire résistance de la terre, sous des lacs et des villes, à l'insu de la surface, à l'abri de la vie. Pour lui, il n'y avait plus maintenant de plus ultime vocation que l'accroissement et le gardiennage souterrain de la science.

Ce jour-là pour la première fois, un fait extérieur donnait exactement la réplique à un fait intérieur. Deux voix pourtant lointaines se rejoignaient enfin sur la même portée pour émettre un accord dont l'harmonie dépassait tout langage.

*
* *

Ah! quel besoin de certitude avait toujours régné chez lui et l'avait essentiellement rendu malheureux dans cette vie changeante!

Sa passion d'aller au bout de tout pouvait seule, pensait-il, le mener un jour à l'état bienheureux de la sereine immobilité. Aussi n'avait-il jamais cessé de ressentir la nécessité de finir l'examen d'une chose et de la classer, puis de finir l'examen d'une autre et de la classer, et ainsi de suite.

Deux grands projets avaient naguère sollicité sa jeunesse, vite abandonnés cependant ou remis à cause de son incompétence. Les circonstances l'avaient d'abord invité à écrire, pour le journal de son collège, une très courte biographie du Père Supérieur à l'occasion de son soixantième anniversaire de naissance. Il réunit des notes sur les dernières années du prêtre, puis, remontant le cours du temps, il en arriva à son entrée chez les Jésuites. Désireux d'expliquer le choix de cette communauté, il parcourut l'histoire des Jésuites. Pouvait-il taire leur bannissement? Et comment parler de la dissolution de

l'ordre sans en examiner les causes, c'est-à-dire les philo-
sophes du dix-huitième siècle, les établissements d'Amérique et les intrigues du Vatican? Il fallait alors s'instituer
l'historien des idées, des grandes découvertes et de la
religion, remonter jusqu'aux abus monarchiques, faire
un sort aux empereurs du moyen âge, trouver leurs
modèles dans les empereurs romains. Pour se montrer
juste envers le Père Supérieur, il devait écrire l'histoire
de l'Occident. Du reste, l'Occident et l'Orient ont-ils été
aussi fermés l'un à l'autre qu'on le pense à première vue?
Bref, ce projet magnifique l'emballa tellement qu'il le
conserva pour un âge où il pourrait l'appuyer sur plus de
science.

Le second lui avait été suggéré par un passage du
vieux *Manuel* de Laurand. Au sujet des inscriptions grec-
ques, l'auteur y indique comment restituer les mots
mutilés par le temps, à l'aide de moyens autres que les
arbitraires calculs arithmétiques sur leur longueur:

> «Si le commencement d'un mot est seul conservé,
> on s'aidera d'un dictionnaire quelconque; si c'est la
> fin du mot qui subsiste, on prendra un dictionnaire
> où les mots sont rangés d'après les syllabes finales.»

Cette phrase lui a donné un choc. Il s'est aussitôt
demandé:

— Mais que faire si les syllabes qui restent ne sont ni
les premières ni les dernières? Du reste, comment savoir
si elles sont les deuxièmes, troisièmes, quatrièmes ou cin-
quièmes?

La bibliographie de Laurand ne citait ensuite aucun
ouvrage qui pût résoudre le problème. Aussi avait-il entrepris de reclasser tous les mots du monstrueux *Dictionnaire grec-français* de Bailly d'après leur deuxième, troisième, quatrième, cinquième, sixième syllabe, et ainsi de

suite. Les trois premiers cas seulement allaient demander du temps, la quantité de mots diminuant à mesure qu'augmentait celle de leurs syllabes. Toutefois, même sans traduction ni définition, ce classement syllabique comporterait bien six ou sept volumes aussi importants que le Bailly, puisqu'il faudrait prévoir, pour être vraiment complet et, partant, utile, toutes les formes des mots variables. C'est d'ailleurs ce qui l'arrêta: la crainte de mal conjuguer le très complexe système verbal et de commettre des erreurs dans la déclinaison des articles, des noms, des adjectifs, des pronoms divers qui, non contents d'être affligés de cinq cas et de trois genres, comportent aussi trois nombres, la crainte, donc, de priver sa compilation de toute valeur à cause de sa demi-compétence lui fit différer son entreprise.

Depuis, certains moments de vertige le comblaient de joie: à certains instants d'illumination soudaine, il entrevoyait la certitude que, par l'accumulation d'enquêtes systématiques et exhaustives sur des sujets déterminés, l'homme pourrait en arriver à connaître tout du monde et à lui arracher son secret.

Il ne suffisait évidemment pas qu'une telle entreprise se fît pour la langue latine; il fallait maintenant que d'autres savants prennent en charge le reste des connaissances humaines et l'immobilisent sur des fiches. Des villes souterraines protégeraient ce trésor et, au rythme de son enrichissement, multiplieraient leurs dédales, étendraient sans cesse leurs tentacules et creuseraient jusqu'au feu central des galeries superposées. Des initiés garderaient à jamais dans ces abîmes les secrets de la vraie vie,

pendant que des humains, de générations en générations, de siècles en siècles, de millénaires en millénaires,
du singe au robot, auraient sur la surface de la terre
l'illusion de vivre.

*
*   *

L'exemple du *Thesaurus linguæ latinæ* provoqua et encou-
ragea chez lui la pensée d'un *Thesaurus de la Comédie
humaine*. Le projet s'en fit jour avec lenteur, mûrit pendant cinq ans, de sa trentième à sa trente-cinquième
année, et profita de penchants qui le portaient aux corvées humbles et systématiques.

La première fois qu'une semblable idée vous vient,
vous la trouvez absurde, voire irréalisable, et vous la reje-
tez. Mais c'est illusion de croire qu'on puisse jamais reje-
ter complètement une idée; quand elle naît, il est déjà
trop tard, elle existe et vous ne pouvez pas faire qu'elle
n'existe plus du tout. Vous vous contentez de la repous-
ser; puis, un jour, elle revient au hasard d'une circonstance qui a quelque rapport ou parenté avec elle. En
l'enfouissant au fond de vous avec bien d'autres idées,
vous vous étiez cru quitte; et c'est pourtant dans ce mystère et au contact des autres rêveries rencontrées dans
cette retraite qu'elle s'est nourrie à votre insu, qu'elle a
pris des forces et grandi, qu'elle s'est précisée et qu'elle
vous a habitué à elle. Pour la faire remonter à la surface,
il aura suffi, par exemple, d'un tome de Balzac qui vous
tombe sous les yeux. Vous la chassez encore dans son
repaire ou vous l'acceptez.

Lui, il l'accepta, ou au moins voulut bien l'examiner
avec attention pour en finir.

Contenue entre les couvertures de dix gros volumes

qui occupent vingt pouces d'un rayon de bibliothèque, la *Comédie humaine* est un objet déterminé, qui commence et qui finit. Ses limites permettent son examen et sa mesure exacte. C'est aussi possible que de trouver dans un nombre donné de meules de foin un nombre donné d'aiguilles; il est de même facile de compter tous les brins d'herbe d'un champ, pourvu qu'il ait des limites, si grandes soient-elles.

Cela posé, qui est irréfutable, il établit ses principes. Pour rendre des services et mériter d'être entreprise, son œuvre devrait se faire avec conscience et système. Il accepta dès le départ de rédiger une fiche pour chaque mot, si petit et facile à oublier qu'il fût, même pour *si, le, la, de, c', et*, etc.

Le *et* l'attendrissait. Imagine-t-on combien de *et* pouvait recenser le *Thesaurus linguæ latinæ* ? Combien pouvait en contenir la *Comédie humaine* ? Imagine-t-on comme il est indéfinissable? Comme il est difficile de voir des nuances entre les dizaines de milliers de *et* qu'a écrits Balzac? La consultation d'un petit dictionnaire d'usage peut seule en donner une idée; on n'y définit pas *et*, on se borne à dire son rôle: *1. coordonne les parties du discours; 2. marque la conséquence.* C'est tout. Pourtant, juste au-dessous de *et, établage* jouit d'une belle et bonne définition.

Voilà donc le travail que lui avait préparé la science. S'il ne pouvait pas lui non plus trouver pour *et* de définition, il aurait au moins la satisfaction d'avoir réuni des matériaux d'importance en collationnant tous les mots de la *Comédie humaine* et de se faire une idée d'ensemble d'un problème fort nuancé.

En ce qui concerne l'aspect matériel, il choisit des fiches de trois pouces par cinq et de couleurs diverses. Il réserva les vertes aux noms, communs et propres, les bleues aux adjectifs, les blanches aux mots invariables, les grises aux articles et aux pronoms, les jaunes aux verbes.

Qu'on ne lui reproche pas de s'en être tenu au sens et à la nature des mots; évidemment, il aurait pu se préoccuper aussi de leur fonction, de leur genre, de leur nombre, de leur étymologie et de la quantité de leurs syllabes. Mais un homme seul aux prises avec la science doit choisir un objet très précis et restreint s'il ne veut pas tomber dans la vulgarisation. Il laissa donc ce travail à d'autres ou à ses continuateurs.

II

L'inquiétude le point cette nuit avec une insistance qu'il n'a pas connue depuis trente ans. Soutenu par le zèle scientifique, il a quitté le bureau, chaque soir, pendant trente ans, avec le cœur et l'esprit frémissants de qui va retrouver ce qu'il aime. Ce qu'il allait retrouver, c'était une tâche ingrate que, mû par le seul service de la science, il s'était infligée bien des années auparavant; ce qu'il allait retrouver, c'était aussi son petit appartement encombré. Il n'a pourtant qu'un lit, une commode, une table, une chaise et, dans la cuisine, les appareils indispensables; mais tout le reste de l'appartement peut à peine contenir trois mille neuf cent quarante-sept pieds de classeurs qui montent à l'assaut des murs et dont le surplus forme des îles au milieu des pièces, ne laissant dans chacune qu'un étroit chemin pour circuler et pour permettre la consultation.

Comme il lui était doux jusqu'à ce soir de se retrouver à sa table, sous la suspension, entouré de ses fichiers et de leurs parois de métal grisâtre humanisé par tout le papier manuscrit qu'il protège! Comme il trouvait beau que ses fiches lui prennent peu à peu son espace vital et qu'insensiblement il le leur cède, répondant à chaque pouce de leur avance par un pouce de sa retraite! Il aimait qu'au jour le jour elles s'emparent de sa vie et que celle-ci transforme avec une admirable générosité sa substance en des millions de fiches bien classées. Avec joie il est presque devenu fiche; aussi ne peut-il plus dire *je*; comme parlant d'un autre ou d'un objet, il se sert désormais de *il*; il se sent d'ailleurs de cette façon moins isolé, car le *il* implique aussi un narrateur; le *je* au contraire le montrerait à lui-même seul et sans défense, le mènerait aux épanchements dont il veut s'abstenir, malgré son inquiétude de ce soir; l'inviterait aux regrets et, qui sait, aux larmes que, sans public, il ne sentirait pas le besoin de réprimer; par bonheur le *il* lui donne un témoin devant qui il essaiera de se bien tenir jusqu'à la fin de cette autobiographie.

Ce soir, retrouver pourtant les mêmes plaisirs ne produit pas les mêmes effets; non seulement son retour ne le rend pas heureux comme d'ordinaire, mais cela n'arrive même pas à mettre un baume sur l'inquiétude qui, après avoir couvé toute la journée dans ce qu'il lui reste d'âme, ce soir enfin se révèle. Il a eu beau feindre de n'en pas savoir les raisons, il mentait; et, habitué par la pratique de la science à ne pas se leurrer facilement, il n'a pu réussir à se convaincre de son mensonge et à oublier qu'il savait la cause de son état. Elle est limpide pourtant quand il se l'avoue avec lucidité, alors qu'elle paraissait bien diffuse quand il tentait de se la cacher.

Voici. Aujourd'hui, jour de son soixante-cinquième anniversaire de naissance, il a terminé un travail de trente ans. Pour compiler chaque soir, au retour du bureau, une page de la *Comédie humaine*, soit en moyenne quatre cent trente mots ou quatre cent trente fiches, et cela pendant onze mille jours ou trente ans de sa misérable et unique petite vie, il a fait le sacrifice de bien des joies: il n'a eu femme, enfants ni amis, dont on dit pourtant qu'il est doux d'en avoir autour de soi; il n'a pas lu de livres, il a mangé des aliments en conserve, il n'a pas un sou, il n'a pas voyagé. Il est vrai que sans ces menus sacrifices, il ne serait pas à la tête de quatre millions sept cent vingt-neuf mille neuf cent quatre-vingt-dix-huit mots de la *Comédie humaine* classés dans l'ordre alphabétique et inscrits sur quatre millions sept cent vingt-neuf mille neuf cent quatre-vingt-dix-huit fiches contenues sous clé dans trois mille neuf cent quarante-sept pieds de classeurs. Le *et* qui le ravissait tant, il n'aurait pas eu le plaisir de le retrouver soixante-dix-sept mille vingt-quatre fois. Il n'aurait pas chez lui ce chaud labyrinthe dont les bras l'étreignent avec une douceur plus haute que celle de toutes les tendresses.

Cela surpasse bien de vulgaires amusements passagers et les douteuses affections humaines. Ce n'est donc pas surtout dans ce marchandage entre la science et le plaisir que son inquiétude prend sa source; ni non plus dans le fait qu'il n'a jamais aimé la *Comédie humaine*, pas plus que dans l'épouvantable question qu'il se pose tout à coup ce soir sur l'utilité précise de son travail; si, depuis les débuts de l'humanité, le doute et les goûts personnels l'avaient emporté sur l'abnégation, le désintéressement et le mépris de soi, aucune science n'aurait fait un pas, et l'homme dormirait encore dans des cavernes.

Son inquiétude a bien plutôt pour cause essentielle cette constatation élémentaire et horrible dans ce qu'elle a d'irrémédiable: il a fini.

Finir une entreprise d'une telle envergure ne va pas sans une grande tristesse. Il s'émeut malgré lui au souvenir de la joie pure et solitaire que la science lui a départie tout au long de tant d'années, joie d'autant plus grande, semble-t-il, qu'elle a exigé des offrandes plus nombreuses et plus importantes, qu'elle a exigé comme rançon la vie elle-même. Il a appris à vivre avec les mots pour toute compagnie et à les considérer ainsi que des objets de dévouement, comme si quelque danger les eût menacés. Il les a aimés comme des êtres humains, plus même, car ceux-ci, mobiles et imprévisibles, ne peuvent offrir un bonheur si calme et si profond, ni si sûr. Des mots il a aimé non pas tant le sens, car cela est vulgaire et la réalité décevante, que les signes eux-mêmes, leur son et leur forme; des mots il a aimé jusqu'au son, jusqu'à la forme de leurs lettres qui, nées chez les lointains Phéniciens, ont traversé Rome et le monde, se sont arrêtées chez les fondeurs de la Renaissance pour recevoir d'eux leur apparence définitive et sont enfin venues le trouver dans sa retraite pour se faire aimer de lui. De se sentir chaînon d'une si longue lignée, et si prestigieuse, le rendait heureux et l'assurait qu'il partageait avec de bons esprits, tout au long de l'histoire, plus que des idées, plus que des symboles, plus qu'une passion, une sorte de secret qui aurait été la vraie vie et la vraie vérité.

Il a tellement vécu dans les mots et les mots en lui qu'il écrit ce soir cette autobiographie en se retenant d'aller demander à son fichier combien de fois Balzac a employé chaque mot qu'il trace sur ce papier.

Et surtout, les lettres et les mots qu'il dessine ici pour vous ne cessent de le distraire du lien logique qu'il veut mettre entre eux, puisqu'il vous faut encore cela pour que vous compreniez. On ne saurait imaginer l'effort qu'il fait, qui le tue, pour lier les mots. Fasciné, il s'arrête sur chacun et doit se battre pour lui en associer un autre dont le sens puisse lui convenir. Il préférerait tellement vous écrire une suite de ces mots admirables, de ces sons et de ces formes qui s'attachent à jamais ceux qui ont un jour perçu leur lumière et leur beauté. Plus encore, chaque lettre de chaque mot l'immobilise et le penche sur de doux abîmes... X, lieu où se rencontrent, se déchirent et s'écartent à jamais l'une de l'autre deux droites imaginaires qui n'ont pour cible que l'infini... T, solidité d'un segment horizontal appuyé perpendiculairement sur une colonne, ou sur une tige, comme une fleur... et O, profond mystère, chute, vertige... Minuscule, est-il cylindre, cercle, circonférence ou sphère? Majuscule, il est l'œuf fondamental...

Mais il s'arrête. Comme au bureau, il lui faut ici se maîtriser et se contraindre à la logique, s'il veut vous épargner cela qui ne constitue un plaisir que pour lui, s'il veut que vous les compreniez ce soir, lui et son inquiétude.

Courage. Il continue. Mais il est si fatigué!

Finir une telle entreprise, disait-il, comporte beaucoup de tristesse. Du reste, il est triste de finir quoi que ce soit. Cela tombe sans retour dans le passé; mais cela n'en existe pas moins encore, puisque cela a un jour existé.

Se leurrait-il au début de son travail en pensant qu'il voulait le rendre à terme? Il lui aura fallu trente ans pour le savoir.

Le mot FINIR lui-même sonne tristement et n'est pas beau: asymétrique, relevé avec enthousiasme par l'F de son début, il se bloque à la fin par une boucle. Encore la fin.

Et il a peur. Oui, peur. Du désœuvrement? Non. Peur surtout que ce ne soit là la fin de quelque chose d'autre, qui serait plus important et plus grave que son travail, de quelque chose d'innommé encore et d'innommable peut-être. Ou la fin de la vie, ou la fin de la mort. Peur d'une si grande liberté, et si soudaine, qui peut contenir toutes les possibilités, favoriser tous les doutes, permettre toutes les lucidités. Peur de savoir à ce moment seulement si ce qu'il a connu jusqu'ici s'appelait la mort ou la vie. Il ne sait trop. Comment dire avec des mots cela qui n'existe pas, mais qui existera, il le sent, il le sait? Il a l'impression qu'il lui faut prolonger son travail à tout prix, de quelque façon que ce soit, ne serait-ce qu'en dessinant des guirlandes sur chacune de ses fiches, pour éviter que ce qu'il craint ne se produise, ou au moins pour en retarder l'échéance.

Qui veut avancer ne doit pas cesser d'être aveugle.

*
* *

Soulagement.

Il a trouvé le moyen de continuer. Il transcrira sur des feuilles toutes ses fiches pour en composer un dictionnaire. À cause du singulier dédain qu'on professe aujourd'hui pour la science, son ouvrage, qui comportera, selon un calcul approximatif, quelque trois cent mille pages réparties en plusieurs tomes, il le polycopiera lui-même; car il projette, si les universités boudent sa compilation, de l'envoyer par tendresse à toutes les personnes dont le nom commence par la même lettre que le sien et qui sont inscrites dans l'annuaire du téléphone.

Il est ému: il sait désormais pour qui il travaille. Il reprend courage.

Allons, à l'œuvre!

Clémence DesRochers

Napoleon's last charge

Clémence DesRochers est née à Sherbrooke en 1933.
Monologuiste, auteur-interprète, poète, dramaturge, nouvelliste,
elle a publié deux recueils de nouvelles: *Le monde sont drôles* (1966)
et *J'ai des petites nouvelles pour vous autres* (1974). S'ils participent à
l'univers déjà constitué de Clémence DesRochers, où domine
l'humour fait de pirouettes et de bons mots, ces recueils de
nouvelles se développent surtout autour de l'idée de l'absurdité
des choses et de la nostalgie. Deux nouvelles ont été publiées
aussi dans *Le monde aime mieux... Clémence DesRochers*, recueil de
textes publié en 1977 qui comprend à peu près tous les textes
publiés entre 1973 et 1977 dont 21 chansons, dix monologues
et une pièce de théâtre.

«Napoleon's last charge» dans *Le monde sont drôles*,
Montréal, Éditions Parti Pris, 1966.

Marie-Reine s'installa au piano pour jouer *Napoleon's last charge*. Par habitude, elle s'apprêtait à faire le pli au creux de sa jupe, à la hauteur du ventre. Vingt-cinq ans les mêmes gestes, on ne s'en défait pas en un jour! C'est étrange, la jambe libre sur la pédale sans la longue jupe noire. Marie-Reine eut un petit rire nerveux. Elle passait des rires aux larmes, comme une enfant trop sensible. Elle revivait une vie et ne savait plus comment. Le monde, le monde, je suis revenue dans le monde. Elle se mit à jouer *Napoleon's last charge*.

La maison était vide. Au-dessus du piano, une photo de ses parents. Les yeux de Marie-Reine s'emplirent d'eau. Elle continuait de jouer quand même. Elle savait le morceau par cœur, pour l'avoir enseigné pendant des années. Peu à peu elle se laissait emporter par la marche, ses doigts frappaient dur, elle donnait de la pédale forte.

Napoleon's exprimait sa révolte, ses regrets, son inquiétude, sa défaite. Comme lorsqu'un chagrin est trop grand, tout ce qu'on peut faire, c'est d'aller marcher, marcher, marcher. Au moins le corps bouge, quand tout le reste s'effondre. Marie-Reine menait le bataillon.

Suivez-moi! Allons-y! Nous vaincrons! Je n'ai pas trahi! Dieu l'a voulu! Non, c'est ton orgueil. Tu as voulu faire la tête forte! Non non! Je voulais vivre heureuse, je voulais enseigner la musique aux enfants! Tu te prenais pour une artiste.

Je voulais simplement enseigner la musique! Je ne sais rien faire d'autre. Il ne fallait pas m'envoyer enseigner à l'école ménagère! Puis à l'école normale! Puis en mission loin, loin! trop loin...! Oui c'est vrai que j'avais fait le vœu d'obéissance. J'ai trahi. Quitter le couvent parce qu'on veut enseigner la musique! Écrire au pape, après vingt-cinq ans en religion. Ma fille, allez en paix vers le monde si vous croyez que son appel est trop fort.

Non, non, non ce n'est pas ainsi... C'est parce que vous m'avez tout enlevé, c'est parce que vous m'humiliez toujours... c'est parce que vous ne m'aimiez pas! Vous étiez jalouse! Pourquoi! Pourquoi! Pourquoi!

Elle quitta Napoléon en pleine défaite et s'habilla pour se rendre à l'église. Elle avait retrouvé avec joie ses anciens bijoux, elle en avait beaucoup. Elle mit un des bracelets dorés, la broche dorée qui va avec et, pourquoi pas, les boucles d'oreilles. C'est ainsi qu'on s'habille dans le monde. Sa robe mauve était encore très jolie. Je l'avais payée cher. J'aime les couleurs voyantes. Mon manteau vert est très bien aussi. C'est tout du linge neuf que j'ai acheté avant de...

Elle mit le chapeau de sa sœur et courut vers l'église. Elle y resta au moins deux heures. Elle parlait à Dieu et lui demandait de l'aider car elle ne comprenait plus rien à rien... Quand Marie-Reine sortit de l'église, il faisait noir. Le vent d'automne lui enleva son chapeau et mit ses cheveux en désordre. Un homme lui rapporta et s'offrit pour faire un bout de route. Ils marchèrent ensemble, elle parlait avec intérêt à l'étranger, lui posait des questions sur sa vie, il répondait aimablement. Elle était heureuse, en confiance avec un de ses semblables. Il parlait surtout d'une petite maison à lui, pas très loin, où il vivait seul. Elle s'apitoya sur sa solitude. Il y vit un espoir et profita d'un coin noir pour la tasser contre le mur et l'embrasser. Marie-Reine fut tellement surprise!

— Mais pour qui me prenez-vous monsieur?

— Pour ce dont vous avez l'air.

Elle se sauva en courant, sa robe mauve entrouverte, son manteau vert détaché, ses cheveux défaits. Devant la maison elle remit tout en ordre. Elle ne pouvait rester seule et vint rejoindre les enfants devant l'appareil de télévision. Naturellement qu'elle avait déjà vu un appareil de télévision, des émissions religieuses et culturelles, l'heure du concert parfois. «À mon signal, vous glissez le révolver sous la nappe. Léo, tu es trop vieux, il est temps que tu cèdes ta place! — Non non! Posez ce révolver! Bang Bang!» Ô mon Dieu, il l'a tué — C'est terrible. C'est pas un programme pour les enfants! Chut! On veut écouter. Bonsoir je vais me coucher.

Où est ma place dans le monde? Cette robe de nuit est vraiment trop décolletée. Il va falloir que je lui pose une rallonge. Je me demande qu'est-ce qu'il lui a pris, à cet homme... Il avait l'air assez bien de sa personne pourtant, propre, bien habillé... Mon matelas est mou, c'est curieux. Demain, je vais chercher du travail... dans l'enseignement. Je prendrai des élèves en cours particulier... À cette heure-ci, tout le monde dort là-bas... jeudi demain... ce serait mon tour de servir la messe... Je n'arrive pas à dormir. Je m'habituerai... J'aurais dû rester... C'est le bon Dieu qui... Il vente, c'est mince les murs d'une maison... On dirait que j'ai un point au cœur... J'ai peur. Où est ma place?

Madeleine Ferron

Les vertus des anges

꧁꧂

Née à Louiseville (Québec) en 1922, elle est l'auteur de trois romans, d'un essai et de cinq recueils de contes et nouvelles: *Cœur de sucre* (1966), *Le chemin des dames* (1978), *Histoires édifiantes* (1981), *Un singulier amour* (1987) et *Le grand théâtre* (1990). Pour Madeleine Ferron, le récit bref semble particulièrement propice à l'expression de son sens particulier du détail, de la finesse de son ironie et de son humour.

«Les vertus des anges» dans *Cœur de sucre*,
Montréal, HMH, «L'Arbre», 1966.

À quelques milles du village, affluent de la Chaudière, coule la rivière des Fermes, ombragée, fraîche et tout à fait limpide. On ne dirait jamais qu'elle charrie les égouts de Saint-Frédéric. Les habitants de ce village ont sans doute une alimentation spéciale. Nous n'allons tout de même pas réclamer une enquête qui serait peut-être dégoûtante dans ses conclusions et nous enlèverait le goût prononcé que nous avons, gens du village, pour cette petite rivière.

Elle descend le côteau entre les épinettes, en paliers. Par des chutes ou des cascades, elle tombe et s'arrête dans d'immenses bassins naturels, faits de pierres douces et arrondies. Leur besogne faite, les adultes viennent s'y tremper. Héritiers de la peur séculaire de l'eau, ils ne savent pas encore nager. Les hommes sautent dans l'eau, plongent la tête un instant et se donnent l'illusion du mouvement en tapant des ailes comme des canards. Tels des hérons, doucement, sur les pointes, les femmes avancent. À petits cris aigus, elles s'enfoncent dans l'eau par tranches. Arrivées à la taille, elles s'arrêtent, croisent leurs bras sur leurs molles poitrines. Les mains accrochées aux épaules, les coudes pointus et un peu avancés, elles s'inclinent dans l'eau, laissant flotter la galette blanche de leur dos.

Les enfants s'y rendent l'après-midi, la plupart en voyages organisés. Quelques-uns préfèrent encore y aller à pied ou à bicyclette pour flâner le long de la route.

Eux, ils étaient trois à toujours voyager ensemble. À pied, leur baluchon sur le dos, avec leur toupet frisé et leur visage d'ange, ils musardent. De la poche arrière de leurs «jeans» pend et se balance l'élastique de leur fronde. Souvent, ils laissent la route pour le bord du fossé qui suit en parallèle. «Viens, en v'là une!» Et vlan! les cailloux partent presque tous ensemble. Des petits gars merveilleux d'adresse avec une fronde. La grenouille a culbuté et flotte au fond du fossé, la boule blanche du ventre en l'air, donnant quelques petits coups de pattes de la droite. La gauche pend, déjà inerte. Ils se regardent tous les trois, rient très fort en se tapant les cuisses et reviennent sur la route. Une hirondelle passe. «Touchée», crie le plus adroit tandis que les deux autres, les bras ouverts, font avec leur bouche le bruit presque parfait d'un avion qui tombe. L'hirondelle pique vers le sol, paquet de plumes devenu très lourd. Les enfants accourent. L'oiseau, affolé, essaie de se sauver sur ses pattes en traînant son aile brisée qui, tous les deux pas, la fait culbuter. «La supériorité de l'oiseau sur l'avion», dit le plus petit. «En garde, les gars, faut la finir.» Elle n'a déjà plus forme d'hirondelle qu'ils visent encore pour épuiser leur provision de cailloux. Avec la terre qu'ils soulèvent, l'oiseau est enterré. Voilà, c'est fini pour la fronde.

Pour un bon bout de chemin, ils accéléraient le pas, calmés, plutôt silencieux. Ils marchaient ainsi jusqu'à la croisée des chemins. La route vers la rivière oblique alors à droite et frôle une maison. Sur le perron, presque tous les jours, se tient Napoléon, avec ses mains difformes, son regard d'idiot et son éternel sourire baveux. Napoléon! On a beau avoir de l'ambition pour ses enfants, il faut de la discrétion. Insister, c'est tenter le destin qui a l'humour quelquefois si féroce que même les plus croyants n'osent plus l'expliquer par la providence. Il s'appelle donc Napoléon. À sa vue, les âmes tendres frissonnent. Son visage est informe, boursoufflé. Heureusement presque toujours hilare. Rien chez lui n'est harmonisé. Ses gestes ne sont même pas coordonnés, se font à contretemps ou d'une façon excessive. Debout sur le coin de la galerie, il quête des saluts aux passants en agitant le bras avec une telle ardeur qu'il en est tout secoué, tout disloqué.

— Bonjour, disent les gamins en s'installant dans les marches de l'escalier.

— Bonjour, répond Napoléon avec son rire qu'on dirait toujours prêt à l'étrangler.

— Tu ne l'as pas oubliée au moins, la belle chanson qu'on a réussi à t'apprendre?

— Non, non, je pratique toute la journée... De fleuronglos rieux...

Ses yeux deviennent effrayants de sérieux. Le rire, en plissant ses paupières, donne à ses yeux une apparente mobilité. Sérieux, ils sont fixes, vides.

— Très bien, très bien, disent les gamins.

Les grosses lèvres de Napoléon tremblent sous l'effort de l'articulation et, de la commissure droite, coule un filet de salive. Il doit à tout moment arrêter de chanter pour le résorber avec un bruit de sifflet.

— Ô Canada, crottes de chats. Terre de nos aïeux, crottes de bœufs. Ton front est ceint de fleuronglos rieux...

— Tu l'as, c'est parfait, dit le plus vieux.

— Des fleuronglos, tu sais, c'est joli, ajoute l'autre. Ça ressemble aux grands soleils qui poussent là-bas au bout du jardin. Ça fait de belles couronnes. On t'en fera une un jour.

Et les enfants de s'esclaffer en reprenant la route.

— Continue ta pratique, Napoléon, nous arrêterons en revenant.

Ils s'en vont en courant sous la lumière crue, vers la tache sombre du bois d'épinettes que le soleil ne traverse pas. Tout au plus peut-il s'accrocher dans les cimes. Des vaches se sont glissées à l'orée du bois et ne bougent que de la queue. Les cigales s'énervent. Les gamins doublent leur vitesse. La rivière est là toute fraîche dans l'ombre avec par-ci par-là sur ses bords quelques gros rochers inondés de soleil où les enfants s'accrochent somme des lézards. Pendant que Napoléon, sur sa galerie, en battant de chaque bras des mesures différentes, chante de sa voix presque inhumaine «de fleuronglos rieux»...

Bientôt épuisé, il tire sa chaise. Dans le triangle d'ombre formé par le retrait du mur de la cuisine d'été, il s'installe, engourdi de chaleur, et surveille le sentier qui sort du bois comme d'un tunnel. Quand ses amis enfin débouchent, leur ombre a bien grandi. Napoléon bat des mains. De pirouettes en gambades ils reviennent, rafraîchis, leur baluchon trempé au bout du bras et le toupet collé au front. «Napoléon! Napoléon!» crient-ils tous ensemble dans leur enthousiasme. Ils ont eu une idée géniale. Napoléon ne le savait peut-être pas, mais la chanson qu'ils lui ont apprise, c'est l'hymne national! L'hymne de Toronto, de la Colombie, de tout le Canada! Pour le chanter, Napoléon doit y mettre beaucoup de dignité. De la grandeur, Napoléon, de la grandeur! Alors voilà: derrière la maison, pointu comme une pyramide, assez élevé pour être majestueux, il y a le tas de fumier; digne, droit, c'est là maintenant qu'il la chantera, sa chanson.

— La voix porte mieux là-dessus, Napoléon.

Et le deuxième:

— Chante plus fort et aussi longtemps que tu nous verras sur la route.

Solennel, Napoléon chante. Son ombre se double et s'agite tout le long du monticule, marionnette dont les fils de commande sont emmêlés. Emmêlées aussi, les cordes vocales. Ils s'en vont lentement, à reculons. S'arrêtent de temps en temps pour se tordre de rire. Et repartent en pointant du doigt un Napoléon que progressivement la distance efface. Les enfants coupent l'image en faisant volte-face. Rentrons les gars. Gauche,

droite, gauche, droite... Le village écrasé, brouillé, se re-
dresse peu à peu, sépare ses maisons, retrouve ses rues.
Silencieuse la troupe rentre. Pour deux qui sourient encore, le troisième médite, le front soucieux. Le pont ré-
sonne à peine sous leurs souliers de toile. Et voilà le
carrefour, comme une étoile. Chacun s'en ira sur son
rayon.

— Bonjour les gars.

— On a bien ri.

— C'est pas parfait, dit le méditatif. Napoléon devrait avoir quelque chose dans sa main...

— Mon Dieu! C'est tout trouvé, maintenant qu'on a
un drapeau!

Gabrielle Roy

La route d'Altamont

Née à Saint-Boniface (Manitoba) en 1909, Gabrielle Roy meurt
en 1983. Elle a d'abord enseigné au Manitoba (1929-1937)
puis, après un séjour de deux ans en France et en Angleterre,
elle a collaboré à divers journaux et revues. Après *Bonheur
d'occasion*, publié en 1945, paraissent cinq romans et quatre
recueils de nouvelles: *La route d'Altamont* (1966), *Cet été qui
chantait* (1972), *Un jardin au bout du monde* (1975), *Ces enfants
de ma vie* (1977); un récit: *De quoi t'ennuies-tu, Éveline?* (1982),
Ely! Ely! Ely! (1984) et, enfin, un texte autobiographique:
La détresse et l'enchantement (1984). Célèbre, récipiendaire de
nombreux prix (dont le Femina), Gabrielle Roy a su allier
à un sens hautement exigeant de son art un intérêt attentif
et passionné pour la vie, des petites gens surtout, leur
solitude, leurs souffrances.

«La route d'Altamont» dans *La route d'Altamont*,
Montréal, Éditions HMH, «L'Arbre», 1966.

Un jour que par un beau temps de soleil nous voyagions à travers la plaine, ma mère et moi qui conduisais la petite auto, et que nous avions vu depuis des heures déjà défiler sous nos yeux un peu lassés les grands horizons toujours plats, j'entendis maman près de moi se plaindre avec douceur:

— Dans toute cette plaine immense, comment se fait-il, Christine, que Dieu n'a pas songé à mettre au moins quelques petites collines?

De celles où elle était née dans la vieille province de Québec, elle nous avait depuis ces dernières années beaucoup parlé: une sévère montagnette, des pics, des *crans* prolongés par des épicéas, une troupe presque hostile qui gardait le petit pays pauvre. Rien là à tant regretter. Pourtant de ce paysage laissé en arrière à l'origine de notre famille, il fut grandement question toujours, comme si persistait entre nous et les collines abandonnées une sorte de relation mystérieuse, troublante, jamais tirée au clair... Tout ce que j'en savais était peu de chose: un jour, grand-père avait aperçu en imagination — à cause des collines fermées peut-être? — une immense plaine ouverte; sur-le-champ il avait été prêt à partir; tel il était. Grand-mère, elle, aussi stable que ses collines, avait longtemps résisté. En fin de compte elle avait été vaincue. C'est presque toujours, dans une famille, le rêveur qui l'emporte. Voilà donc ce que je comprenais au sujet des collines perdues. Et ce jour-ci encore, sans savoir qu'ainsi je peinais maman, je lui dis:

— Allons, vieille mère, tes collines étaient comme toutes les collines. C'est ton imagination qui a brodé sur tes souvenirs d'enfance et te les présente aujourd'hui si attirantes. Les reverrais-tu que tu serais déçue.

— Ah non, dit maman, toujours irritée lorsqu'on cherchait à lui diminuer ses petites collines perdues de vue depuis près de soixante ans; et elle nia absolument que sa splendide imagination eût pu retoucher le contour fané en son souvenir d'un si lointain paysage.

Et voici qu'elle m'en parlait de nouveau comme nous traversions le pays le plus plat du monde, cette vaste plaine du sud du Manitoba, si nue qu'on y voit longtemps un seul arbre solitaire, que les moindres choses apparaissant de loin à sa surface prennent une valeur singulière, pathétique... Même le vol d'un oiseau suspendu en tant d'espace ici serre le cœur.

— Imagine-toi, dit maman, que tout soit tout à coup bouleversé; l'on verrait des éboulis, une masse de rocs chauves, d'autres recouverts d'un peu de mousse; ensuite viendraient de petites collines boisées, et leurs replis seraient bien ce qu'il y a de plus curieux au monde. On avance, Christine, pour découvrir ce qu'il peut y avoir entre elles; mais, de nouveau, les escarpements s'entrouvrent; on est contraint d'explorer un autre repli; on est toujours en haleine...

— Oui, peut-être, lui dis-je.

Moi, j'aimais passionnément nos plaines ouvertes; je ne pensais pas avoir de patience pour ces petits pays fermés qui nous tirent en avant de ruse en ruse. Cette absence de secret, c'était sans doute ce qui me ravissait le plus dans la plaine, ce noble visage à découvert ou, si l'on veut, tout l'infini en lui reflété, lui-même plus secret que tout autre. Je ne concevais pas, entre moi et ce rappel de l'énigme entière, ni collines, ni accident passager contre lequel eût pu buter mon regard. Il me semblait qu'eût été contrarié, diminué, l'appel imprécis mais puissant que mon être en recevait vers mille possibilités du destin.

— Ah, tu ne comprends pas, fit maman. C'est la

hauteur inattendue, quand on l'atteint, qui justement donne du prix à tout le reste.

Mais elle parut avoir oublié son vieux désir retrouvé un instant si jeune, si lancinant. Nous étions en septembre, par une de ces belles journées chaudes encore, mais le regard résigné et un peu gris du ciel, mais la terre dépouillée leur prêtent je ne sais quelle douceur triste, proche de notre cœur — ce sont des jours abandonnés, qui ne sont plus de l'été, ni encore à l'hiver — et ma mère se mit à regarder intensément autour d'elle.

Au fond, elle était bien trop vivante encore, trop amoureuse de la vie, pour préférer le temps fixé dans la mémoire à celui qui s'en va justement s'y perdre comme un affluent dans la mer. Elle convint avec moi que la couleur uniformément dorée des pailles rasées, que l'uniforme gris bleu du ciel composaient une grave beauté, quoique peut-être trop constante pour les besoins du cœur. Mais quel beau temps pour voyager! me dit-elle. Oui, l'automne convenait admirablement aux voyages, à tous les voyages...

Alors que je la croyais revenue de son regret, je l'entendis soupirer.

— Cela manque d'arbres, toutefois, par ici, et d'eau. Dans mes petites collines, Christine, les essences emmêlées, les peupliers-trembles, les bouleaux, les érables de montagne — oh! nos érables à sucre si rouges à l'automne! — les hêtres aussi flambaient de couleur. En bas, d'anse en anse, se déroulait, en captant les couleurs, notre petite rivière Assomption.

Malgré tout, j'étais étonnée de voir maman passer par-dessus son existence d'adulte, au Manitoba, pour aller au plus loin de sa vie chercher ces images hier inconnues de moi et qui semblaient à présent lui plaire plus que tout. Peut-être même en fus-je un peu vexée.

Nous arrivions alors à un croisement de routes, et je pensai à autre chose, je réfléchis un moment; ou peut-être, au contraire, n'ai-je pas du tout réfléchi. Aujourd'hui encore, sur cette journée s'étend comme une légère brume, et je suis toujours incapable de revoir clairement ce qui nous arriva lorsque j'atteignis cet embranchement solitaire.

II

Connaissez-vous les petites routes rectilignes, inflexibles, qui sillonnent la Prairie canadienne et en font un immense quadrillage au-dessus duquel le ciel pensif a l'air de méditer depuis longtemps quelle pièce du jeu il déplacera, si jamais il se décide. On peut s'y perdre, on s'y perd souvent. Ce que j'avais devant moi, c'étaient, à la fois se rejoignant et se quittant, étendues à plat dans les herbes comme les bras d'une croix démesurée, deux petites routes de terre absolument identiques, taciturnes, sans indication, taciturnes autant que le ciel, autant que la campagne silencieuse tout autour qui ne recueillait que le bruissement des herbes et, de temps à autre, le trille lointain d'un oiseau invisible.

Avais-je complètement oublié les indications données au départ par mon oncle: tourner à gauche, puis à droite, puis à gauche. Je vous le dis, ces routes composent comme une sorte de vaste jeu troublant et, si on s'y trompe une seule fois, l'erreur va ensuite se multipliant à l'infini. Mais peut-être était-ce cela même que je souhaitais. À cet embranchement solitaire, est-ce que je ne fus pas fascinée au point de ne plus vouloir rien décider par moi-même — les routes inconnues m'ayant toujours attirée autant que certains visages anonymes aperçus au

milieu de la foule. Je m'engageai, je pense, au hasard —
pourtant est-ce le hasard qui fit ce jour-là des choses si
prodigieuses? — je m'engageai dans celle des deux routes qui me parut la plus complètement étrangère. Cependant les deux me l'étaient, au fond. Se peut-il que l'une,
pourtant si pareille à l'autre, m'eût fait comme une sorte
de signe intelligible?

Nous n'avions pas été plus d'un quart d'heure à filer sur
cette petite route étroite, toujours à plat dans les champs,
qu'elle se croisa avec une autre de ses pareilles venant du
lointain. De nouveau, il me semble, je refusai de choisir,
me laissai guider par le caprice ou l'intuition, ceci en
tout cas auquel nous préférons parfois nous en remettre
plutôt qu'à notre seul jugement.

   Maintenant nous étions égarées, aucun doute là-
dessus. Dès lors, en rebroussant chemin eussé-je seulement pu refaire mon trajet capricieux? Autant donc continuer en avant. C'est ce que je fis, animée, je pense, d'un
secret délice à nous voir perdues en cette immense plaine
sans cachette pourtant.

   Ces petites routes que j'avais prises pour gagner du
temps et rejoindre la nationale par raccourci, ces petites
routes au fond du pays, nous les appelions: routes de
sections, et nulles ne semblaient comme elles mener plus
loin et nulle part. De ces petites routes coupant les
arrière-pays en mille carrés, au loin en des solitudes ini-
maginables, de ces petites routes pleines d'ennui, aujour-
d'hui encore je m'ennuie. Je revois, sous le ciel énigma-
tique, leur rencontre silencieuse; tout juste le vent jouant
avec elles leur enlève-t-il un peu de terre qu'il fait tourner
en lasso; je me rappelle leur accolade muette, leur étonnement à se rencontrer, à repartir déjà et vers quel but?
car d'où elles viennent, où elles vont, jamais elles n'en

disent mot. Quand j'étais jeune, il me paraissait qu'elles n'existaient pour aucunes fins pratiques, seulement pour l'exaltation étrange de l'âme à jouer avec elles quelque jeu puéril et fascinant.

Donc, je continuai au hasard. Il le fallait bien au reste: à qui dans ce pays enseveli demander notre route? Depuis plus d'une heure nous n'y avions même pas vu, perdu dans l'éloignement, quelque toit de grange. Il n'y avait même pas l'électricité à travers cette contrée sauvage. Je fus heureuse un instant comme rarement je l'ai été dans ma vie.

À quoi tenait ce bonheur? Je n'en sais trop rien encore. Sans doute s'agissait-il de confiance, de confiance illimitée en un avenir lui-même comme illimité. Alors que ma mère pour ses joies devait retourner au passé, les miennes étaient toutes en avant, presque toutes intactes encore, et n'est-il pas merveilleux cet instant où tout ce qu'il y a à prendre en cette vie apparaît intact à l'horizon, à travers les charmes et les sortilèges de l'inconnu?

Maman s'était à moitié endormie. Sa tête ballottait un peu. De temps en temps elle entrouvrait les yeux; et sans doute devait-elle lutter contre sa fatigue avec cette peur étrange que je lui ai connue sa vie durant, si elle se reposait une minute, si elle s'endormait un instant, de manquer justement ce qu'il pouvait survenir de meilleur, de plus intéressant. La chaleur, la monotonie du paysage abattaient malgré elle sa curiosité. Sa tête de nouveau retomba, ses paupières battirent lourdement et, comme elles glissaient sur ses yeux, j'entrevis dans leur regard une lassitude du corps si envahissante que bientôt peut-être ni l'ardeur de maman ni sa joie de vivre n'en pourraient plus avoir raison. Et je me rappelle avoir pour ainsi dire décidé: «Il ne faudrait pas trop tarder à donner de la joie à maman; elle ne pourra peut-être plus l'attendre longtemps encore.» En ce temps-là j'imaginais qu'il est assez facile, somme toute, de rendre quelqu'un joyeux; qu'un mot tendre, une caresse, un sourire peuvent suffire. J'imaginais qu'il est en notre pouvoir de rendre les âmes heureuses, ne sachant pas encore que des désirs tragiques de perfection hantent certaines jusqu'à la fin; ou alors de ces trop simples désirs si purs que la meilleure volonté du monde ne saurait pourtant satisfaire.

Peut-être en ai-je un peu voulu à ma mère de souhaiter autre chose que ce que je croyais bon de souhaiter pour elle. À dire vrai, je m'étonnais que, vieille et parfois lasse, maman abritât encore des désirs qui me paraissaient être ceux de la jeunesse. Je me disais: ou l'on est jeune, et c'est le temps de s'élancer en avant pour connaître le monde; ou l'on est vieux, et c'est le temps de se reposer.

Cent fois par jour, je disais donc à maman:

— Reposez-vous. N'en avez-vous pas assez fait? C'est le temps de vous reposer.

Elle, alors, comme si je l'eusse insultée, répondait:

— Me reposer! Il en sera bien assez vite le temps, va!

Puis elle devenait songeuse et me disait:

— Sais-tu que j'ai dit cette même chose cent fois à ma propre mère, quand il m'a semblé qu'elle devenait vieille: Reposez-vous, lui ai-je dit, et c'est maintenant seulement que je sais à quel point j'ai dû l'agacer.

Cette petite route prise au hasard depuis quelque temps paraissait monter, sans effort visible, par légères pentes très douces sans doute. Pourtant le moteur s'essoufflait un peu et, si cela n'eût pas suffi à me l'indiquer, à l'air plus sec, plus enivrant, j'aurais reconnu que nous prenions de l'altitude, sensible comme je l'ai toujours été aux moindres variations atmosphériques. Les yeux clos, je reconnaîtrais, à la première aspiration, je pense, l'air de la mer, l'air de la plaine aussi, et certainement celui des hauts plateaux à cause de la légèreté gracieuse qu'il me communique, comme si, en montant, je jetais du poids — ou des fautes.

Alors, comme nous nous élevions toujours, il me sembla voir, étirée contre le ciel, une lointaine chaîne de petites collines bleues, à moitié transparentes.

J'étais habituée aux mirages de la plaine, et c'était l'heure où ils surgissent, extraordinaires, ou tout à fait raisonnables: parfois de grands espaces d'eau miroitante, des lacs salés, lourds et sans vie — souvent la mer Morte elle-même apparaît chez nous, au ras de l'horizon; parfois des villages fantômes autour de leurs *élévateurs* à blé. Et, une fois, dans mon enfance, une cité entière pour moi seule sortit un jour de terre, au bout de la plaine, une étrange cité avec des coupoles.

Ce sont là des nuages, me dis-je, rien de plus, et pourtant je poussai en avant comme pour atteindre avant qu'elles ne se fussent effacées ces petites collines pleines de douceur.

Mais elles ne se dissolvaient pas comme une illusion, tôt ou tard. Après avoir reposé mon regard ailleurs, lorsque j'y ramenai les yeux, je les retrouvai encore et encore. Elles me semblaient se mieux préciser, grandir et peut-être même embellir. Puis — ai-je rêvé tout cela? en tant de choses de nos vies persiste un élément imprécis, inexplicable, qui nous fait douter de leur réalité — la plaine, depuis le commencement des âges aplanie et soumise, parut se révolter. D'abord elle éclata en boursouflures, en crevasses, en fentes érodées; des cailloux crevèrent sa surface; puis celle-ci s'ouvrit plus profondément, des crêtes en jaillirent, elles prirent de la hauteur, elles accoururent de toute part, comme si, délivré de sa pesante immobilité, le pays se mettait en mouvement, venait en vagues vers moi autant que moi-même j'allais vers lui. Enfin, il n'y eut plus de doute possible: de petites collines se formèrent de chaque côté de nous; elles nous accompagnèrent à une certaine distance, puis tout à coup se rapprochèrent, et en elles nous fûmes complètement enfermées.

À présent, du reste, la petite route grimpait visiblement, sans feinte, avec une sorte d'allégresse, par petits bonds joyeux, par à-coups comme un jeune chien qui tire sur sa laisse; et je devais changer de vitesse en pleine côte. De temps en temps, en passant, une voix liquide, quelque écoulement d'eau sur le roc, frappait mon oreille.

«Ah, maman a raison, ai-je pensé, les collines sont exaltantes, jouant avec nous un jeu d'attente, de surprise, nous tenant vraiment en suspens.»

Et bientôt, telles que ma mère les désirait, elles se présentèrent couvertes d'arbustes secs, de petits arbres mal assurés sur un versant penché, mais réchauffés par le soleil, traversés d'ardente lumière, et leurs feuillages aux tons lumineux frémissaient dans l'air ensoleillé. Tout cela, les pans de roc roussi, des baies rouges aux branches grêles, les feuilles écarlates jonchant le sous-bois, tout cela formait un adorable petit fouillis presque mort, et cependant quel cri vivant s'en échappait!

Alors, brusquement, ma mère s'éveilla.

Avait-elle été avertie dans son sommeil que les collines étaient retrouvées? En tout cas, au plus beau du paysage, elle ouvrit les yeux, comme je me proposais justement de la tirer par la manche en lui disant: «Regarde, mais regarde donc ce qui t'arrive, *mamatchka*!»

D'abord elle parut livrée à un profond égarement. Se crut-elle transportée dans le paysage de son enfance, revenue à son point de départ, et ainsi toute sa longue vie serait à refaire? Ou bien lui parut-il que le paysage se jouait de ses désirs en lui proposant une illusion seulement?

Mais je la connaissais mal encore. Au fond, bien plus prompte que moi à la foi, au réel, maman saisit aussitôt la simple, l'adorable vérité.

— Christine, te rends-tu compte! Nous sommes dans la montagne Pembina. Tu sais bien, cette unique chaîne de montagnes du sud du Manitoba! Toujours j'ai désiré y entrer. Ton oncle m'assurait qu'aucune route ne la pénétrait. Mais il y en a une, il y en a une! Et c'est toi, chère enfant, qui l'as découverte!

Sa joie, ce jour-là, comment oserais-je y toucher, la démonter pour en saisir le secret profond! Toute joie est si mystérieuse, c'est devant elle que je connais le mieux la maladresse des mots, l'impiété de vouloir toujours analyser, surprendre en lui-même le cœur humain.

Et puis, tout se passa en un tel silence entre maman et les petites collines! J'allais lentement pour la laisser tout voir à son aise, m'apercevant que son regard volait de chaque côté de la route, et nous montions encore, et les petites collines ne cessaient pas de se bousculer à droite, à gauche, comme pour nous regarder passer, elles qui dans leur isolement ne devaient pas voir des humains plus souvent que nous, des collines. Puis je m'arrêtai; j'éteignis le moteur. Maman, dans sa hâte de descendre, ne savait plus quelle poignée tourner, comment ouvrir la portière. Je l'aidai. Alors, sans un mot, elle partit seule parmi les collines.

Entre les broussailles sèches la retenant un instant par sa jupe, elle se mit à grimper, alerte encore, avec des mouvements de chevrette, la tête d'instant en instant levée vers le haut... puis je la perdis de vue. Quand, un bon moment plus tard, elle réapparut, ce fut tout en haut d'une des collines les plus escarpées, petite silhouette diminuée par la distance, toute chétive, extrêmement seule sur la pointe avancée du roc. À côté d'elle, un petit sapin torturé, ayant là-haut dans les vents trouvé son gîte, s'inclinait aussi. Et j'ai pensé bizarrement en les voyant côte à côte, maman et l'arbre solitaire, que peut-être faut-il être bien seul, parfois, pour se retrouver soi-même.

Mais que se dirent-elles, ce jour-là, maman et les petites collines? Est-ce que vraiment les collines rendirent à maman sa joyeuse âme d'enfant? Et comment se fait-il que l'être humain ne connaisse pas en sa vieillesse de plus grand bonheur que de retrouver en soi son jeune visage? N'est-ce pas là plutôt une chose infiniment cruelle? D'où vient, d'où vient le bonheur d'une telle rencontre? Serait-ce que, pleine de pitié pour sa jeune âme disparue, l'âme vieillie lui lance à travers les années un appel tendre, comme un écho: «Vois, lui dit-elle, je peux encore ressentir ce que tu as ressenti... aimer ce que tu as aimé...» Et l'écho sans doute répond quelque chose... Mais quoi? Je ne comprenais rien alors à ce dialogue, je me demandais tout simplement ce qui pouvait retenir si longtemps ma mère en plein vent, sur le roc; et si c'était sa vie passée qu'elle y retrouvait, en quoi cela pouvait-il être heureux? En quoi pouvait-il être bon, à soixante-dix ans, de donner la main à son enfance, sur une petite colline? Et si c'est cela la vie: retrouver son enfance, alors, à ce moment-là, lorsque la vieillesse l'a rejointe un beau jour, la petite ronde doit être presque finie, la fête terminée. J'eus terriblement hâte tout à coup de voir maman revenir près de moi.

Enfin elle descendit de la petite colline; pour se donner une contenance, elle cueillit à un arbuste presque mort une branche aux feuilles rougies, pleines de feu, dont tout en avançant vers moi elle caressait sa joue penchée. Car elle revenait en me dérobant son regard, et elle ne me l'accorda qu'assez longtemps après, lorsque entre nous il ne fut plus question que de choses ordinaires.

Elle se rassit près de moi sans mot dire. Nous repartîmes en silence. De temps en temps, je l'observais à la dérobée; je voyais la joie de son âme venir briller dans ses yeux comme une eau lointaine et même, un instant, toute proche, en réelle humidité. Ce qu'elle avait vu était donc si troublant! Je fus inquiète tout à coup. Les petites collines me parurent à présent difformes, bossues, assez sinistres; j'avais hâte de retrouver la plaine franche et claire.

Alors maman me saisit le bras avec une sorte d'agitation.

— Christine, me demanda-t-elle, c'est par erreur que tu as trouvé cette merveilleuse petite route?

— Donc, l'étourderie de la jeunesse a quelque chose de bon! lui répondis-je en manière de plaisanterie.

Mais je la vis réellement inquiète.

— En sorte, dit-elle, que tu ne sauras peut-être pas la retrouver l'an prochain quand nous reviendrons chez ton oncle, que peut-être tu ne la retrouveras jamais. Il y a, Christine, des routes que l'on perd absolument...

— Que veux-tu que je fasse? la raillai-je doucement. Comme Poucet, semer des miettes de pain?...

À ce moment, les collines s'ouvrirent un peu; logé tout entier dans une crevasse parmi des sapins débiles, nous apparut un petit hameau se donnant l'air d'un village de montagne avec ses quatre ou cinq maisons agrippées à des niveaux divers au sol raboteux; sur l'une d'elles brillait la plaque rouge de la Poste. À peine entrevu, le hameau nous était dérobé déjà, cependant que le chant de son ruisseau, quelque part dans les rocs, nous poursuivit un moment encore. Maman avait eu le temps de saisir sur la plaque de la Poste le nom de l'endroit, un nom qui vint, je pense, se fixer comme une flèche dans son esprit.

— C'est Altamont, me dit-elle, rayonnante.

— Eh bien, tu as ton repère, lui dis-je, toi qui voulais en ce voyage du précis.

— Oui, fit-elle, et n'allons jamais l'oublier, Christine. Gravons-le dans notre mémoire; c'est là notre clé pour les petites collines, tout ce que nous connaissons de certain: la route d'Altamont.

Et comme elle parlait, brusquement nos collines s'affaissèrent, se réduisirent en mottes à peine soulevées de terre, et presque instantanément la plaine nous reçut, étale de tous côtés, dans son immuabilité effaçant, niant ce qui n'était pas elle. Maman et moi ensemble nous nous sommes retournées pour regarder en arrière de nous. Des petites collines rentrées dans le soir, il ne restait presque rien déjà. Seulement, contre le ciel, un contour léger, une ligne tout juste perceptible comme en font les enfants lorsque sur du papier ils s'amusent à dessiner le ciel et la terre.

III

De nouveau, l'année suivante, à l'automne, à l'époque des moissons qu'elle aimait tant, je partis avec ma mère pour notre visite annuelle à ses frères. Il y eut toujours deux époques de l'année où ma mère ne tenait absolument plus en place, son âme proche des saisons en entendant les appels les plus irrésistibles: quand c'est le temps de semer, et quand c'est le temps de récolter. Elle en était avertie, il me semble, d'une façon mystérieuse. En pleine ville, trottinant sur l'asphalte, en plein magasin parfois, maman reniflait l'air, dressait la tête, annonçait: «Cléophas a dû commencer à semer son blé aujourd'hui...» Elle traversait trois ou quatre jours d'agitation, d'instabilité, entreprenant à la fois le grand ménage, des travaux de couture, des courses en ville, que de choses encore! pour tromper sans doute son instinct migrateur — car si jamais l'un de nous en fut possédé, ce fut bien elle la première, avant de s'apercevoir qu'il nous prenait tous, ses enfants, à tour de rôle, pour nous arracher à elle.

Nous arrivâmes chez l'oncle Cléophas en plein temps des battages.

En ce temps-là quelle activité régnait alors dans nos fermes du Manitoba! Douze à quinze hommes loués pour la saison logeaient à la ferme, quelques-uns dans la grande maison; d'autres couchaient dans de petites granges aménagées en dortoirs, meublées de lits de camp, et parfois, il me semble, on y perçait une fenêtre, à moins qu'il n'y eût pour admettre l'air que la porte laissée constamment ouverte.

Ces gens, à la fois serviteurs, hôtes et amis — mais comment définir les belles relations que nous eûmes ensemble! — ces gens venaient de tous les coins du Canada, je devrais dire du monde peut-être, car c'est bien là l'étonnant, qu'au fond de nos terres lointaines se soient assemblés pour récolter le blé des hommes de nationalité et de caractère si divers: de jeunes étudiants frais de quelque université qu'à longueur de jour nous entendions parler de réformes et de changements; de vieux bougres revenus de tout; de cette espèce de voyageurs et de conteurs-nés qui semblent n'exister que pour briller le soir, quand ils prennent la parole; des émigrés de toutes sortes, bien entendu; bref, des gens tristes et des gens tapageurs, et tous, en racontant quoi que ce soit, racontaient bien un peu leur vie.

En pensant à ces veillées d'autrefois, chez mon oncle, en son habitation au milieu de la nuit sur la plaine, il me semble que j'ai l'oreille collée à une de ces conques où l'on entend un inlassable murmure. En cette maison perdue vibrait quelque chose de l'univers. Car jamais la fatigue de ces hommes n'était assez grande pour les empêcher, le soir venu, le gémissement des machines éteint pour quelques heures, de tâcher de se communiquer quelque chose d'unique en chacun d'eux et qui les rapprochait.

C'est de ces soirées se déroulant comme des concours de chants et d'histoires que date sans doute le désir, qui ne m'a jamais quittée depuis, d'apprendre à bien raconter, tant je pense avoir saisi dès alors le poignant et miraculeux pouvoir de ce don.

Maman, il est vrai, m'en avait toujours donné l'exemple, mais jamais comme en ces temps de puissante stimulation où le passé revivait en elle avec une force particulière; car cette terre, à vrai dire très moderne à l'époque, de mon oncle, il la tenait de grand-père qui lui-même l'avait prise à l'état sauvage.

Ce vieux thème de l'arrivée des grands-parents dans l'Ouest, ç'avait donc été pour ma mère une sorte de canevas où elle avait travaillé toute sa vie comme on travaille à une tapisserie, nouant des fils, illustrant tel destin. En sorte que l'histoire varia, grandit et se compliqua à mesure que la conteuse prenait de l'âge et du recul. Maintenant, quand ma mère la racontait encore, je reconnaissais à peine la belle histoire de jadis qui avait enchanté mon enfance; les personnages étaient les mêmes, la route était la même, et cependant plus rien n'était comme autrefois.

Quelquefois nous l'interrompions:

— Mais ce détail ne figurait pas dans tes premières versions. Ce détail est nouveau, disions-nous avec une pointe de dépit, peut-être, tant nous aurions tenu, j'imagine, à ce que le passé du moins demeurât immuable. Car, si lui aussi se mettait à changer!...

— Mais justement il change à mesure que nous-mêmes changeons, disait maman.

Ce soir-là, je me souviens, j'étais sortie pour respirer pendant quelques minutes l'air embaumé. À deux pas de la maison si chaude, si vivante, commençait une sorte de nuit impénétrable telle qu'en ces temps tant de fois décrits par maman. J'allai jusqu'au bout du petit chemin de ferme, au bord de l'immense plateau sombre à cette heure, et qui bruissait comme un grand manteau tendu au vent. Qu'il était facile, l'obscurité y effaçant toute trace d'occupation, d'imaginer ces lieux dans leur songerie primitive qui avait tant exalté mon grand-père, mais à jamais rebuté ma grand-mère. Par ces nuits de vent tiède et vaguement plaintif, je prenais conscience de ces deux âmes profondément divisées. Et mon cœur aventureux les divisait peut-être davantage encore en penchant si fortement pour celui qui avait tant aimé l'aventure.

Je revins sur mes pas et, avant de revoir au fond du bois les lumières de la maison, j'entendis, venant d'un autre point pourtant, un bruit indistinct, sourd, vaguement heureux. C'était, de l'écurie pleine de bêtes harassées par les labeurs de la journée, le ruminement des grands chevaux de ferme sur un rythme lent, indiquant la fatigue mais aussi, il me sembla, le bienfait du repos.

Dans la grande salle où s'attardaient encore de nos gens, je trouvai ma mère et l'oncle Cléophas un peu à l'écart et occupés justement à se remémorer le caractère de grand-mère.

— Te souviens-tu, Éveline, rappela mon oncle, de cette colère subite qu'elle nous fit le premier soir où en chariot vers notre destination, n'ayant pas trouvé en route de maison pour nous loger, nous avons dû camper à la belle étoile? Était-ce à cause du feu qui prenait mal? Était-ce la peur de la plaine nue tout autour? Elle se dressa, nous traitant de Bohémiens et nous menaça: «Tiens, j'en ai assez de vous suivre, bande d'inconnus! Allez donc votre chemin; moi, j'irai le mien.»

Maman souriait avec un peu de tristesse.

— Ce sont des menaces comme on en fait lorsqu'on est acculé. Avant de quitter son village, sans doute n'avait-elle pas entrevu toute l'ampleur du changement. C'est le soir dont tu parles qu'elle a dû en saisir la portée.

— Mais nous traiter d'inconnus!

— Ne l'étions-nous pas en un sens, dit maman, puisque, tous contre elle, nous lui avions pour ainsi dire de force arraché son consentement.

— Il le fallait, soutint mon oncle. Il fallait partir. Du reste, là-bas dans les collines, rappelle-toi, Éveline, ce n'était que cailloux, chiche terre...

— Sans doute, dit maman, mais elle y était attachée, et toi-même tu dois savoir à présent que l'on ne s'attache pas uniquement à ce qui nous est doux et facile.

Un tout jeune homme réfugié dans un coin de la salle jouait en sourdine de l'harmonica. L'air un peu traînant formait un accompagnement discret aux paroles et peut-être les poussait-il quelque peu à la nostalgie.

— Qu'aurions-nous pu faire d'autre que ce que nous avons fait? reprit mon oncle. L'Ouest nous appelait. C'était l'avenir alors. Du reste il nous a donné raison.

— C'était l'avenir, dit maman; maintenant, c'est notre passé. Tâchons au moins, à la lumière de ce que nous avons appris en vivant, de comprendre ce que ce fut pour elle d'avoir à quitter son passé alors qu'elle n'était plus jeune. Toi, Cléophas, quitterais-tu de bon cœur cette ferme dont tu as hérité?

— Ce n'est pas la même chose, se défendit mon oncle. Ici j'ai tellement travaillé.

Maman avait l'air d'être à l'écoute de quelqu'un d'invisible, une âme disparue peut-être et qui ne cessait pas pour autant de tâcher de se faire entendre. Elle leva les yeux sur son frère et lui fit un sourire de blâme indulgent.

— Et elle, Cléophas, là-bas, sur cette terre de misère, pour nous faire une vie somme toute douce, n'as-tu donc jamais compris à quel point elle a dû travailler?

— Il est vrai, dit mon oncle un peu gêné. Mais j'étais si jeune quand nous avons quitté les collines. Je m'en souviens à peine. Toi, tu te les rappelles?

Maman fixait rêveusement ses mains jointes.

— Je me souviens, oui, assez bien.

Mais que retrouvait-elle au juste? Les anciennes petites collines quittées depuis son enfance? Ou celles tout inattendues du Manitoba, que nous avions un jour découvertes, qui lui avaient tout remis en mémoire et par quoi avait dû commencer ce changement que j'avais observé en elle, car, à bien y penser, c'était depuis la réapparition de collines dans nos vies que je lui connaissais cette attention bouleversante aux voix venues du passé et qui me l'enlevait à moi partiellement.

Tout à coup j'en eus assez de tout ce clair-obscur. Après tout, s'il s'agissait de collines, autant en parler ouvertement, vider une fois pour toutes la question. Quel était en effet ce silence qu'elle observait à l'endroit des collines? Il me vint à l'idée qu'elle ne m'en avait pas reparlé une seule fois de toute cette année, quoiqu'elle y pensât sans cesse, j'en étais persuadée.

J'abordai le sujet.

— Mon oncle, demandai-je, connaissez-vous le petit village d'Altamont? Moins qu'un village au reste: tout juste quelques maisons...

— Altamont! reprit mon oncle en fumant tranquillement sa pipe. Un curieux petit coin, n'est-ce pas, à moitié mort depuis longtemps. Je n'ai jamais aimé cette région. C'est resserré, étroit; je n'ai jamais pu comprendre qu'ayant le choix de terres dans la plaine droite et facile, on ait pu tourner les yeux vers ce petit massif. C'est pourtant ce qui se produisit il y a quelque cinquante ans. Du moins cette région attira-t-elle des émigrés d'Écosse qui retrouvèrent là, j'imagine, quelque image en petit de leur pays abandonné. Mais quelle folie! Les Highlanders eux-mêmes n'y firent pas long feu, se dispersant après peu de temps pour rentrer dans leur pays ou gagner les villes. Une expérience qui a tourné au désastre, voilà Altamont.

— Pourtant, dis-je, m'entendant parler comme à la place de maman, il y a des aperçus extraordinaires à saisir quand on traverse toute la petite chaîne des collines.

— Une route à travers toute la chaîne des collines, me dis-tu! Elle doit, en ce cas, être bien mal entretenue, car presque personne, à ma connaissance, ne va plus jamais par là.

Je m'aperçus alors que maman me surveillait d'un air inquiet, comme si elle redoutait que je misse mon oncle trop avant dans nos secrets; des yeux, elle m'engageait à n'en rien faire. Bon et amène comme il était, mon oncle était néanmoins peu porté en effet aux élans de l'imagination et savait parfois les rabattre d'un seul mot trop concret. C'était curieux: le vrai fils, au fond, de grand-mère, le plus exactement semblable à elle-même, avec son esprit réaliste, son attachement à ce qu'il possédait, il était par manque d'imagination justement le moins capable de la comprendre.

La conversation prit un autre tour. Un petit vieux norvégien engagé par mon oncle, souvent renfermé, loquace pourtant à ses heures, se mit soudainement avec son fort accent rugueux à nous décrire les montagnes de son pays, de grands fjords ouverts profondément à la lente montée de la mer.

Par ces soirs de souvenirs et de mélancolie, bien des fois nous avons retrouvé ainsi, à de rêveuses distances, des horizons perdus.

IV

Le temps vint de nous remettre en route. Comment ai-je su sans qu'elle n'en dise mot, que maman était reprise par la pensée des collines? Cet air doux sur son visage, cet air si doux d'un visage absent du présent, est-ce là ce qui me renseigna?

Nous sommes parties en silence. Après quelques villages, après les routes encore un peu fréquentées, nous sommes arrivées dans une plaine à peu près inhabitée au bout de laquelle se profila le faible relief d'une région quelque peu soulevée.

Et une fois encore, par de petites routes taciturnes, de croisement en croisement muet, sans réfléchir, sans hésiter, comme si ce pays où j'allais ne fût pas sur la carte mais seulement au bout de la confiance; une fois encore, entre les herbes sifflantes et la terre qui poudrait en gestes tristes de chaque côté et comme en rêve, de carrefour en carrefour je conduisis ma mère droit dans les collines, mais elle ne s'éveilla pas pour les voir surgir toutes faites, car depuis un bon moment, assise au bord du siège, elle les guettait et les voyait venir avec une sorte de paix heureuse qui contrastait fort avec l'agitation du voyage précédent. Mais cette assurance heureuse, lui venant sans doute du sentiment que les collines étaient bel et bien réelles, se teintait d'une tendre mélancolie comme si elle en était un peu, en les trouvant si vraies, à leur dire aussi une sorte d'adieu.

Je ne sais pourquoi je me mis à l'interroger au sujet de grand-mère.

— Fut-elle disputeuse toute sa vie? Ou cela ne lui vint-il que sur le tard?

Maman parut secouer un rêve.

— C'est curieux que tu me parles d'elle au moment où je songeais à quel point elle a dû être seule parmi nous tous, ses enfants et son mari, qui étions pour ainsi dire d'une race différente. J'aurais voulu la rappeler sur terre un moment au moins, pour tirer les choses au clair avec elle...

— Mais grand-père, avec ses rêves qu'elle ne voulut jamais partager, lui aussi a dû se sentir seul...

— Oui, sans doute... C'est étrange, poursuivit-elle, ce qui se passe en nous à mesure que nous vivons: les êtres qui nous ont donné la vie continuant en nous, à travers nous, à lutter l'un contre l'autre, chacun voulant nous avoir à soi complètement.

— C'est plutôt affreux ce que tu dis là.

— Affreux? Mais non, tout simplement juste de leur point de vue, encore que pour celui qui subit ce partage, ce n'est pas toujours facile.

Elle eut un éclair dans les yeux, m'avoua:

— Toute jeune, je me reconnaissais parfaitement en mon père et lui en moi: nous étions des alliés. Maman disait de nous, avec un peu de rancune, peut-être: deux pareils au même. Je croyais tenir de lui uniquement, et je pense que je m'en réjouissais... Je l'aimais presque à l'exclusion de tout autre.

— Ensuite?

— Plus tard, fit maman, avec les premières désillusions de la vie, j'ai commencé à détecter en moi quelques petits signes de la personnalité de ma mère. Mais je ne voulais pas lui ressembler, pauvre vieille pourtant admirable, et je luttais. C'est avec l'âge mûr que je l'ai rejointe, ou qu'elle-même m'a rejointe, comment expliquer cette étrange rencontre hors du temps. Un jour, imagine-toi ma stupéfaction, je me surpris esquissant un geste d'elle qui, dès la première fois où je le fis, me vint pourtant aussi naturellement que de respirer. Mon propre visage d'ailleurs se mit à changer. Toute jeune, on disait de moi que j'étais le vivant portrait de ton grand-père. Puis peu à peu, de jour en jour, je le vis se modifier sous l'effet d'une invisible et attentive volonté sans bornes. Maintenant, peux-tu honnêtement me dire que je ne ressemble pas étonnamment à ce portrait que nous avons de grand-mère à l'âge que j'ai atteint?

Je lui jetai un coup d'œil troublé et ne pus m'empêcher de lui donner quelque peu raison.

— Pour le visage, oui, peut-être, mais pas par le caractère.

— Par le caractère aussi, va! D'ailleurs je ne m'en indigne plus, puisque devenue elle, je la comprends. Ah, c'est bien là l'une des expériences les plus surprenantes de la vie. À celle qui nous a donné le jour, on donne naissance à notre tour quand, tôt ou tard, nous l'accueillons enfin dans notre moi. Dès lors, elle habite en nous autant que nous avons habité en elle avant de venir au monde. C'est extrêmement singulier. Chaque jour, à présent, en vivant ma vie c'est comme si je lui donnais une voix pour s'exprimer. Ainsi, au lieu de me dire: «Voilà ce que j'éprouve, voilà ce qui m'arrive...» je pense plutôt avec une sorte d'étonnement triste mais de joie aussi dans la découverte: «Ah, voilà donc, pauvre vie terminée, ce qu'elle a ressenti; ce qu'elle a souffert.» On se rencontre, fit-elle, on finit toujours par se rencontrer, mais si tard!

Un peu accablée par cette confidence, y voyant, plutôt qu'une miraculeuse rencontre, je ne sais quelle insupportable atteinte à la personnalité, à la liberté individuelle, je me mis à mon tour contre grand-mère.

— Tu ne lui ressembles guère, Dieu merci. D'abord tu es trotteuse comme grand-père. Tu n'es pas du tout reste-à-la-maison. Et puis, tu n'es pas encore trop disputeuse...

Elle releva ma douce raillerie d'un sourire en coin.

— Ça peut venir... Et puis, grand-mère n'était pas si disputeuse qu'on l'a dit, se prit-elle à la défendre âprement. Elle l'est devenue quand tous ensemble nous l'avons poussée à bout.

— Comment cela?

— En résistant à son amour. Il y en a deux sortes: celui qui ferme les yeux, qui est accommodant; l'autre, qui garde les yeux bien ouverts. C'était sa manière, exigeante et dure.

— Mais s'il est vrai, comme tu dis, qu'elle aima tant grand-père, comment se fait-il qu'elle ne lui pardonna jamais tout à fait, en fin de compte, de l'avoir entraînée dans l'aventure de l'Ouest?

— L'amour trouve difficile justement de pardonner le moindre manquement à l'amour.

— Et c'était un manquement à l'amour de la part de grand-père d'avoir tenu à tout prix à déplacer sa famille?

— Ah, je ne sais plus, en convint maman. Tous deux avaient raison, au fond. C'est ce qui fait sans doute qu'on est si loin les uns des autres en cette vie: on a presque tous raison l'un contre l'autre.

— Ah vraiment, dis-je, si l'amour et le mariage sont ce que tu dis, ils m'apparaissent plutôt propres à diminuer l'être humain...

— Diminuer! s'écria maman. Il faut donc que tu n'aies rien compris à ce que j'ai tâché de t'expliquer. Que c'est le seul chemin, au contraire, pour avancer un peu hors de soi... Mais, tu es jeune, fit-elle, avec une soudaine et tendre indulgence. Reste jeune, me pria-t-elle comme si c'était en mon pouvoir. Reste jeune et avec moi toujours, ma petite Christine, afin que je ne devienne pas trop vite tout à fait vieille et disputeuse.

Nous sommes parties à rire ensemble. Puis maman ramena les yeux sur les collines et je les vis s'emplir de cette joyeuse liberté de l'âme, avant qu'elle n'ait subi de prise de possession, et lorsque le monde et les choses se présentent comme pour la première fois et rien que pour elle. Je compris un peu mieux l'attrait de cette petite route sur ma vieille mère. Cette liberté de tout accueillir, puisque aucun choix important n'en a encore entamé les possibilités, cette liberté infinie, parfois si troublante, ce doit être cela la jeunesse. Et sans doute était-ce de cette liberté d'un jour que maman recevait encore de l'air pur. Ah, quoi qu'elle eût dit de l'amour humain et de ces contraintes qui nous perfectionnent, je sentais bien à travers elle que c'est dans la solitude seulement que l'âme goûte sa délivrance. À côté de moi, je l'entendis s'écrier:

— Que ces collines sont donc charmantes... et jeunes, ne trouves-tu pas?

— Jeunes? Je ne sais. On prétend, au contraire, que ce sont de très, très anciennes formations...

— Ah, tu m'en diras tant! fit-elle un peu vexée, et me sermonna quelque peu: sais-tu, Christine, tu devrais dessiner une carte de ces petites routes embrouillées,

puisque tu refuses de demander des indications au départ ou en route, disant que c'est contraire à l'esprit du
voyage, qu'il faut se fier à la route justement. Or, tout
cela est bien, mais pourquoi ne ferais-tu pas une carte de
notre petit pays? Autrement, un jour ou l'autre, acheva-
t-elle sur un ton de reproche assez piquant, tu finiras par
perdre ma route d'Altamont.

J'éclatai de rire. Quelle sombre et fausse idée avais-
je pu me mettre en tête! Maman n'était ni menacée, ni
âgée, ni diminuée. C'est à peine, au fond, si elle avait
quinze ans!

v

Je l'avais entendu déjà, parfois, l'appel insistant,
étranger — venant de nul autre que moi pourtant —
qui, tout à coup, au milieu de mes jeux et de mes
amitiés, me commandait de partir pour me mesurer avec
quelque défi imprécis encore que me lançait le monde
ou que je me lançais à moi-même.

J'avais réussi jusque-là à m'en délivrer, puis, sans
qu'il ne me parlât beaucoup plus distinctement, j'en vins
à l'entendre qui me relançait partout. (Je dis *il*: comment
nommer autrement ce qui devint peu à peu mon maître,
mon tyrannique possesseur?) Étais-je un instant heureuse
dans mon insouciance, mes petits projets raisonnables
d'avenir, que j'entendais s'élever ses remontrances:
«Qu'attends-tu donc pour partir? Tôt ou tard, tu devras
le faire...» J'étais tentée de demander: «Qu'es-tu, toi qui
me poursuis ainsi?...» mais je n'osais pas, apercevant que
cet être étranger en moi, insensible s'il le fallait à la
peine qu'il me ferait et ferait à d'autres, c'était aussi moi-
même.

Pourtant ma vie me plaisait et ma tâche d'institutrice assez haute sûrement pour la remplir. De plus j'avais ma mère qui elle n'avait plus que moi.

Or il arriva que cette vie que je vivais, comme si elle se sentait menacée, me couvrit de caresses et se montra pour moi plus tendre et précieuse que jamais. Quand on aime la vie, c'est alors qu'elle-même nous aime le plus, comme par un prodige d'entente.

Que je me souviens bien de cette année de ma vie, la dernière peut-être où j'ai vécu tout près des gens et des choses, non pas encore un peu retirée d'elle comme il arrive malgré tout lorsqu'on s'adonne à la vouloir exprimer. Tout a existé simplement pour moi cette année encore, à cause de devoirs exacts et raisonnables qui me soudaient à la vie. Il neigeait, et tout candidement je recueillais cette sensation de froid humide sur ma joue. Il ventait, et je courais voir de quel côté venait le vent. Notre petite ville n'était pas pour moi une énigme, une invitation à soulever les toits pour voir ce qui s'y cachait: c'était une petite ville de maisons amies dont je connaissais les gens, toutes leurs habitudes, l'heure à laquelle ils sortaient, où ils allaient. Je fus quelque temps encore à l'aise dans la vie... non pas un peu de côté. Et puis, après, rarement ai-je pu y revenir tout à fait, voir encore les choses et les êtres autrement qu'à travers les mots, lorsque j'eus appris à m'en servir comme de ponts fragiles pour l'exploration... et il est vrai, parfois aussi, pour la communication. Je suis devenue peu à peu une sorte de guetteuse des pensées et des êtres et cette passion pourtant sincère use l'insouciance qu'il faut pour vivre.

Donc, quelque temps encore, je connus la liberté de mes propres pensées — et ceux qui la possèdent connaissent-ils assez leur bonheur? Elles ne me paraissaient pas assez importantes pour les arrêter en route, leur imposer une halte, les retenir, m'en servir; libres, elles allaient leur petit chemin joyeux.

Maintenant, dès qu'elles me viennent, je m'imagine qu'elles sont un peu pour les autres, je les fouille, les travaille. Ainsi me sont-elles devenues une fatigue.

Quelque temps plus tard me furent retirés le sentiment et la chaleur du réel, auxquels je m'étais attachée comme à mon bien, et je n'ai rien tant craint depuis lors que de voir se reproduire cette privation.

Je marchais dans notre petite ville, et elle était devenue à mes yeux inconsistante et pâle comme une ville de cinéma: les maisons de chaque côté des rues étaient de carton-pâte, les rues elles-mêmes vides, car les passants qui me frôlaient, c'est à peine si je les entendais venir, si je leur voyais un visage; la neige, c'est à peine si je comprenais qu'elle tombait sur moi; moi-même, au reste, j'étais occupée par une sorte d'absence, si l'on peut dire...

Parfois une très singulière question montait de moi comme du fond d'un puits: «Que fais-tu ici?» Alors, je jetais les yeux autour de moi, je tâchais de me retenir à quelque chose, hier familier pourtant, en ce monde qui se dérobait.

Mais l'affreuse impression persistait que j'étais ici par l'effet du hasard et que j'aurais à découvrir l'endroit du monde encore inconnu de moi où je pourrais me sentir peut-être un peu à ma place. Tout le long du jour m'accompagnait sans désemparer cette petite phrase en apparence insignifiante mais si bouleversante: «C'est fini, ce n'est plus ici chez toi. Tu es ici à l'étranger maintenant.»

Un jour, n'en pouvant plus, je tentai de parler avec ma mère de ce que j'éprouvais.

— Maman, dans ta propre vie, as-tu parfois eu l'impression d'y être comme par l'effet d'une erreur, en étrangère?

— Souvent, dit-elle, comme projetée par cette simple question dans la terrible et vaste rêverie où nous sommes si seuls à savoir ce que nous pensons de nous-mêmes. Crois-tu donc qu'il y a beaucoup de gens à être assez satisfaits de leur vie pour ne pas s'y sentir à l'étroit — ou à l'étranger, si tu aimes mieux?

— Tu ne nous avais jamais donné à entendre que pour toi...

— À quoi bon! Jeune, sais-tu que j'ai ardemment désiré étudier, apprendre, voyager, me hausser du mieux possible... Mais je me suis mariée à dix-huit ans et mes enfants sont venus rapidement. Je n'ai pas eu beaucoup de temps pour moi-même. Quelquefois encore je rêve à quelqu'un d'infiniment mieux que moi que j'aurais pu être... Une musicienne, par exemple, n'est-ce pas assez fou?

Puis elle se hâta d'ajouter, comme pour me dépister, se cacher de s'être à moi découverte:

— Tout le monde fait pareil rêve, tout le monde, te dis-je.

— Si c'était à recommencer, te marierais-tu quand même?

— Certainement. Car, je te regarde et me dis que rien n'est perdu, que tu feras à ma place et mieux que moi ce que j'aurais désiré accomplir.

— Cela compense donc?

— Cela fait bien plus que compenser. N'as-tu donc pas encore compris que les parents revivent vraiment en leurs enfants?

— Je pensais que tu revivais surtout la vie de tes parents à toi.

— Je revis la leur, je revis aussi avec toi.

— Ça doit être épuisant! Tu dois peu souvent être toi-même.

— En tout cas, c'est peut-être la partie de la vie la plus éclairée, située entre ceux qui nous ont précédés et ceux qui nous suivent, en plein milieu...

Mais tout cela, pensais-je, ne nous rapprochait pas du sujet que je désirais aborder.

— Écoute maman, m'approuverais-tu si je te disais que bientôt peut-être?...

— Que veux-tu dire? Tu n'en es pas toi aussi à songer à partir?

— Oui maman, pour un an ou deux.

Elle me considéra longuement et tout ce temps comme en s'éloignant, en s'éloignant terriblement de moi. Ce me fut insupportable, lui ayant simplement dit que je voulais m'en aller, de la voir, elle, prendre les devants, se retirer la première. Puis elle éclata en reproches véhéments:

— T'en aller, toi aussi donc! Voilà ce que tu complotes. J'aurais dû m'en douter.

Plus encore que cette soudaine violence me bouleversa l'effort que je lui vis faire ensuite pour se ressaisir et se dominer. D'une voix sans timbre elle demanda:

— T'en aller! Mais où?

— En Europe, maman...

— L'Europe! reprit-elle, le lointain de ce mot renouvelant son ressentiment. Mais pourquoi? Pourquoi? Qu'irais-tu faire là-bas? Dans ces vieux pays tourmentés, si différents du nôtre?

— Justement maman, cette différence doit éclairer... Mais c'est surtout en France que je voudrais aller.

— La France! jeta-t-elle comme avec mépris, elle qui nous en avait parlé toute sa vie sur le ton du plus haut respect.

— Que veux-tu, dis-je, j'ai été élevée à croire que la France est notre vieille mère patrie à tous et que je pourrais m'y trouver comme chez moi.

— Eh bien, ce n'est pas vrai. C'est là la plus grande de toutes les chimères que nous avons jamais entretenues.

— Peut-être, mais ne faut-il pas aller voir, avant de dire que c'est une chimère?

— Ah, tu m'en diras tant, fit-elle à bout de nerfs, puis elle tâcha de se radoucir, ou encore de garder ses forces peut-être, comme quelqu'un qui prévoit devoir livrer une dure bataille. D'abord, si tu veux écrire, tu n'as pas besoin pour cela de courir au bout du monde. Notre petite ville est composée d'êtres humains. Ici comme ailleurs il y a à décrire la joie, les chagrins, les séparations...

— Mais pour le voir ne faut-il pas que je m'éloigne?

— S'éloigner! Toute ma vie j'aurai entendu ce mot! Dans la bouche de tous mes enfants! Mais à la fin d'où vous vient donc cette passion?

— Peut-être de toi.

— Oui, peut-être, mais moi je ne suis pas partie.

— Tâche d'être raisonnable.

— Raisonnable!

Et elle reprit avec entêtement:

— Un écrivain n'a vraiment besoin que d'une chambre tranquille, de papier et de soi-même...

— Soi-même, tu le dis bien!

— Et pour être toi-même, tu entends donc tout briser?

Devant l'excès de nos propos, nos défenses sont tombées un instant, et nous nous sommes regardées l'une l'autre dans la peine.

— Dire qu'hier encore je te pensais heureuse, se plaignit-elle.

— Rappelle-toi, maman, lui dis-je, si toi et grand-père, en route pour l'Ouest, avez découvert la plaine, c'était que vous aviez abandonné un pays.

— Oserais-tu me dire que pour découvrir il faut tout abandonner?

— Certaines choses en tout cas. Quand tu étais plus jeune, tu le comprenais.

— Comprendre! s'écria-t-elle. T'imagines-tu donc que l'on comprend quand on est jeune? Comprendre, c'est affaire d'expérience, de toute une vie...

— Eh bien, puisque tu comprends mieux que moi...

— C'est cela, retourne l'arme contre moi. Prétendrais-tu m'user comme nous nous sommes mis ensemble autrefois pour user ma pauvre mère?

— Tu commences en effet à lui ressembler, eus-je le grand tort de souligner, à quoi elle ne répondit que par un regard blessé.

C'était inutile. Elle ne pouvait ou ne voulait céder à mes arguments. Pauvre moi aussi d'avoir pu croire que les arguments sont efficaces contre une âme tourmentée. Nous sommes devenues quelque peu ennemies, ma mère et moi. Dans sa vieillesse elle eut cette douleur d'entretenir envers moi des sentiments hostiles. Comment en aurait-il pu être autrement? Lorsqu'ils s'opposent à leurs enfants, les parents bien souvent ne sont-ils pas en lutte contre l'audace de leur propre jeunesse revenue les harceler dans leur âge recru de fatigue et d'aventures?

Pendant près de toute une année, maman, sans cesse vaincue, sans cesse recommençant, fit front contre ce que j'avais de plus semblable à ce qu'elle avait été, pour le décourager d'un trait amer, pour le railler et, parfois, de façon tout inattendue, pour le prendre en pitié.

Pas plus que moi, durant ces mois cruels, fut-elle présente au monde et aux saisons.

Parfois, si j'avais été quelques semaines sans reparler de mon projet, ou tout simplement si j'avais paru m'intéresser à quelque chose d'autre, elle en tirait je ne sais quel espoir timide; je voyais alors ses yeux rôder, si je puis dire, autour des miens, prêts dans le même instant à fuir ou à s'apprivoiser.

Le printemps vint cette fois sans qu'elle s'en aperçût. Bien en retard, elle ne perçut le renouveau que lorsqu'il était déjà fort avancé, presque dépassé. Par une journée déjà chaude, elle leva vers le ciel un regard étonné et soupira: «Cléophas depuis longtemps doit avoir ensemencé ses terres. Ses terres...» fit-elle comme perdue en rêve.

Puis l'été fut derrière nous. Je devais partir au début d'octobre. J'avais retenu mon billet en troisième pour Paris. Du fond du Manitoba à la Ville Lumière, comme je disais naïvement, c'est un grand pas. Je tremblais de l'entreprendre maintenant que le trajet devant moi prenait figure de certitude. Je commençais à craindre cet instant exaltant du départ qui est aussi celui où l'on prend sa taille exacte dans le monde, si petite que le cœur peut nous manquer. Pourtant cette vulnérabilité extrême me paraissait et me paraît encore l'une des étapes les plus nécessaires à la connaissance de soi.

Grand-père avait dû la connaître lorsqu'il s'enfonça dans les terres alors sauvages de l'Ouest. Peut-être, malgré tout, n'étions-nous pas si loin l'un de l'autre, le pionnier attentif à l'appel d'un pays à créer, et moi qui, des pays jeunes et informes encore, entendais celui des villes exigeantes.

Du reste, toujours en fut-il ainsi dans notre famille: une génération alla vers l'Ouest; la suivante fit le trajet inversement. Toujours nous sommes en migration.

Maman fut proche, peut-être, de m'avouer qu'elle se sentait trop vieille pour me perdre, qu'il y a un âge où l'on peut supporter de voir partir ses enfants, mais qu'ensuite c'est vraiment comme si on vous enlevait le dernier lambeau de jeunesse, comme si toutes les lampes étaient soufflées. Elle fut trop fière pour me retenir à ce prix. Mais que j'étais dure en mon manque d'assurance! Il m'aurait fallu que ma mère me laissât aller de gaieté de cœur et ne me prédît rien que d'heureux.

Parfois elle osait une mise en garde contre quoi je me rebiffais.

— Tu connaîtras peut-être de la misère là-bas. De quoi vivras-tu?

— Mes économies suffiront pour un an... peut-être deux. Ensuite je me débrouillerai.

— Je serai inquiète, disait-elle.

Et je répondais, un peu agacée:

— Mais pourquoi donc inquiète? Il ne faut pas t'en faire.

Puis un jour vint où je proposai:

— Avant que je vende ma petite auto, veux-tu que nous fassions notre voyage chez Cléophas? Au retour, nous repasserons par ta route d'Altamont.

VI

Qu'arriva-t-il donc cette fois au juste? Les collines me parurent moins hautes, moins formées, presque insignifiantes. Étais-je tellement en avance sur mon départ, est-ce que déjà je ne les comparais pas aux montagnes que je verrais et dont je me disais le nom depuis l'enfance: les Alpes, les Pyrénées?

Il est vrai, cette journée n'était pas vraiment ensoleillée, et l'automne, cette année, ne brillait pas comme de coutume. Les couleurs familières y parurent, oui, si l'on veut, mais assourdies. En d'autre temps, maman m'aurait dit que c'était faute de gel, car il en faut au moins une nuit pour alerter la nature et lui faire prendre ses tons brûlants. Mais elle ne disait rien. C'était là d'ailleurs notre pire souffrance, d'en être à éviter entre nous presque tout sujet qui nous avait plu naguère, pour nous en tenir à des banalités. Au bout d'un moment, je me tournai vers elle et lui vis un visage creusé par la déception.

— Ce ne sont pas nos collines, Christine. Tu as dû te tromper de route.

— Pourtant...

— Nos collines étaient plus resserrées, mieux groupées, plus hautes aussi.

— Nous avons dû nous y habituer.

— Mais la deuxième fois que nous les avons traversées, elles nous parurent cette fois encore charmantes, souviens-toi.

— Eh bien, peut-être les voyons-nous aujourd'hui seulement telles qu'elles ont toujours été.

— Ah, tu crois?

J'avais réussi à l'ébranler, et elle se mit à scruter le paysage avec une expression de doute qui était pathétique à voir. Qu'est-ce qui manquait donc à notre promenade d'aujourd'hui? Les collines? Ou peut-être plutôt le regard? En celui de maman en tout cas, je ne vis revenir rien de ce que j'y avais vu, au précédent voyage, de jeune et de délivré. Et certes, je savais déjà que les souvenirs heureux ne nous viennent pas de notre gré, qu'ils appartiennent à un autre monde qu'à celui de notre volonté; mais je m'entêtais, je tenais à ce que maman rajeunît encore une fois sous mes yeux.

— Elles sont quand même belles, ces buttes.

— Peut-être, mais ce ne sont pas les nôtres.

En un sens, c'était le même paysage que nous avions parcouru et aimé, mais en plus flou. Il nous procurait la pénible impression que nous donne d'un visage aimé une photographie imparfaite.

Les petits soulèvements continuaient à défiler, sans beaucoup d'élan. Il régnait entre eux une grande chaleur resserrée. Maman finit par ne plus leur accorder qu'un vague regard un peu indifférent, comme si elle s'attendait à tout perdre maintenant, et peu importe peut-être. Or l'indifférence est ce que j'ai le moins pu supporter toute ma vie. J'ignorais qu'il en faut pourtant un peu à la vieillesse pour soutenir le coup de voir chaque jour quelque chose lui échapper.

— Maman, vas-tu donc t'endormir au beau milieu des collines?

Elle sursauta, porta les yeux autour d'elle et, un moment, en apercevant une forme plus bosselée que les autres, commença de sourire, non pas à cette butte peut-être, mais à quelque chose derrière elle de séduisant, de jeune toujours et qui lui venait de loin, intact encore. Mais son espoir tomba, son regard se ternit. Elle me reprocha, un peu bougonne:

— Je t'avais dit aussi qu'un jour tu finirais par perdre ma route d'Altamont.

L'avais-je donc perdue?

En pensée je me pris à refaire autant que je le pouvais mon itinéraire habituel. Je repassai par les carrefours silencieux. Au premier, est-ce que je n'avais pas hésité, pris une direction autre que lors de nos précédents voyages? Comment en être sûre? Au vrai, cette route d'Altamont, elle était comme un songe, la connaissais-je seulement? Deux fois, par extraordinaire, je l'avais trouvée sans la chercher. N'était-elle pas de ces routes qu'on ne découvre jamais du moment qu'on s'applique trop à le vouloir? Je n'en avais pas en tout cas décelé la moindre trace sur les cartes, quoique, il est vrai, ces cartes pour la plupart ne tinssent pas compte de hameaux de moins de dix maisons et des routes pour y aller. Mais je me demandais surtout: «Maman n'a-t-elle pas vieilli énormément d'un coup? Peut-elle seulement attendre que je sois prête à lui montrer ce dont je voudrais être capable? Et si elle ne le peut pas, ce que je tiens à accomplir aura-t-il seulement encore de la valeur à mes yeux?»

Alors je m'entendis lui dire sur un ton quelque peu impatient:

— Quelle autre route veux-tu que ce soit sinon la route d'Altamont?

L'était-ce tout de même?

Dans ces collines si peu fréquentées y aurait-il eu deux routes: l'une, légère et heureuse, en parcourant les sommets; et une autre, inférieure, au bas des contreforts, qui n'aurait fait que côtoyer, sans jamais y entrer, le petit pays secret?

De nouveau maman s'était reprise à scruter les côtés de la route. Elle le faisait avec une attention accrue, mais malheureuse où je crus voir pointer la peur où elle était de ne plus savoir elle-même reconnaître ce que les paysages avaient à lui proposer. Parce qu'elle était trop vieille? Trop lasse? Que sa mémoire faisait défaut? Ou sa sensibilité? Parce que c'était à jamais perdu peut-être...

Comme les autres fois, en débouchant dans la plaine, nous avons regardé derrière nous. Sur l'horizon déjà sombre ne se détachait pas la moindre ligne de collines onduleuses ni même de ces nuages qui les imitent si souvent dans notre ciel manitobain. Mais, il est vrai, il se faisait tard, il restait peu de clarté.

Nous atteignîmes les indications routières en jaune clair, hautes sur pied, où figure l'image du bison — autrefois seigneur des Prairies, vagabond à travers ces étendues. Maintenant, sur ces plaques de tôles, il signale les grand-routes du Manitoba qu'il maintient dans le plus droit trajet possible de ville en ville. Nous roulions depuis un bon moment sur le monotone *highway*, auto derrière auto, lorsque maman releva la tête et me dit avec défi:

— Non, Christine, ce n'était pas la route d'Altamont.

— Comment le sais-tu?

— Parce que nous n'avons pas vu le village d'Altamont.

— Un si petit village! dis-je. Il aurait suffi que nous ayons regardé du mauvais côté pendant que nous le traversions pour qu'il nous ait échappé. Tu te rappelles: il est groupé sur un seul côté de la route.

Elle se montra déconcertée et confuse, mais pour se remettre bientôt à chercher des points qui pourraient lui donner raison contre moi.

— J'ai bien regardé des deux côtés à la fois de la route, dit-elle.

Devant nous surgit en plein dans les herbes de la Prairie l'usine de ciment qui blanchissait, étouffait tout de son haleine crayeuse. Puis ce furent les lotissements neufs, les cottages identiques tristement rangés en longues avenues semblables aux abords de la vieille plaine méditative. Dans mon pays, les villes trop jeunes n'ont pas encore eu le temps de se faire un caractère en accord avec la nature terriblement grande, il est vrai, qui les entoure. Pourtant, il semble parfois que la plaine les propose à l'imagination, ces villes de demain peut-être, idéales, à sa propre image, lorsqu'elle les suscite au ras de l'horizon en mirages d'un ensemble merveilleux, parfaitement à leur place.

— Ce n'est pas ta faute, recommença maman, mais que c'est dommage d'avoir manqué la route d'Altamont aujourd'hui justement.

Qu'entendait-elle par: aujourd'hui justement? Moi, voulant me faire gentille, me racheter de je ne sais trop quel élan de joie que j'avais pu éprouver, je lui dis, en l'appelant par son prénom comme cela m'arrivait quelquefois quand je voulais, je suppose, me l'attacher plus étroitement, tout en défendant contre elle ma jeune liberté affolée, je lui dis:

— La prochaine fois, Éveline, je trouverai ta petite route d'Altamont. Je reviendrai de Paris. Toi, tu seras toujours l'ardente voyageuse. Nous partirons ensemble pour Altamont. D'ailleurs, quand j'aurai de l'argent, nous partirons ensemble pour bien des voyages. Et pourquoi, par exemple, n'irions-nous pas un jour toutes les deux voir les véritables collines de la famille, dans le petit village de grand-mère, au Québec?

Elle me lança alors un regard si aigu, si désolé, si seul, que je n'osai poursuivre. Et peut-être n'est-ce pas malgré tout si important qu'elle n'ait pas revu ce jour-là la route d'Altamont...

Car elle ne voyagea plus beaucoup, immobilisée par l'âge et les nécessités; ou, si elle le fit encore quelquefois, ce ne fut que pour aller au secours de l'un ou l'autre de ses enfants éparpillés dans le vaste pays. Mais, est-ce que ce furent là des voyages? Est-ce que ce fut même une vie, attendre, attendre seule au fond du Manitoba, pendant que j'allais en quête de moi-même sur les grandes routes du monde: Paris, Londres, Bruges, la Provence; et aussi par de petites routes, pour ceux qui ont appris à ne pouvoir se passer de solitude, comme par exemple à travers une autre chaîne de collines, vers Ramatuelle dans les Maures, et, le long de la côte des Cornouailles, vers Saint-Yves, Tintaget?...

Je lui envoyais des cartes postales, y griffonnant quelques mots: «Mère, si seulement tu pouvais voir Notre-Dame de Paris...» «les jardins de Kew par un jour de printemps...» «Mère, jamais tu ne pourrais imaginer quelque chose de plus parfait que Chartres aperçu au loin au-delà de la plaine de Beauce...»

Les espaces en attente, les vastes étendues solitaires et un peu poignantes de mon pays, ne revenaient pas encore me pincer le cœur. Pas plus que les vies ignorées, au fond de petites villes de province, ne troublaient encore beaucoup l'ivresse de mes jeunes années. D'ailleurs, apprendre à se connaître et à écrire était bien plus long que je n'avais d'abord pensé.

Ma mère me répondait par de longues lettres patientes, douces, méticuleuses et menteuses, si menteuses. Elle m'affirmait avoir amplement de quoi vivre, n'ayant plus à présent beaucoup de besoins, ni même vraiment le désir de voyager. Une seule fois elle m'écrivit au sujet des collines, mais des plus lointaines de sa vie, que nous rattachions à la mémoire de grand-mère, me conseillant: «Quand tu reviendras au pays, si tu ne t'en trouves pas trop éloignée, va donc les voir. Ce n'est pas tellement loin de Montréal. On va jusqu'à Joliette. Ensuite on prend une route qui monte...»

Au-delà de l'océan, quel étrange dialogue avons-nous échangé, moi ne lui parlant guère que de mes découvertes, elle de si modestes repères que je ne pouvais songer encore à m'en émouvoir.

Elle m'approuvait maintenant. «Tu as bien fait de partir. L'hiver a été rude. Je vois que tu découvres, découvres! Ce doit être exaltant! Profite bien de tout pendant que tu es en France, et prends le temps qu'il faut... Mais oui, ma santé est bonne... Ce rhume est presque guéri. J'ai trouvé bien intéressant ce conte que tu as écrit...»

Pourtant ce n'était rien en regard de ce que je ferais pour elle, si seulement elle m'en donnait le temps. Mais toujours, toujours, je n'en étais qu'au commencement. Ignorant encore qu'il n'en pourrait jamais être qu'ainsi dans cette voie que j'avais prise, je me hâtais, je me pressais; des années passèrent; je me hâtais, je me pensais toujours au bord de ce que je voulais devenir à ses yeux avant de lui revenir. Et je pense bien que cette hâte où j'étais de ce que je deviendrais m'a caché tout le reste.

Ma mère déclina très vite. Sans doute mourut-elle de maladie, mais peut-être un peu aussi de chagrin comme en meurent au fond tant de gens.

Son âme capricieuse et jeune s'en alla en une région où il n'y a sans doute plus ni carrefours ni difficiles points de départ. Ou peut-être y a-t-il encore par-là des routes, mais toutes vont par Altamont.

Andrée Maillet

Ici Léon Duranceau

Andrée Maillet est née à Montréal en 1921. Elle fut, entre
autres choses, journaliste et directrice de la revue *Amérique française*
(1952-1961). Elle a publié plusieurs contes et romans pour enfants,
quatre pièces de théâtre (ainsi que huit œuvres dramatiques qui
ont été jouées sur scène — théâtre, télévision — ou lues à la
radio), quatre recueils de poèmes, sept romans et quatre recueils
de contes et de nouvelles: *Le lendemain n'est pas sans amour* (1963),
Les Montréalais (1963), *Nouvelles montréalaises* (1966), *Le Bois de
Renards* (1967), ainsi que le conte «Belle Gersende et l'habitant»
dans *Châtelaine*. Dans ses nouvelles se retrouvent les mêmes qualités
(humour et ironie), les mêmes préoccupations (engagement,
amitié, amour, passion) que dans ses autres œuvres d'imagination.

«Ici Léon Duranceau» dans *Nouvelles montréalaises*,
Montréal, Beauchemin, 1966.

Oui m'man... non... Non. Charles est absent. Je travaille dans son bureau, là... Je ne rentrerai pas souper. Je suis bien pris ce soir, m'man... C'est bon. À plus tard. Bye-bye.

*
* *

Allô? Exdale 8770? Ici, c'est Léon Duranceau qui parle... Bien, le concierge m'a laissé un mot à cet effet. Est-ce que Gérard est là?... Est-ce qu'il est là, Gérard?... C'est bon... Allô, allô, Gérard? Je ne te dérange pas trop?... As-tu parlé à Paul-Émile?... Oui? Et puis?... Écoute, là, j'ai la permission d'adapter la pièce, l'auteur est en procès avec ses éditeurs; pour le moment, je n'en sais pas plus long... C'est important en diable pour moi, mon vieux... Parce que je ne peux pas accepter autre chose avant que vous ayez pris une décision pour ou contre. On me sollicite de toutes parts et j'envoie tout le monde au balai... Je ne peux pas rester sur la clôture éternellement... Oui, c'est ça... J'ai du pain sur la planche tant que tu veux mais je suis mordu pour monter ça et en attendant vos appoints, je ne travaille pas... T'es pas sérieux? Ça fait trois jours que je t'en parle... Veux-tu qu'on discute de ça en dînant, ce soir?... Ah? J'étais engagé mais si tu avais été libre, je me serais dégagé pas trop difficilement... Non?... Bon. Et demain?... Bien, demande à Paul-Émile et fais ça vite, hein? Je ne serai pas toujours disponible. Tu me rappelles demain matin?... C'est bon... J'attends ton téléphone... À bientôt, mon vieux... et n'oublie pas d'en parler à Paul-Émile, hein?... C'est ça... Salut!

Oui; mademoiselle Marino est-elle là, s'il vous plaît?... À quelle heure l'attendez-vous?... Il n'y a pas de message, c'est personnel!... Mon nom? Heu... non... Je

rappellerai plutôt tout à l'heure, je ne suis pas chez moi...
Merci.

*
* *

Allô? Monsieur Plantin, s'il vous plaît... De la part de
Léon Duranceau... C'est urgent et personnel... Je ne suis
pas chez moi, il ne pourra pas me rappeler... Dans com-
bien de minutes puis-je le rappeler?... Très bien, je vais
attendre. . . . .
. . . . Allô? Bonjour, monsieur Plantin. Ici Léon
Duranceau. Comment allez-vous?... Pas mal merci, merci.
Dites-donc, monsieur Plantin, avez-vous du nouveau pour
moi, aujourd'hui?... Non?... Voulez-vous que je passe à
l'agence, cet après-midi?... Et à l'heure du souper?...
Tudieu! Vous êtes occupé tous les soirs, ces temps-ci!...
Bien, j'ai plusieurs choses en vue, par exemple, on insiste
pour que j'adapte la pièce de... Je n'ai pas seulement des
adaptations monsieur Plantin... Pas du tout; tenez, j'ai
une serviette pleine de projets, d'idées extraordinaires...
Je ne peux pas écrire mille textes sans savoir si vous allez
en accepter un, non?... Si vous pouvez me recevoir tout
à l'heure, j'ir... Demain?... Après-demain?... Quand
d'abord?... Je passerai vous voir demain... Quand revien-
drez-vous de Sherbrooke?... Alors, est-ce que vous me
ferez signe dès votre retour?... C'est parce que je voudrais
vous montrer mon début d'adaptation... Bien, Paul-Émile
Crépeau me disait ce matin que vous aviez un besoin
urgent de... Justement, lui et Gérard Laframboise voulaient que je leur parle de ça, ce soir. On aurait dîné
ensemble au «400», mais j'étais pris; et pour vous voir,
monsieur Plantin, je me serais dépris... Je le regrette
beaucoup pour moi. Pour vous aussi, vous savez... Ah!

Évidemment, il y a plusieurs agences qui me sollicitent, mais j'ai un faible pour la vôtre... hein?... Vous faites du meilleur travail que n'importe qui, sans vous vanter et je serais prêt à travailler pour vous à des conditions même moins intéressantes... Ça vous intéressera sûrement quand vous l'aurez vu... Pardon?... Oui, alors, à bientôt, monsieur Plantin et excusez-moi de vous avoir retardé... Au revoir.

*
* *

Madame Martin, je vous prie... monsieur Léon Duranceau... Bonjour, madame, heu, me reconnaissez-vous?... Léon Duranceau, un ami de monsieur Plantin; un protégé devrais-je dire... Il ne vous a pas encore parlé de moi?... Duranceau... Léon Duranceau. Je vous ai rencontrée à la radio, il y a un mois, je croyais que... Monsieur Plantin m'a dit que vous aviez peut-être besoin d'aide pour vos adaptations commerciales et j'ai pas mal d'expérience... Bien, j'ai fait déjà deux textes pour le poste de Granby, l'année dernière... Oui, madame, je suis montréalais mais je voyageais dans les Cantons de l'Est pour une compagnie de savon et on a eu besoin d'un traducteur et à la dernière minute, je me suis offert à leur rendre service... Compliqué? Je peux vous expliquer... Non. Oui, c'est tout, mais j'ai des idées plein la tête et comme je ne voyage plus, j'ai pensé me lancer dans le métier de scripteur et d'adapteur; mes vieux amis Laframboise et Crépeau m'ont pas mal encouragé... C'est le hasard, chère madame... J'avais un ami annonceur à Granby et il m'a donné une chance... C'est-à-dire qu'il s'arrangeait bien avec le réalisateur et de fil en aiguille, je lui ai fait deux textes pour qu'il voie ce dont j'étais

capable et il me les a passés... Non, mais j'ai toujours rêvé
d'écrire pour la radio et pour la tévé. Monsieur Plantin
m'a dit que vous aviez déjà encouragé plusieurs jeunes et
j'ai pensé me recommander de lui... C'est hier ou avant-
hier qu'il m'a parlé de ça... Rien pour le moment?... Oh!
vous savez, c'est dur de percer quand personne ne vous
aide... Bien, si c'était possible pour vous de me recevoir,
je vous montrerais ce que j'ai, mes projets, un début
d'adaptation... Une pièce hongroise, madame... Elle a été
traduite en France; je ne sais pas le hongrois, malheureusement... C'est d'un très grand auteur inconnu, Férenc
Lukas... Oui, je sais bien que vous vous spécialisez dans le
script commercial, mais la littérature, c'est la littérature
n'est-ce pas?... Aujourd'hui, il n'y aurait pas moyen?... Et
quand, chère madame?... C'est-à-dire que, si cela ne vous
dérange pas trop, j'aimerais mieux vous le porter moi-
même; je n'ai pas de copie propre, vous comprenez?... Eh
bien, je tâcherai de le mettre à la poste, mais ça ne vous
dira pas autant que si je pouvais vous expliquer tout ça
moi-même, de vive voix... Je comprends... Entendu, chère
madame, je vous rappellerai dans quelques jours... Au
revoir et merci, madame.

*
* *

Allô, Gérard? Mon téléphone a été occupé tout le temps
et je pensais que si tu avais voulu m'atteindre, tu ne
l'aurais pas pu... Oui, tu m'as dit demain, mais si Paul-
Émile était revenu... Écoute, mon vieux, Plantin est très,
très impressionné. Il partait pour Sherbrooke mais je dois
le voir dès son retour... Il va sauter dessus, c'est tout... Et
je voulais te dire aussi que la puissante madame Martin
s'intéresse à moi... Oui... elle a entendu parler de moi par

Plantin... Tu parles si c'est en bien... Hein?... Elle voulait quasiment m'enlever... Elle m'a déjà vu, tiens! Je lui ai répondu que j'étais engagé ce soir... Ouais. On appelle ça *playing hard to get*, mais sans farce, je me libérerais assez facilement si tu n'étais pas trop pris... Bon, bon. Alors, salut, Gérard.

*

*   *

Mademoiselle Marino, s'il vous plaît. Allô, Marie Marino?... Bonjour. Reconnaissez-vous ma voix?... Je ne vous ferai pas languir: Léon Duranceau... Vous ne vous attendiez pas à recevoir mon coup de fil si vite, peut-être... Êtes-vous aussi belle qu'hier?... O.K. Avant-hier. Êtes-vous aussi jolie tous les jours?... Moi, je ne dis que la vérité, mademoiselle... Il me semble que vous n'êtes pas d'aussi bonne humeur que vous devriez l'être... Ah! Vous n'êtes pas triste, au moins? On dit que les comédiennes n'ont pas de cœur, mais si c'est vrai, vous avez de trop beaux yeux pour n'être pas une exception... Je ne suis pas aveugle. Je ne suis pas sourd non plus et vous avez un petit ton de lassitude dans la voix... Pardon?... Ah! je croyais que vous aviez répondu quelque chose... Non? Que les femmes sont mystérieuses quand elles se taisent. Et je ne vois pas du mystère partout. Je suis un réaliste sous mes dehors de grand idéaliste... Comme vous êtes aguichante quand vous dites «ah!» sur ce ton. Écoutez-moi. Je sais que vos admirateurs cherchent à faire le vide autour de vous, alors, si on leur jouait un bon tour, hein?... Vous ne savez pas ce dont je parle? Oh! Que les femmes sont coquettes! J'ai envie de vous enlever... Vous riez divinement... Laissez-moi finir... Vous enlever pour dîner en ville avec moi... En l'honneur d'un tas de choses

agréables qui m'arrivent: nouveau travail, nouveaux con-
trats; toutes les portes s'ouvrent. La vie est merveilleuse!
Qu'en dites-vous?... Oui, je sais bien que vous êtes déjà
engagée ce soir. Pourquoi dites-vous prise, hein? Je suis
prise. C'est une phrase qui va me faire rêver. Vous ne
voulez pas vous libérer en ma faveur, ce soir, dites? Mes
projets sont en voie de réalisation, au-delà même de mes
espérances et il faut que vous m'aidiez à fêter ça, chez
Pépé par exemple, en tête à tête, et après on irait danser... Quel dommage!... Vous ne le pouvez vraiment
pas?... Avec votre réalisateur et Bernard Neuville! C'est
gentil de me le dire. Et qui est votre réalisateur?... Non.
Je ne le connais pas encore. Et c'est même curieux que
vous le voyiez ce soir car Paul-Émile Crépeau voulait me
le présenter hier... Si je connais Paul-Émile! Un ami de
collège, un vrai copain. Lui, Gérard Laframboise et moi
sommes toujours ensemble. Eh bien, belle Marie, s'il n'y
a rien à faire ce soir, je vous téléphonerai demain ou en
tout cas, très très bientôt... Pensez à moi... Vous devriez
mentir, ce serait si gentil... Au revoir.

*

* *

Est-ce que je pourrais parler à monsieur Blain-Despâtis,
s'il vous plaît?... Personnel... Léon Duranceau de la part
de mademoiselle Marie Marino... Bonjour, monsieur. Je
me présente: Léon Duranceau, scripteur... Voici: en cau-
sant avec mademoiselle Marino tout à l'heure, j'ai appris
que vous dîniez ensemble et Marie m'a laissé entendre
que vous seriez intéressé par une série d'adaptations que
j'ai commencé à faire en vue de la télévision... Bien,
d'abord il y a une pièce traduite du hongrois, l'auteur est

déjà célèbre en Europe... Férenc Lukas... Non? Pourtant
Jean Vilar a failli la monter dernièrement... Non? Ensuite,
une pièce russe... Tchékov... Celle-ci est moins connue
que les autres; et puis une autre de Pirandello... J'aimerais vous montrer ça. Vous pourriez juger plus vite et je
passe justement par Radio-Canada cet après-midi... Demain,
alors? Quelle heure vous conviendrait?... C'est l'affaire de
quelques minutes, vous savez et Marie a semblé convain-
cue que vous seriez emballé de mon projet... En tout cas,
monsieur Blain, monsieur Despâtis, je veux dire, je passerai de toutes façons et si vous pouvez me recevoir... Très
bien. Au revoir, monsieur.

*
* *

Allô? C'est moi, m'man. Je vais rentrer pour souper. À six
heures et demie, sans faute, m'man... Oui. Certain, certain... Je passe par la bibliothèque prendre quelques
livres et je m'en viens... À tout à l'heure, m'man.

Michel Tremblay

1er buveur: Le pendu

Né à Montréal en 1942, Michel Tremblay est un auteur prolifique:
pièces de théâtre, romans, un recueil de nouvelles: *Contes pour
buveurs attardés* (1966). Il s'est mérité de nombreux prix parmi
les plus prestigieux. Nombre de ses œuvres ont été traduites
en anglais; certaines, dont *Les belles-sœurs*, en plusieurs langues.
Contes pour buveurs attardés, première œuvre de l'auteur, se
caractérise par une pratique de l'oralité et par la présence
d'un certain fantastique, deux aspects qui se retrouveront
douze ans plus tard dans ses romans.

«1er buveur: Le pendu» dans *Contes pour buveurs attardés*,
Montréal, Éditions du Jour, (1966) 1979.

Dans mon pays, quand quelqu'un tue son voisin, on le pend. C'est idiot, mais c'est comme ça. C'est dans les lois.

Moi, je suis veilleur de pendus. Quand le pendu est mort, dans la prison où je travaille, on ne le décroche pas tout de suite. Non, on le laisse pendu toute la nuit et moi, le veilleur de pendus, je le veille jusqu'au lever du soleil.

On ne me demande pas de pleurer, mais je pleure quand même.

*
* *

Je sentais bien que ce pendu-là ne serait pas un pendu ordinaire. Au contraire de tous les condamnés que j'avais vus jusque-là, celui-ci ne semblait pas avoir peur. Il ne souriait pas, mais ses yeux ne trahissaient aucune frayeur. Il regardait la potence d'un œil froid, alors que les autres condamnés piquaient presque infailliblement une crise de nerfs en l'apercevant. Oui, je sentais que ce pendu-là ne serait pas un pendu ordinaire.

*
* *

Quand la trappe s'est ouverte et que la corde s'est tendue avec un bruit sec, j'ai senti quelque chose bouger dans mon ventre.

Le pendu ne s'est pas débattu. Tous ceux que j'avais vus avant celui-là se tordaient, se balançaient au bout de leur corde en pliant les genoux, mais lui ne bougeait pas.

Il n'est pas mort tout de suite. On l'entendait qui tentait de respirer... Mais il ne bougeait pas. Il ne bougeait pas du tout. Nous nous regardions, le bourreau, le directeur de la prison et moi, en plissant le front. Cela dura quelques minutes, puis, soudain, le pendu poussa un long hurlement qui me sembla être un immense rire de fou. Le bourreau dit que c'était la fin.

Le pendu frissonna, son corps sembla s'allonger un peu, puis, plus rien.

Moi, j'étais sûr qu'il avait ri.

*
* *

J'étais seul avec le pendu qui avait ri. Je ne pouvais m'empêcher de le regarder. Il semblait s'être encore allongé. Et cette cagoule que j'ai toujours détestée! Cette cagoule qui cache tout mais qui laisse tout deviner! Les visages des pendus, je ne les vois jamais, mais je les devine et c'est encore plus terrible, je crois.

On avait éteint toutes les lumières et allumé la petite veilleuse, au-dessus de la porte.

Comme il faisait noir et comme j'avais peur de ce pendu!

Malgré moi, vers deux heures du matin, je m'assoupis. Je fus éveillé, je ne saurais dire au juste à quelle heure, par un léger bruit qui ressemblait à un souffle prolongé comme un soupir. Était-ce moi qui avais soupiré ainsi? Il fallait bien que ce fût moi, j'étais seul! J'avais probablement soupiré pendant mon sommeil et mon soupir m'avait éveillé...

Instinctivement, je portai les yeux sur le pendu. Il avait bougé! Il avait fait un quart de tour sur lui-même et me faisait maintenant face. Ce n'était pas la première fois que cela arrivait, c'était dû à la corde, je le savais bien, mais je ne pouvais m'empêcher de trembler quand même. Et ce soupir! Ce soupir dont je n'étais pas sûr qu'il fût sorti de ma bouche!

Je me traitai de triple idiot et me levai pour faire quelques pas. Aussitôt que j'eus le dos tourné au pendu, j'entendis de nouveau le soupir. J'étais bien sûr, cette fois, que ce n'était pas moi qui avais soupiré. Je n'osais pas me retourner. Je sentais mes jambes faiblir et ma gorge se désséchait. J'entendis encore deux ou trois soupirs, qui se changèrent bientôt en respiration, d'abord très inégale, puis plus continue. J'étais absolument certain que le pendu respirait et je me sentais défaillir.

Je me retournai enfin, tout tremblant. Le mort bougeait. Il oscillait lentement, presque imperceptiblement au bout de sa corde. Et il respirait de plus en plus fort. Je m'éloignai de lui le plus que je pus, me réfugiant dans un coin de la grande salle.

Je n'oublierai jamais l'horrible spectacle qui suivit. Le pendu respirait depuis cinq minutes environ, lorsqu'il se mit à rire. Il arrêta brusquement de respirer fort et se mit à rire, doucement. Ce n'était pas un rire démoniaque, ni même cynique, c'était simplement le rire de quelqu'un qui s'amuse follement. Son rire prit très vite de l'ampleur et bientôt le pendu riait aux éclats, à s'en tordre les côtes. Il se balançait de plus en plus fort... riait... riait...

J'étais assis par terre, les deux bras collés au ventre, et je pleurais.

Le mort se balançait tellement fort, à un moment donné, que ses pieds touchaient presque le plafond. Cela dura plusieurs minutes. Des minutes de pure terreur pour moi. Soudain, la corde se rompit et je poussai un grand cri. Le pendu heurta durement le sol. Sa tête se détacha et vint rouler à mes pieds. Je me levai et me précipitai vers la porte.

*
* *

Quand nous revîmmes dans la pièce, le gardien, le directeur de la prison et moi, le corps était toujours là, étendu
dans un coin, mais nous ne trouvâmes pas la tête du
mort. On ne la retrouva jamais!

1964

Yvette Naubert

«C'est ce soir qu'il revient»

Née à Hull (Québec) en 1918, Yvette Naubert meurt en 1982.
Elle obtient un baccalauréat en musique à l'École Vincent-d'Indy
et, de 1946 à 1962, compose des pièces radiophoniques pour
Radio-Canada. Elle publiera cinq romans, dont les trois derniers
constituent une chronique de famille: *Les Pierrefendre* (1972, 1975,
1977), et trois recueils de nouvelles: *Contes de la solitude, I* (1967),
Contes de la solitude, II (1972) et *Traits et portraits* (1978). Le
regard tragique que l'auteur pose sur le monde s'accompagne
dans ses nouvelles d'une ironie qui produit, grâce à la distance
qu'elle crée, un certain allègement.

«C'est ce soir qu'il revient» dans *Contes de la solitude*,
Montréal, Le Cercle du livre de France, 1967.

« Je vous regarde, Marie, assise en face de moi, devant ce souper de la Saint-Sylvestre que nous prenons ensemble pour la première fois. Écoutez-moi, vous êtes un peu ma fille parce que vous êtes la femme de mon fils. Je veux dire que vous ne seriez rien pour moi si vous n'étiez pas la femme de Maurice. Mais vous êtes là, avec moi, alors que lui est parti. Mais il reviendra, n'en doutez pas, il reviendra. Croyez-vous que je l'aurais laissé partir s'il ne devait pas revenir un jour? C'est pourquoi j'ai mis son couvert à ma droite, en face du vôtre, pour qu'il vous retrouve aussi, pour qu'il vous regarde et vous haïsse en vous regardant. Marie, tout à l'heure, lorsque vous êtes entrée, je vous ai dit: «C'est ce soir qu'il revient» et je vous ai vue frémir de peur. Je vous regarde mais vous, m'avez-vous déjà regardée? M'avez-vous jamais vue? Vous ne levez jamais les yeux sur moi; vous défendez à vos yeux de me livrer le moindre message. Moi, j'ai patiemment appris à lire votre visage comme un livre difficile à comprendre et j'ai su en déchiffrer le moindre frémissement des nerfs, le plus léger tressaillement des muscles, l'imperceptible plissement des lèvres. C'est pourquoi, ce soir, votre visage fermé et vos yeux obstinément voilés m'en apprennent davantage sur vous que les plus bruyants aveux et toutes les confidences du monde. Comment ne devinez-vous pas? Parlez-moi donc puisque vous tenez si fort à me cacher vos pensées. Parlez-moi, dites quelque chose que j'entende si vous ne voulez pas que je sache... que je sache... que j'entende les muettes imprécations que vous adressez au couvert et à la place de Maurice. Comme ce couvert inutile avive votre rancune! Que cette place vide vous est amère! C'est sur l'assiette, le couteau, la tasse, que vous voudriez faire descendre la malédiction du ciel. Vous l'appelez, la bouche mauvaise, les mains crispées sur la nappe. Ce n'est plus la peine de les cacher sous la table puisque vous savez que je les ai vues mais commandez donc à vos mains de se tenir tranquilles et de ne pas vous trahir à ce point. Qu'y a-t-il, hein, qu'y a-t-il, Marie? J'ai cru un instant que vous alliez vous mettre à pleurer. Pleurer, vous? Non, vos yeux sont secs et votre cœur est aride. Avez-vous déjà pleuré, vous qui m'avez fait verser tant de larmes? Je n'avais jamais pleuré avant le mariage de mon fils. Vous avez provoqué les larmes; vous êtes la cause de mes larmes. Depuis mon mariage et même bien avant je m'étais barricadée contre les pleurs. J'étais devenue aussi dure qu'un mur de prison car le mariage, qu'est-ce donc, ma fille, sinon la détention perpétuelle dans la plus amère des prisons? Vous ne savez pas ce que c'est que d'être enchaînée à une brute pour qui le corps d'une jeune femme... non, je ne dirai rien; je me suis solennellement juré de ne jamais plus penser à cela. Mais la haine que j'avais vouée à son père a déteint sur Maurice comme une mauvaise couleur. Gris terne, voilà ce qu'il est, Maurice, par ma faute, n'est-ce pas? Et vous me le reprochez depuis le premier jour, depuis... Ah! je vous connais. Vous êtes forte et cruelle et vous saurez bien vous venger un jour ou l'autre. Vous attendez votre heure comme le fauve tapi dans les broussailles et le moment venu, vous bondirez sur moi et sur Maurice et vous nous dévorerez tous les deux. Comme vous me détestez, Marie! Comme vous haïssez cette maison! Est-ce ma faute à moi? Oui, bien entendu, c'est ma faute. Je suis sa mère, par conséquent, responsable de votre malheur, mais je vous jure que je vous aime. Je vous jure que je vous ai toujours aimée comme une chère fille! J'ai été si seule toute ma vie, si vous saviez. Aînée des douze enfants de parents ignares et brutaux, servante violée à quatorze ans, mariée à une brute à dix-neuf ans, oh! j'ai pitié de moi, Marie, j'ai pitié de moi. Ayez aussi pitié, ma fille, puisque nous nous trouvons seules l'une et l'autre, aussi amères l'une que l'autre. Mais comme je l'ai détesté, cet homme! Un jour, je vous dirai le secret de sa mort mais pas maintenant, pas ce soir. Oh! et puis, pourquoi pas ce soir. Mais ne croyez surtout pas que j'ai du remords. Quelle jouissance c'était de jeter chaque jour cette pincée d'arsenic dans sa soupe ou son thé! Les seules jouissances que j'ai jamais eues dans ma vie. Je n'avais pas travaillé en vain chez ce pharmacien; je lui ai volé la quantité d'arsenic suffisante pour tuer une brute. Mais qu'il a été long à mourir! Un mois. Un long mois éternel. Cependant ses souffrances m'ont vengée de bien des coups et je me console de la vie en songeant que c'est moi qui l'ai tué. Mais j'aurais voulu que vous m'aidiez à le haïr en le haïssant aussi par-delà la mort, même sans l'avoir connu. J'aurais voulu, oh! sans me l'avouer bien sûr, que vous détestiez Maurice parce qu'il était son fils. Oui, c'est horrible, je sais. Mais ma vie n'est-elle pas une suite d'horreurs? Nous sommes seules à présent, vous et moi; mon mari est mort et le vôtre est absent. Suis-je plus seule que vous? Je ne le crois pas. Tout autant que la mienne, votre solitude est sans espoir. Vous avez fait comme moi: vous avez écouté sonner l'horloge, vous avez compté les coups, mais vous avez pensé: «Pourvu qu'il ne revienne pas.» Quand je vous disais que je lisais en vous. Ainsi, je sais que vous vous imposez de rester avec moi jusqu'à la fin de ce repas qui vous est un supplice. Croyez-vous qu'il soit un plaisir pour moi? Oh! je vous en prie, ne partez pas maintenant, ne me laissez pas seule. Je vous défends de me laisser seule. Je ne veux plus rester seule, vous m'entendez! Chaque fin d'année, je fais le bilan de ma vie et le mot solitude s'y inscrit en lettres de feu. Marie, je vous ai appelée ma fille avant même de vous connaître

et je vous ai tendu les bras mais vous aviez épousé mon
fils, n'est-ce pas, non ma haine. Voilà que vous essayez de
manger à présent, mais ce que nous mangeons toutes les
deux ce soir ne nourrirait pas un oiseau. Nous n'avons
jamais faim quand nous sommes ensemble. Je n'ai jamais
faim, surtout quand vous êtes là. Mais lorsque mon fils
rentrera tout à l'heure, nous le servirons. Il aura grand'faim.
Je vois déjà son visage tout illuminé par la joie du retour.
Et ces plis à l'encoignure des yeux quand il rit... il se
mettra à table et mangera de bon appétit. Il aura faim et
nous le servirons. Qui le servira? Vous ou moi? Je me
pose la question sans parvenir à trouver la réponse. Et lui,
que dira-t-il? À qui s'adressera-t-il? Qui regardera-t-il? Je le
connais. Il ne pourra pas s'empêcher de tout dire mais à
qui le dira-t-il, hein, Marie? Ah! je suis fatiguée de toujours poser ces questions qui restent sans réponse. Je suis
vieille et fatiguée. J'ai froid. Je sais si bien comment les
choses se passeront, mais je ne peux m'empêcher d'espérer. C'est terrible, voyez-vous, ma fille, d'être lucide et d'espérer quand même. Pourvu qu'il ne s'en aperçoive pas
tout de suite. Il faudra lui laisser un peu de temps avant
de lui parler de cet homme qui a pris sa place dans votre
cœur. Vous voyez que je sais tout et n'essayez pas de
démentir: j'ai fabriqué des preuves irréfutables contre
vous. Mais il faudra au moins attendre qu'il ait ôté son
manteau et peut-être terminé son repas. Vous qui êtes si
forte, lui laisserez-vous le temps d'enlever son manteau et
de se chauffer un peu? Peut-être... pourrait-on attendre
jusqu'à demain. Il sera si fatigué; il aura certainement
besoin de se reposer. Il ne faudra pas lui dire tout de
suite; il ne faudra pas qu'il apprenne dès son arrivée. Ou
bien au contraire sera-t-il préférable qu'il sache tout de
suite à quoi s'en tenir sur sa fidèle épouse? Je ferai ce que
vous voudrez, ma fille. Lui aura oublié ce qui s'est passé

avant son départ; il oublie toujours si facilement, mon Maurice. Il était... il est si inconstant, si ondoyant, n'est-ce pas? Difficile à connaître, incapable d'aimer comme s'il avait un côté du cœur paralysé. N'a-t-il pas oublié qu'il avait une femme depuis peu de temps? Une toute jeune femme et depuis si peu de temps. Six mois et douze jours exactement. Oui, je les ai comptés, car ils ont été pour moi six mois et douze jours infernaux. Une si jeune femme, n'est-ce pas, mais qui se croyait forte, capable de dominer la mère de Maurice. Mais un jour, à la fin de l'été, il a secoué sur notre seuil la poussière de ses souliers et il est parti, sans plus se soucier de vous que si vous n'aviez pas existé. Moi, j'avais tout prévu mais je ne suis pas responsable de cela, je vous le jure. Oui bien entendu, je suis responsable, j'ai préparé son départ parce que je voulais demeurer seule avec vous pendant un certain temps, mais ne m'accusez pas puisque vous connaissez ma vie. Il nous a abandonnées l'une et l'autre, après tout. L'une en face de l'autre, toutes seules. Mais c'était trop; cette maison est trop petite pour vous et moi ensemble. Aussi, l'avez-vous bientôt quittée mais ce soir de la Saint-Sylvestre, vous y revenez parce que je vous dis: «C'est ce soir qu'il revient.» Vous le croyez aussi, n'est-ce pas, sinon pourquoi seriez-vous ici? On a frappé à la porte. Non, ce n'est pas Maurice, calmez-vous, ma fille, ce n'est pas lui. Il n'y a personne, je le sais. L'âme qui meurt à la Saint-Sylvestre vient frapper à la porte pour offrir ses souhaits du Nouvel An et avertir qu'elle s'en est allée avant que l'année soit terminée. Ce n'est pas l'âme de Maurice qui a frappé; mon cœur est resté muet. Mais paix à cette âme qui a frappé à notre porte. À quoi pensez-vous? J'ai vu briller vos yeux. Peut-être est-ce le reflet de la lumière sur votre visage. Mais non. Ce léger tremblement de vos paupières... est-ce une lueur d'espoir? Et l'espoir de quoi? Depuis un instant, vous regardez fixement la place vide de Maurice. Vous souriez aussi et votre sourire est mauvais. Si seulement j'en avais le courage, je vous crierais vos pensées. Vos mauvaises pensées. Mauvaise fille! Mauvaise épouse! N'avez-vous pas honte? Comment pouvez-vous rester en face de moi avec de tels désirs en vous? La chaise, en face de vous, est occupée maintenant, car vous venez d'y faire asseoir quelqu'un. Il mange le repas que j'avais préparé pour mon fils. Il mange et boit la nourriture et le breuvage de mon fils. Et c'est vous qui lui avez ouvert la porte; c'est vous-même qui l'avez accueilli. Pour vous, c'était lui qui frappait tout à l'heure; non pas une âme morte mais un être bien vivant. Qui est cet homme, Marie? Que fait-il ici? Je suis chez moi et vous n'y êtes vous-même qu'une intruse, une indésirable, une étrangère exécrée. Mais je vous chasserai, n'en doutez pas, je vous chasserai, oh! surtout, n'en doutez pas! Qui est cet homme? Ses deux mains posées à plat sur la table contrastent avec la blancheur de la nappe. Vous les admirez, vous dites: «Comme il a de belles mains.» Mais oui, brunes, viriles. Maurice a les mains petites et les ongles rongés, n'est-ce pas? Cet étranger est-il venu vous apprendre la mort de Maurice? C'est cela, n'est-ce pas? J'ai deviné juste, une fois de plus. Vous souriez, vous le trouvez beau, cet homme, ce messager de la bonne nouvelle, vous vous préparez à le suivre. Vous ouvrez la porte et votre main sur la poignée ne tremble pas. Vous ne jetez pas un seul regard en arrière. Oh! Marie, est-ce possible? Si tôt, sans attendre un peu? Vous partez le cœur léger avec celui-là même qui vous a apporté la bonne nouvelle. Vos pieds ne vont pas assez vite à votre gré et votre cœur a des ailes. L'homme est un étranger mais vous l'aimez déjà puisqu'il vous a libérée. La mort de Maurice. Mon fils. N'avez-vous pas honte? Oui, vous avez honte mais moi, j'ai peur de vous.

Un jour, vous me briserez comme vous avez brisé cette assiette en la lançant à toute volée et en me regardant avec un tel défi qu'un long frisson m'a parcourue tout entière. Vous reprenez votre place; les derniers débris de l'assiette ont été jetés. Le couvert de Maurice a disparu; il y a un grand trou dans la nappe là où était l'assiette. J'entends le vent se disputer avec les arbres gelés. J'écoute la plainte des choses qui demandent grâce à l'hiver. Il neige. Je suis comme la neige; si je quittais cette maison, je ne saurais où aller. Je tournerais un instant sur moi-même, comme la neige que le vent soulève et fait tourbillonner et je m'écraserais dans un tout petit coin où la mort viendrait me surprendre. Je ne joue pas les malades, Marie, je suis malade. J'ai tant de bonnes raisons pour l'être. Ne souriez pas, regardez-vous plutôt dans la glace et dites-moi si cette année de votre mariage ne vous a pas marquée. Vous êtes marquée pour la vie, ma fille, ne l'oubliez pas. Ces marques-là sont ineffaçables et plus tard, vous estampillerez vos enfants avec votre rancœur. Nous n'avons rien à nous envier l'une l'autre. Ah! je suis vieille et fatiguée. Tout à l'heure, lorsque Maurice ouvrira la porte, il apercevra une vieille femme fatiguée et une jeune femme amère. Marie, je n'ose pas penser à ce que Maurice endurera quand il reviendra. Vous avez compté vos souffrances et je sais que vous avez bonne mémoire. Mais je suis là, fiez-vous à moi et à ce qui me reste d'arsenic pour vous rendre la liberté. La brute n'a pas tout pris; il en reste juste assez pour tuer une frêle jeune femme. Vous ne serez plus là quand Maurice reviendra, ma fille. Il ne verra que sa mère en ouvrant la porte, je vous préviens. Votre café n'est-il pas un peu amer? Oui, buvez-le, Marie. Vous pâlissez. Êtes-vous souffrante, ma fille? Buvez votre café. Lorsque Maurice rentrera tout à l'heure, sa mère l'accueillera, personne d'autre.»

— Allô! c'est toi Maurice? Oui, j'ai reçu ta lettre ce matin. Je vous attends, toi et ta femme. Ma nouvelle bru. Oui, je sais, elle s'appelle Marie. Je comprends, je ne t'en veux pas. Tu étais libre de te marier loin de moi, et de me prévenir seulement quand tout est fini. Une mère comprend tout, tu le sais bien. Je te pardonne et je suis prête à recevoir ma nouvelle bru que j'ai bien hâte de connaître. Je vous attendais et en vous attendant je songeais à l'avenir. Pardon? Je dis que je pensais à l'avenir en vous attendant. Je préparais l'avenir. Mais non, je suis toute seule. Venez, je vous attends.

Monique Champagne

L'enterrement d'Arsène Langevin

Monique Champagne est née à Paris en 1925. Elle est la fille du compositeur Claude Champagne. Elle a pratiqué plusieurs métiers: réalisatrice, rédactrice et animatrice à la radio, comédienne, scripte et réalisatrice pour plusieurs films, dont le long métrage *La fenêtre* (1990-1991) et le court métrage *20 décembre* (scénario: 1987) qui lui valut le prix de la meilleure réalisation en 1990. Suite à son recueil de nouvelles *Sous l'écorce des jours* (1968) elle a publié en 1973 un ouvrage: *Le métier de scripte*. Dans ses nouvelles, l'auteur, comme Tchekhov, réussit à faire rendre à la banale quotidienneté sa part de poésie.

«L'enterrement d'Arsène Langevin» dans *Sous l'écorce des jours*, Montréal, HMH, «L'Arbre», 1968.

Dans mon rétroviseur, je voyais tes yeux verts effleurer ma nuque, couler lentement le long de mes épaules, ton petit nez droit frémir imperceptiblement à mon odeur d'homme. J'observais ta main, fine et nerveuse, aller et venir sur le dossier de la banquette.

Tu avais dix-sept ans?... Guère plus! Tu étais belle.

Ton père, assez grand, se tenait au bord du trottoir. L'air absent, il avait hélé mon taxi.

Après m'avoir donné une adresse, il s'installa à côté de moi, tira de sous son bras un livre qu'il ouvrit sur ses genoux.

Ta mère, ronde, ton oncle et ton frère s'engouffrèrent à ta suite à l'arrière de la voiture.

Tu leur avais laissé presque toute la banquette; assise sur le bout des fesses, la poitrine appuyée au dossier avant, tu rêvais.

Ta mère, ton oncle et ton frère discutaient ferme de leur journée manquée. Elle avait commencé par l'enterrement militaire du frère de la belle-sœur de ton père paraît-il! Enterrement qui avait duré «beaucoup trop longtemps» d'après ton oncle Paul! La cérémonie s'était prolongée trois heures durant! «On n'a pas idée», disait-il.

Avait suivi la séance au cimetière.

Là, vous aviez gelé tout rond. Pour comble de malheur, les croque-morts avaient, par je ne sais quel faux mouvement, détraqué le mécanisme faisant descendre la bière; et celle-ci ne voulait plus s'enfoncer dans la terre, tel que prévu.

Ensemble, ils avaient tiré, poussé, secoué le cercueil. À faire dresser le mort sur son séant! Finalement, au moment le plus inattendu, le ressort avait cédé et le tout s'était engouffré dans le trou, d'un coup sec!

Il y avait eu un mouvement de recul dans le groupe éploré, quelques cris vite étouffés et des sanglots crescendo.

Pour faire suite à ce début tragique, le grand vent avait emporté le chapeau neuf de ton oncle, et ton frère s'était foulé le pied en courant le rattraper.

Pour terminer, vous étiez retournés chez la veuve Langevin manger des pâtés de lapin sans goût, arrosés de pleurs et de vin rosé trop sucré.

Quelle journée!

Ta mère, restée si longtemps sur la terre humide, aurait sûrement une crise aiguë de rhumatisme, au dire de ton oncle... et ton père, le rhume! Il éternuait déjà, le pauvre!

Toi, par contre, tu ne semblais pas avoir été atteinte par cette journée déplorable; et tes joues roses, l'éclat de tes yeux n'étaient certainement pas dus au froid, me dis-je, en ralentissant au passage à niveau.

La barrière se referma juste au moment de notre arrivée. «C'est la journée qui continue...» s'écria ta mère en poussant un soupir géant. Ton frère rota, ton père ne broncha pas.

J'arrêtai mon taxi.

Tu en profitas pour t'approcher davantage de la banquette avant. Je sentis ton haleine tiède courir sur ma peau.

Je t'observai discrètement. Tu étais comme hors du temps... emportée par ta chimie au-delà des horizons connus.

Le train s'annonçait long! J'avais le temps d'ajuster mon miroir de côté pour mieux te voir, ma jolie...

Tu tournas la tête en même temps que j'allongeais le bras vers l'extérieur. Une de tes boucles rousses effleura mon cou. Je vis ton regard accroché à ma main se refermant sur la petite glace ronde.

Une seconde je me demandai si tu savais que je te surveillais?... Non. Tu étais encore trop naïve. Tu t'abandonnais sans méfiance à cette douce chaleur qui te courait à fleur d'épiderme. Tu cédais, sans peur, à la langueur qui envahissait ton cœur.

J'entendis le dernier wagon passer devant nous et s'enfuir à la suite des autres.

Je rembrayai.

— C'est pas trop tôt, bougonna ta mère.

— Eh! non, renchérit ton oncle.

— Tu n'as pas un mouchoir m'man, larmoya ton frère.

— Ça y est, il a le rhume lui aussi! remarqua ta mère d'un ton défaitiste. Pauvre Pierrot... et ton pied?

— Je veux un mouchoir, insista le cadet.

— Passe-lui le tien, Albert, dit-elle à ton père.

Sans répondre, ce dernier tira de sa poche avec peine un immense carré troué qu'il tendit par-dessus son épaule à ton frère.

Un bruit de trompette bouchée retentit désagréablement. Il ne sait pas se moucher ce petit..., me dis-je!

— Pas si fort, Pierrot, pense un peu à tes oreilles, gronda ta mère.

Pendant qu'ils étaient tous absorbés par ton frère, je coulai un œil discret vers toi. Tu ne bronchais pas, tout occupée à dévorer de tes yeux vert tendre mes grandes oreilles! Tu aurais voulu les dessiner du bout de ton doigt que tu retenais sagement contre toi.

Une, deux, trois gouttes frappèrent ma vitre et rappelèrent mon attention vers l'avant. Un torrent d'autres suivirent.

— Allons bon! Il ne manquait plus que ça... la flotte! La journée continue! Qu'est-ce qui pourrait bien encore nous arriver?... Je m'en souviendrai longtemps de l'enterrement d'Arsène Langevin, s'exclama ta mère, la bouche pincée.

— Chauffeur, poursuivit-elle, hautaine, vous arrêterez à la prochaine pharmacie, il faut prévenir la pneumonie qui guette la famille!

— Parfait, madame.

Ton père tourna ostensiblement une page de son bouquin et s'enfonça davantage dans son siège.

Je m'arrêtai devant la première enseigne rouge indiquant: «PHARMACIE-PRESCRIPTIONS».

Ton oncle, habitué sans doute à être de corvée, s'apprêtait à descendre.

— Achète des «Coricidin», des cataplasmes... des...

J'entendais à peine ta mère; en me retournant pour ouvrir la portière, nos yeux venaient de se rencontrer. Les tiens étaient brûlants... et je m'étonnai de leur insistance.

— Dépêche-toi, criait ta mère par la fenêtre à ton oncle, le compteur court.

En refermant la porte, je n'osai pas te regarder de nouveau; je sentais qu'aucun de mes gestes ne t'échappait. On aurait dit que tu voulais m'aspirer tout entier, posséder mes mains, mes bras, ma poitrine, mes yeux, ma bouche...

J'allumai une cigarette, après en avoir offert une à ton père. Tu m'intriguais.

Ta mère se mit à tousser. Toi, à respirer la fumée avec volupté en baissant les yeux.

— Anne, assieds-toi convenablement! ordonna ta mère.

Tu obéis sans mot dire en croisant les mains sur tes genoux.

Tu t'appelais Anne... Je répétai ton nom deux, trois fois intérieurement; c'est un nom qui me plaisait assez... ça te convenait, c'était souple. Anne... c'était un peu comme un souffle au bord des lèvres.

Je fus interrompu dans mes considérations sur ton prénom par ton oncle qui revenait en courant. Il ouvrit la porte brusquement et s'engouffra dans la voiture, trempé comme un canard. Tu repris position derrière moi pour lui laisser encore une fois de la place!

Ton parfum s'insinua jusqu'à mon nez. Je respirai une vague odeur de fleurs des champs après la pluie...

Tu allais finir par me faire rêver!

La voiture démarra dans un bruit d'eau. La nuit était tout à fait tombée. Je pris le volant à deux mains.

*
* *

À peine avions-nous fait trois coins de rue que ton oncle s'écria:

— Mes gants!

— Quoi, tes gants? demanda ta mère.

— Mes gants, répéta-t-il, j'ai perdu mes gants, mes beaux gants en veau!

— Voyons, Paul, tu les avais il n'y a pas cinq minutes.

— Je ne les ai plus, constata-t-il atterré.

— Regarde dans tes poches, commanda ta mère.

Laborieusement ton oncle enfonça ses mains humides dans les poches de son paletot. Ce faisant, il te bouscula et tu te penchas un peu plus vers moi.

C'est le vent et l'herbe que je sentis cette fois-ci... et c'est tout l'été qui cajolait mon nez! Que ça humait bon!

— C'est inutile, ils ne sont pas là, annonça ton oncle sur le ton de la catastrophe. J'ai dû les laisser sur le comptoir de la pharmacie, je ne vois que ça.

— Tu en est sûr? insista ta mère.

— Oui, oui, je me rappelle maintenant, s'écria l'oncle Paul. Je les ai enlevés pour payer... Il faut y retourner; retournons à la pharmacie.

— Allons bon, c'est le pompon! s'indigna ta mère; ça ne finira donc jamais cette journée de malheur?

— Moi, je veux rentrer à la maison tout de suite, s'insurgea Pierrot.

— Nous rentrons à la maison! C'est ton père qui se prononçait d'un ton calme et sans réplique. Paul gardera le taxi, poursuit-il, et ira chercher ses gants tout seul. L'heure de souper est passée et j'ai faim, conclut-il en reprenant sa lecture interrompue.

— Pour une fois, Albert a raison, constata ta mère; Paul, tu iras chercher tes gants tout seul.

*
* *

Je venais de tourner à la dernière intersection avant d'arriver à l'adresse que ton père m'avait donnée; la maison que j'aperçus était une maison pareille à toutes les autres de la rue; seuls le numéro et la couleur des rideaux changeaient.

Ton père ferma son livre, paya la course et quitta l'auto sans précipitation. Ta mère et ton frère étaient déjà sur le perron.

Tu n'avais pas bougé!

— Tu viens avec moi? demanda ton oncle, étonné.

— Oui, tonton, répondis-tu presque bas.

— Bon, soupira-t-il; mais tu sais, ta mère ne sera pas contente, elle se plaindra, encore une fois, que tu ne l'aimes pas.

Tu n'entendais plus ton oncle. Ton désir neuf te possédait, entière. Tu fermas les yeux en te rejetant sur la banquette.

Je repris le chemin de la pharmacie, hanté par ton regard de tantôt.

Dans mon rétroviseur, je voyais tes seins, petites rondeurs aguichantes, se soulever sous ton gilet lilas, au rythme des battements de ton cœur.

Tu réussissais à m'émouvoir... à me faire partager ton désir. J'avais soudain grande envie de toi, comme toi de moi!

— Je crois que c'est ici, jeune homme, dit ton oncle en terminant une quinte de toux qui t'avait fait sursauter.

J'arrêtai la voiture.

— Tu m'attends, Anne?

— Oui, tonton, répondis-tu en te redressant sur la banquette.

La porte claqua... nous étions seuls.

Seuls!

Tu sentis ton cœur battre à tout rompre, ton pouls s'affoler, tes joues s'enflammer; heureusement, ton audace montait la garde!

J'étais là, devant toi. Moi, cause de ton émoi, objet de ton désir! Suspendue en l'air, tu retenais ton souffle, comme un ballon d'oxygène qui oscille doucement.

Qu'allais-tu faire? Quel serait ton prochain geste?

Je n'osais pas bouger, bigre!... C'était la première fois que ça m'arrivait, une chose pareille! Une fille qui s'offrait candidement comme une jeune pousse au soleil...

Et puis, tant pis! Au bout d'un moment, je n'y tins plus et je me retournai lentement vers toi.

Mon Dieu! Que tu étais belle...

Tu allongeais la main jusqu'à me toucher et délicatement, tu glissas tes doigts sur ma joue, le long de mon nez, derrière l'oreille droite. Tu remontas vers mon front, et je fermai les yeux pour mieux les sentir sur mes paupières. Ils descendirent sur ma bouche, et je les pris entre mes lèvres.

— Anne... m'entendis-je murmurer.

J'ouvris les yeux, ton visage était tout contre le mien; ta bouche entr'ouverte, à portée de baisers.

Celui que je te donnai fut tendre et sage. Puis je me retournai, agrippai le volant, tournai la clé du moteur, ouvris les phares et nous démarrâmes; que pouvais-je faire d'autre?

*

* *

Nous roulions rapidement depuis un moment quand tu me demandas, plus curieuse qu'étonnée:

— Où allons-nous? Ce n'est pas la route qui mène chez moi.

— Attends, tu verras, on arrive, répondis-je.

Je ralentis et garai la voiture sur le côté d'une maison triste en brique rouge. Je descendis ouvrir la portière de l'auto; tu m'interrogeais de tes grands yeux.

Je t'ai pris la main. Tu m'as suivi sans rien dire en me serrant bien fort.

Je sortis ma clé, qui tourna docilement dans la serrure. Sans allumer, je refermai la porte d'entrée à clé et te dirigeai dans l'obscurité vers ma chambre.

Là, j'actionnai l'interrupteur et le plafonnier s'alluma. Au milieu de la pièce, mon lit apparut immense et vide.

Sans mot dire, je restai immobile dans l'embrasure de la porte... J'étais à l'ancre.

Ta main glissa hors de la mienne, tu levas les yeux vers moi une fraction de seconde, ils étaient vert amande... Et d'un pas tranquille, tu te dirigeas vers le lit défait.

Tu t'y assis un moment et me souris, craintive. Ton sourire me troubla; mais légère, tu te laissas couler sur les oreillers.

Je m'approchai du lit à mon tour. Tu déboutonnais ton gilet sans hâte; tu n'avais pas de soutien-gorge.

Je caressai tes cheveux, ton cou, tes épaules. Un léger frisson courut sur ta peau; j'ai fait mes doigts apaisants et tes yeux se fermèrent.

Des mains d'homme, pour la première fois sur tes seins, sur tes hanches... Je les voulais infiniment douces, infiniment tendres, chaudes et bonnes.

Anne, je t'ai apprivoisée sans hâte, je t'ai aimée doucement, comme on entre dans l'onde immobile, un matin de printemps.

Tu m'as reçu tout entier, tu m'as offert la fraîcheur de ta joie naissante, puis, soudain, tu as éclaté entre mes bras, tu m'as submergé, tu m'as entraîné vers le torrent où j'ai basculé, le souffle coupé. J'ai roulé... roulé, perdu en toi.

*
* *

Anne, que tu étais belle de bonheur, tout alanguie contre moi. Anne, tu étais heureuse... et moi, je n'en revenais pas!

Nous reprenions haleine, encore étroitement enlacés, quand tu te dressas, sans crier gare, l'air horrifié!

— Mon Dieu! L'oncle Paul... maman qui attend!

Tu me fis peur, l'espace d'un instant.

— Il est bien temps de penser à ton oncle Paul, répondis-je en te ramenant vers moi, et à ta mère! Si elle se doutait la pauvre... Tu ne trouves pas que sa journée a été assez lourde?

Tu me regardais, les yeux écarquillés.

— L'oncle Paul, répétas-tu... l'oncle Paul au coin de la rue sous la pluie...

Tu éclatas d'un grand rire, en te renversant sur le lit. Ton joli corps menu ondulait de rire!

C'est vrai, qu'il devait bien se demander par où nous étions passés... ton oncle Paul! Et ta mère donc! Si ta mère savait... C'est pour le coup qu'elle irait rejoindre Arsène Langevin dans sa tombe! Lui, il devait frémir sous ses six pieds de terre! Au fond, c'était lui la cause de tout!

Je ne pus résister au cocasse de la situation et me mis à rire aussi, d'un rire colossal, en te reprenant dans mes bras.

Tu t'y es blottie encore tiède d'amour.

J'ai laissé ma bouche courir une dernière fois dans les chemins ensoleillés de ton corps tendre. Tu m'as serré de toutes tes forces. Et puis, tes ongles entrèrent profondément dans ma chair et tes petites dents pointues gravèrent sur mon épaule le souvenir de ta première heure d'amour, avant d'aller rejoindre ton oncle, ta mère exaspérée, ton père et ton frère enrhumés...

Madeleine Gagnon-Mahoney

La laide

Madeleine Gagnon-Mahoney est née à Amqui en 1938. Elle a publié des romans, des essais, une dizaine de recueils de poèmes et trois recueils de contes et de nouvelles: *Les morts-vivants* (1969), *Les samedis fantastiques* (1986) et *Un monde grouillant* (1987). Premier recueil de nouvelles, mais aussi premier ouvrage de l'auteur, *Les morts-vivants* annonce, par son contenu de révolte notamment, l'esprit qui animera ses œuvres subséquentes et ce, quelle qu'en soit leur forme. Après *Les morts-vivants*, tous les livres de l'auteur ont été publiés sous le nom de Madeleine Gagnon.

«La laide» dans *Les morts-vivants*,
Montréal, HMH, «L'Arbre», 1969.

Je suis toute remplie de dégoût pour moi-même. Je joue à la schizophrénie et ne me prends pas au sérieux. Je joue à l'ironie. Je suis seule à rire de moi-même et des autres. Comment pourraient-ils rire, les autres, je ne leur parle pas. Je ne veux pas leur parler. Ils m'ont faite laide, qu'ils payent. Je m'en fiche. Qu'ils s'arrangent! Je me suis enfermée dans une chambre sans fenêtre. J'ai une amie qui attire tous les hommes à elle. Je n'envie pas son sort. Les caresses me dégoûtent. Elle passe sa vie à se faire caresser, minauder, complimenter. Elle est charmante. Elle joue à l'ingénue mystérieuse. Je la déteste elle aussi. Je m'en fiche. Ils ont déjà voulu m'envoyer chez un psychiatre. Est-ce qu'un psychiatre va me dire que je suis belle? Est-ce qu'il va me rendre belle? Me faire accepter ma laideur? L'assumer, comme ils disent? Je m'en fous comme de l'an quarante. Puis je me dégoûte parce que si je m'en fichais, je ne serais pas enfermée ici. Merde. Salauds. Pourquoi veulent-ils des femmes belles? Pourquoi faire la beauté? Ça ne rend pas le monde plus beau? Ça ne change pas l'hiver pour l'été? Ça n'éteint pas les feux de forêt. Ça ne fait pas monter les fusées à la lune. Ça ne gagne pas les jeux olympiques. Ça ne fait pas les mathématiques. Ça n'arrête pas la guerre au Vietnam. Si j'étais belle, il y aurait quand même eu une Révolution russe, une Révolution française, une Révolution cubaine, chinoise, américaine. Il y aurait eu une Constitution canadienne. Il y aurait eu mon père, ma mère, mes ennemis, mes grippes, mes accidents, mes suicides, mes cimetières, mon monde à l'envers. Je m'emmerde! La première fois que j'ai réalisé ce que j'appelais alors «mon crime», j'avais dix ans. Une voisine chuchotait à l'oreille de l'autre: «C'est de valeur, elle est pas méchante, elle est fine mais si laide à faire peur. Les pauvres Monsieur et Madame Cornemuse.» C'est de moi qu'on parlait. Je faisais peur. Et c'est sur mes parents qu'on s'apitoyait. C'est eux qui m'ont faite, non? J'avais sauté la clôture d'un bond, je m'étais cachée dans le foin. Mon Dieu, qu'est-ce que j'avais fait? Quel péché avais-je donc commis de si gros et si mauvais? Ou quel crime allais-je commettre? Car je croyais que Dieu omniprésent-tout-puissant avait le pouvoir, dans son Éternité savante, de punir d'avance, par la laideur ou la stupidité, ou par toutes les dépravations et malformations, un gros péché énorme commis par un individu à un moment ou l'autre de sa vie... Dans ce temps-là, je mettais toutes les responsabilités sur les épaules du Grand Comptable. C'était plus facile, plus réconfortant. Je pouvais presque pleurer d'aise sur mes fautes et malheurs. Je me servirais de cette laideur pour expier ma vie durant la Faute mystérieuse, la faute secrète que j'avais peut-être commise ou que je commettrais un jour. Peut-être même irais-je plus loin: je collaborerais avec le Grand Comptable. Je commettrais délibérément ce péché terrible. Je passerais le reste de ma vie à chercher une faute qui corresponde à l'atrocité de ma laideur. Je deviendrais le bras droit du Grand Maître. Je me substituerais au Grand Maître. Je ferais ma propre comptabilité. J'épargnerais des énergies au tout-puissant. Je deviendrais Dieu lui-même. Dans le champ de foin rasé et jaune, mes larmes se mêlaient aux fourmis rongeuses. Je me mouchais avec le foin. Je me piquais avec le foin. Je me heurtais, me brûlais, me rongeais. Et je criais de douleur. C'était le bon temps. L'enfance. Il n'y eut pas de plus beaux jours. Plus tard, je n'eus pas, comme tous les autres, à me débattre pour retrouver le paradis perdu. Il n'y eut pas pour moi d'âge d'or à reconstituer. Le paradis, je le perdis d'avance.

Hier soir, Pierre m'a téléphoné pour aller voir un film.
Quand il a distribué deux ou trois peines d'amour et
qu'il commence à se sentir coupable, c'est moi qu'il appelle. Je suis toujours disponible. J'aime le cinéma. À ma
vue même, les gens refont facilement leur Ego. Nous
avons vu *Belle de jour.* Qu'est-ce qu'il lui prend à belle de
jour de se prostituer? Pierre me dit qu'elle veut sans
doute se punir de quelque faute commise, il y a peut-être
des années, des générations, des siècles. J'ai réfléchi jusqu'aux petites heures du matin. Pierre a dormi chez moi.
Il avait l'air d'un ange. Je lui ai laissé mon lit et l'ai bordé
comme un petit garçon. Moi, je voulais réfléchir à même
le plancher. Je n'ai pas vu la lune qui devait s'ennuager
dehors. Je n'ai pas de fenêtre. Je n'ai pas vu le soleil entre
les bras de l'horizon qui s'étiraient. Ma montre marquait
six heures quand j'ai jeté un dernier coup d'œil lourd.

J'avais une maison de verre en pleins champs. De
longs blés doux se reflétaient sur les plafonds. Un jardin
rempli d'orchidées faisait comme un chapeau sur le toit.
Mes cheveux étaient aussi des orchidées et ma tête poussait jusque par-dessus le toit. Des gamins vinrent en
bande et coupèrent une à une les tiges. Ils criaient, ils
chantaient: «Philipa a perdu ses fleurs-eurs, Philipa a
perdu ses fleurs-eurs... Mort à Philipa Cornemuse, mort à
Philipa Cornemuse!»... Ils rasèrent aussi les blés, ils lancè-
rent des roches sur ma maison de verre... Celle-ci
s'écroula, s'émietta. Et je me mis à genoux, à ramasser les
perles qui en coulaient. Je sentis une main sur mon bras,
sur mon épaule. Est-ce que c'est doux une main sur
l'épaule et le bras? «Philipa, lève-toi, c'est midi. J'ai faim.
Fais-moi des toasts et du café.» Pourquoi lui ferais-je ses
toasts et son café? Pour qui se prend-il, lui? C'est pas
Jupiter, c'est pas Hitler, c'est pas mon père. Y doit se
prendre pour un Beau qu'il est dans son beau gilet vert.

Pendant qu'il se rase dans la salle de bains, je nous fais des toasts et du café. Je n'aime pas le bruit du rasoir. Je n'aime pas les hommes qui se font la barbe en sifflant. J'ai envie de lui empoisonner son café. Ça lui apprendra à me sortir du lit, à me donner des ordres et à se raser en sifflant. Je vais l'empoisonner. Je m'en fiche. Je suis de toutes façons emprisonnée. Ça lui apprendra à jouer à l'homme. Je m'en fous. Ça lui apprendra à être un homme.

Pierre est parti vers quatre heures. Il avait un cours à l'université. Moi, je faisais des plans pour finir la journée à rien faire. Il m'a dit qu'il reviendrait demain. Je dois lui recopier ses notes de cours. Pierre est paresseux. Il abuse de moi. Je joue à l'esclave. Il pense se payer ma tête mais je rumine en moi une vengeance célèbre. S'il croit que je vais lui servir indéfiniment d'épaules, d'appui-livres, de cuisinière, de lit, de copiste et d'interlocutrice valable. Il me dit que je suis intelligente. On dit ce qu'on peut. Lui, c'est pas une lumière. Mais il est beau, puis il a un pénis que je n'ai jamais vu, mais qui est là quand même. Je m'en fiche! On a ce qu'on peut. Je ne voudrais pas être injuste. C'est quand même le seul être qui vienne me désennuyer. Il parle fort. Il remplit ma chambre. Quand il s'étire, ses bras dépassent les murs et touchent les deux horizons. Puis il est drôle. Il chatouille les horizons avec ses longs doigts et l'univers entier s'éclate toujours de rire. Parfois il tire les nuages, les baisse comme des stores et l'univers entier se met à noircir. À ma fête, il m'achète toujours un cadeau pas compromettant, un beau cadeau asexué comme un livre, un disque. Ça fait cinq ans que je connais Pierre. Il m'achète du pop-corn au cinéma. Il est en psychanalyse à cause de ses infidélités. Il m'a tout raconté. Il n'arrête pas de bavarder. J'attends Pierre qui reviendra demain.

Puis, chez les sœurs, au pensionnat, j'appris ce que les bonnes âmes faisaient de la laideur. Les petites filles étaient divisées en deux camps: les bonnes, c'est-à-dire, les riches, les belles ou les intelligentes et les mauvaises, les pauvres, les laides ou les stupides. Un seul de ces attributs suffisait pour appartenir définitivement à l'un des camps et se faire, le cas échéant, aimer ou détester des sœurs. J'étais laide et je devins leur proie. J'ai mis longtemps à comprendre cette étrange logique. Pour moi, un être consacré à Dieu et à la vie du Grand Amour, aurait dû d'instinct se porter vers les faibles, vers celles qui souffraient. Je ne savais pas à cette époque que l'instinct n'existait pas dans les communautés. On l'avait supprimé, l'instinct. On l'avait ravalé. Dévoré. Déchiqueté. Castré. Il m'a fallu dix ans de cette vie pour comprendre qu'il était combien plus facile de s'attaquer aux plus faibles, à celles qui ne sauraient se défendre, aux vaincues, aux pauvres, laides ou stupides. Dans l'armée des esclaves, nous étions une dizaine à subir les frustrations, les aigreurs, les dépravations de nos déesses. Combien de soirées ai-je passées sur mes genoux, faisant semblant d'égrener le chapelet, combien de samedis au dortoir, combien de confessions forcées, de gifles, de sermons, et j'en passe. «Philipa, vous laverez tous les bains, samedi!» — «Philipa, vous passerez l'étude à genoux à méditer l'Imitation de Jésus-Christ!» — «Philipa, ma fille, vous ramperez s'il le faut, mais vous apprendrez la perfection.» — «Philipa, essuyez cette tache sur le plancher.» Un jour entre autres, Mère Sainte-Mouton, ne sachant plus quel supplice inventer, me précipita, en me tirant par les tresses, du haut en bas de l'escalier. Ma tête vint se cogner sur le coin d'une valise. Je dus perdre lumière quelques instants. Je me retrouvai au sous-sol entre deux rangées de valises. J'aurais voulu m'enfermer dans l'une d'elles. Les beaux cercueils. Je grattai une serrure pour la faire sauter. Je m'enfermai dans cette tombe grise. J'étais en plein cimetière. Cela sentait la mort. Ça sentait le couvent. Je n'eus pas le temps d'exécuter mon projet. Bientôt Mère Sainte-Mouton me rejoignit entre les tombes et me ressuscita bien vite par le chignon du cou. Je passai, cette fois, en sourdine, de l'infirmerie au confessionnal. Je ne savais jamais quoi dire à l'aumônier. Il m'emmerdait. «Mon père, je m'accuse d'être laide à faire peur.» Il répondait: «Allez, ma fille, et ne péchez plus.»

Pierre est revenu à midi. Il n'avait pas mangé. Nous sommes sortis. Il a bouffé pendant une heure. Moi je n'avais pas faim. Je fumais et faisais des ronds dans l'air du temps. «On va faire les galeries?» On est sorti du café sous la neige puis on a égrené les galeries une à une. Pierre n'aime pas la peinture. Qu'est-ce qu'il aime au juste? Je le lui demande. Il répond: la vie. C'est pas une réponse! On n'aime pas la vie. On aime ce qu'il y a dedans ou bien on n'aime pas ce qu'il y a dedans; dans le dernier cas, on change le contenu ou on referme la boîte. Ça me rappelle les valises. Je le confie à Pierre. Il hausse les épaules. Il ne comprend jamais rien. Pourquoi suis-je avec lui? Que fait cette statue, ce meuble, cette cruche vide à mes côtés? Il sourit. J'épie chacun de ses gestes. Pourquoi? Ses gestes ne devraient pas avoir plus d'importance pour moi que le bruissement des feuilles. Nous revenons à la maison. Je lui copie ses notes de cours. Il a fait dans les marges des obscénités de femmes nues. Je ne peux pas les copier avec ma machine. Ces putains m'enragent. J'ai envie de lui déchirer ses feuilles. J'ai envie de lui avaler ses feuilles. Il s'est allongé sur mon lit. Il me parle de l'amour. Il me dit qu'il a besoin de faire l'amour. Il me demande des conseils. Je m'en fiche.

Qu'il aille chercher ses consolations ailleurs. Je ne suis pas un directeur de conscience. Je ne suis pas une putain.

Mon gentil papa m'a dit hier: «Philipa, peut-être que tu ne te marieras pas. Tu peux compter sur moi. Je t'assure ma fortune. Je te couche sur mon testament.» Je serai toujours couchée à la mauvaise place. Où a-t-il puisé toute son intuition? Il a dû se forcer pour conclure que je ne me marierais probablement pas. On n'a qu'à me regarder! La laideur, ça se marie pas. Qu'il me la donne sa fortune! Qu'il me couche sur son testament! Je vais lui en faire une orgie de fortune. Je vais la gaspiller, sa fortune entassée à la sueur de son front. S'il avait moins sué dans ses piastres, il m'aurait peut-être faite plus belle. D'autant plus que je suis fille unique. Je vais les dévorer ses piastres. Je vais faire de la soupe aux piastres pour les pauvres. Des toasts aux dix piastres pour Pierre. Du café au jus de cent piastres pour Pierre. Je vais passer le reste de ma vie à fabriquer des casse-tête éducatifs avec ses piastres. Je vais faire des petites séances d'ergothérapie avec ses piastres. Pendant qu'il me couchait sur son testament, ma mère faisait la belle autour de lui. Elle est encore belle, Hortense. Mon Hortense, comme il disait. Mon Hortense, je t'aime. Qu'ils s'aiment à leur aise mais qu'ils arrêtent de me coucher sur leur testament comme une putain.

Mon père a voulu faire percer des fenêtres dans ma chambre. Il ne vient pas souvent mais quand il arrive, ma chambre, à l'écouter, se transformerait en voyeuse. Je n'ai pas besoin de fenêtres pour la conduire. C'est pas une auto. Elle n'avance pas. Je ne frapperai personne. Je n'ai pas besoin de protéger ma droite et de surveiller les feux rouges. Je ne frappe personne. Qu'il me fiche la paix avec ses fenêtres de voyeur. Ils n'ont rien compris à mes discours. C'est pas donné à tout le monde. Ils sont repartis pour Québec aussi vite qu'ils étaient venus. Je suis allée les reconduire au train. Ce dernier se mêlait d'être en retard, les forces de la nature sont contre moi. Quand j'ai enfin vu ce long serpent filer à l'horizon, je me suis sentie soulagée, rassurée. Je n'ai jamais aimé les trains. Encore moins quand mes parents s'y promènent. Ils ne reviendront plus de sitôt. Tant mieux. Ça leur apprendra à intervenir dans ma vie. Ils me l'ont donnée une fois pour toutes. Je la garde et je la remplirai jusqu'au couvercle, à ma façon.

Pierre est revenu déambuler dans ma propriété privée. Il était cassé. Comme d'habitude, je lui ai prêté des piastres. Puis, il m'a invitée au cinéma. Nous avons rencontré, par hasard, mon amie la belle Hélène. Pierre était charmé. Mais son cœur à elle semblait être ailleurs. Je l'ai bien regardée. Qu'est-ce qu'elle a de si différent? Nous avons la même taille, la même couleur de cheveux, les mêmes pieds, le même nombre de doigts, chacune deux yeux, deux oreilles et une bouche. Où se trouve ce qu'elle a en plus ou en moins? C'est vrai qu'elle a deux seins et que moi j'en ai à peine. Entre sa taille et la mienne il doit y avoir tout au plus une marge de trois ou quatre pouces. C'est pas pour trois pouces qu'on tourne le monde à l'envers. Et puis, entre son nez et le mien, juste quelques centimètres... C'est vrai que la forme et l'inclinaison diffèrent. Et puis après? La beauté c'est pas une affaire de géométrie. C'est ça que croyaient les Grecs. Tout est dans les proportions. La Grèce antique m'emmerde. Quand on pense qu'Hélène de Troie, quand on pense que le nez de Cléopâtre, quand on pense... Je me sens étourdie. Est-ce que je condamne le monde tel qu'il est ou bien suis-je envieuse d'Hélène? Les deux, sans doute. Il n'y a jamais de réponse à rien. Au café, après le film, Pierre souffle des secrets enflammés aux oreilles d'Hélène. Son cœur à elle et son esprit semblent être très loin ailleurs... Mais elle se laisse quand même bercer par les chatouille-ments du beau Pierre. Elle pourrait quand même parta-ger ma révolte. À quoi pense-t-elle? Que se passe-t-il dans la tête de quelqu'un qui est beau et qui le sait? Elle me jette des coups d'œil furtifs. On dirait qu'elle voudrait me parler. Qu'elle aille ouvrir son petit cœur perdu ailleurs! Je ne suis pas une poubelle, moi. Nous laissons Hélène à ses rêveries. Elle dit qu'elle attend quelqu'un. Et nous repartons chez moi.

Quel film avons-nous vu? Je ne m'en souviens plus. Je cherche. Ah! oui c'était *Marat-Sade*. Je comprends les sadiques. Je comprends les Révolutions. Je suis avec les peuples qui se soulèvent. Pierre me parle de notre Révo-lution. Il me confie tous les plans de l'organisation secrète. Il voudrait que j'y participe. Il essaye de me convaincre jusqu'aux petites heures. Il me dit que je suis intelligente et forte. Que les miens ont besoin de moi. Que l'engage-ment social et politique est la seule solution. La solution à quoi? Même si je remplis ma valise d'engagements, il faudra bien que le couvercle se ferme un jour ou l'autre. Je suis bien pour le Québec libre. Je suis d'accord pour l'engagement. Mais personne ne s'est jamais engagé à moi? Est-ce qu'ils s'engagent à moi, les révolutionnaires? Est-ce qu'ils seraient prêts à faire avec moi ma révolution si je fais la leur? Pierre ne comprend pas, il ne veut pas comprendre. Il dit que c'est de l'égocentrisme. Il dit que je fais mes petites révolutions tranquilles de colonisée. Il a peut-être raison. Je suis colonisée depuis le ventre de ma mère. Je suis capitalisée par mon père. J'essaye d'en-filer mes pensées à haute voix mais Pierre démissionne avant les conclusions, et sans me saluer, s'étend de tout son long dans mon lit. Je l'ai endormi à coup sûr.

Je le regarde. Il est comme un enfant qui dort. Il se met à voguer. Mon lit est un petit bateau libre sur la mer. Mais je ne suis pas dans mon lit. Cette nuit je n'irai pas border Pierre. Il y a des limites à tout. Qu'il gèle! Si seulement la tempête pouvait l'emporter. Moi je gèle dans l'eau. La mer est calme mais il fait froid. La lune ne me salue même pas. Je m'en fiche. Je me regarde dans l'eau. Tout autour de ma tête, il y a des étoiles qui se mirent. Ma tête est prise dans les étoiles. Elle est très haut dans le ciel. Il n'y a pas un nuage. Aucun bruit d'oura-gan. Seulement Pierre qui ronfle. Il m'agace. Je vais lui pincer le nez. Il ronronne comme un gros chat qu'il est. Je regarde ma montre et m'endors sur le tapis à ses pieds.

Je suis dans un long train vitré qui serpente une vallée. Je monte comme un ballon léger sur le toit. Je serpente avec lui. Nous traversons villes et villages. Il y a des gens partout qui nous regardent. Je vois une armée de jeunes révolutionnaires qui avancent. Ils me lancent le drapeau que je hisse fièrement jusque dans les nuages. Les révolutionnaires s'emportent. Ils n'ont pas aimé mon geste héroïque. Je ne suis pas un véritable héros. Ils assaillent mon train, grimpent de tous côtés, coupent la corde de mon drapeau qui jouait au cerf-volant, s'en emparent. Avec leurs grosses bottines ferrées, ils brisent mon train en miettes. Je tombe parmi le verre qui fond sous le soleil. Je suis en pleine mer. L'eau est chaude et douce. Je nage et me débats pour rejoindre la rive. Un petit bateau pointe à l'horizon. Je m'en approche. Je l'attrape et m'y glisse. Il y a un homme au fond qui dort. Je m'allonge à ses côtés. Je le touche, le caresse. J'ai soif. Peut-être qu'il a de l'eau à boire. «Philipa, qu'est-ce que tu fais? Tu es rendue dans mon lit. C'est onze heures. Lève-toi. Fais-moi des toasts et du café.»

Le rasoir tond de plus belle. Pierre siffle dans la salle de bains. Je vais empoisonner son café. Je vais empoisonner son café. Il aura la leçon de sa vie. Je vais lui refermer son couvercle. Nous mangeons en vitesse. Pierre a un cours à deux heures. Je lui passe deux piastres pour l'autobus et son souper. Il s'en va. Je le suis du regard dans le couloir. Chancelle-t-il? Ai-je mis du poison dans son café? Je ne m'en souviens plus. S'il tombe, je le saurai bien.

Je n'ai pas vu Pierre depuis une semaine. Il m'a téléphoné à midi. Hélène s'est suicidée hier. Quoi? Qu'est-ce qu'il lui a pris? Une peine d'amour, me dit Pierre. Est-ce qu'on se suicide quand on est beau? Est-ce qu'on a des peines d'amour quand on est beau? Je réfléchis. Il n'y a rien à comprendre. Dans sa grosse valise fermée, elle ne sera plus belle longtemps. Les vers et les fourmis vont venir quand même serpenter chez elle. Avec ou sans la Révolution, sa petite boîte doublée de satin parfumé sera bientôt rongée. Pauvre belle Hélène de Troie! Je m'en fiche. Pierre me dit qu'il a une nouvelle aventure. Il est très occupé. Il me verra moins souvent... «Mais si t'as besoin, Philipa, appelle. On ira voir les films, les galeries... Y faut pas te gêner, si t'as besoin, téléphone. Je suis là. Sinon, tu laisses un message...» Pour qui y se prend? Est-ce que j'aurai besoin de lui? Qu'il en meure de sa nouvelle aventure. Qu'il se fasse charrier par la tempête. «Si t'as besoin, téléphone...» Est-ce que j'ai jamais eu besoin de lui?

Mimi Verdi

Tuez-moi s'il vous plaît

ᗯ᙮ᗯ

Mimi Verdi (Monique Grignon-Lapierre) est née à Saint-Jovite en 1931. Elle a publié un recueil de poèmes, des poèmes et des nouvelles dans diverses revues et un recueil de nouvelles: *Bonjour Twiggy*. Le titre du recueil est indicatif de l'insolite et du ludique qui ont présidé à la création des nouvelles qu'il contient.

«Tuez-moi s'il vous plaît» dans *Bonjour Twiggy*,
Montréal, Le Cercle du livre de France, 1971.

Tuez-moi s'il vous plaît! Mais faites-le sans passion, je veux mourir distraitement. Qu'un regard haineux préside à mon trépas et ce sera la mort ennemie. C'est pourquoi je répugne à me supprimer sachant combien le vampire qui sommeille en moi y mettrait de sadisme. Mais pourquoi me confesser à vous qui ne m'écoutez pas! Chaque jour à cette table, je vous scrute et vous observe, ce n'est pas le hasard qui me dresse à vos côtés. Depuis longtemps j'aspire au brusque revirement de votre couteau d'argent. J'ai mis des mois à préparer le déroulement de ce drame mineur: votre premier meurtre.

Du menton au pubis, un corset de poils vous habille; vous êtes étonnamment roux. Je vous ai choisi à la loupe, vous êtes le plus subtil des meurtriers. À vos doigts une pierre s'allume, sanglante, prémonitoire. Vous êtes grammairien? Ma mort n'en sera que plus complexe. Déjà, j'entrevois votre fourchette analytique me lacérant les chairs. Ne bougez pas, je serai votre guide. J'aime dévoiler les crevasses de mon corps.

Il est midi, le soleil est au zénith, une odeur de lynx émane de mes flancs. Je voudrais ramper vers la palissade de vos genoux mais votre froideur me repousse. De son œil mon nombril vous contemple, je m'immobilise à vos côtés. J'ai mis des mois à préparer notre ultime affrontement. Je vous ai guetté, épié, talonné; je connais l'heure de vos repas, celle de vos ablutions, la minute précise de vos crispations. Aujourd'hui ma pensée se fixe dans les tortillements de votre colite ulcéreuse. Sournoisement, j'en active la brûlure.

De guerre lasse, je dépose ma tête dans votre assiette remplie de haricots. Mes cheveux glissent dans votre potage tandis que l'indignation vous colore les tempes; vous devenez épouvantablement roux. Dans vos yeux se déplacent les îlots de la colère, petits massifs convulsés.

Surtout ne criez pas, n'alertez personne, laissez-vous prendre à mon extravagant manège.

Comme autrefois je voudrais rouler sous la table, m'enfoncer dans un noir sommeil. Mais pourquoi m'aspergez-vous de poivre rouge? Laissez-moi dormir, je suis si fatiguée. L'odeur de vos herbages s'infiltre en moi et j'ai l'impression de cueillir les friables racines de mon passé. Mobiles vos légumes serpentent dans mon cou, s'agglutinent à des rives familières. Avec eux, je retrouve mes spectres d'enfant, fantômes légumiers.

Non, ne me bousculez pas! Ma tête est un cloaque où pourrissent un million de haricots; flageolets verdâtres et déchiquetés tous ceux que mon enfance a vomis et crachés.

Comme ils pesaient lourdement sur mon estomac de petite fille! Chaque soir au souper je m'effondrais sur la table comme un sac. Seules les taloches répétées de mon père parvenaient à me réveiller. À ses gifles succédait l'écorchante caresse de ses doigts visqueux. Tout en lui me répugnait.

Cet homme était roux, impulsif et violent comme une bête. Sous son étreinte je me sentais défaillir. Malgré l'irritation de ma mère, cette brute fouillait mon corsage détruisant en ma chair l'embryon du désir. Pas un sillon de mon corps qu'il n'eut saisi, griffé et mordu.

Vous ai-je dit que vous lui ressemblez? Vos cheveux ont le reflet des siens, vous possédez le même regard aliéné. Parfois ce monstre me rejoignait dans mon lit, ses mains déchiraient l'enveloppe de ma vie. Épave à la dérive, je haletais, je hoquetais. Sur les draps de l'inceste, je devins pubère sans crier ni gémir.

Non monsieur ne vous gênez pas pour moi! Continuez d'avaler vos fracassantes crudités. Moi aussi j'ai eu ma période légumière. J'en mangeais tous les matins et tous les soirs; j'allais aussi les cueillir dans notre jardin. Seul mon père mangeait ses fruits secs dans la lumière stagnante de l'été. Sous sa culotte de coutil pendait le plus assoiffé des haricots, celui qui empoisonna ma vie.

Tuez-moi s'il vous plaît! Mais faites-le rapidement. Déjà le feu s'éteint sur votre visage. Votre regard glisse mollement de vos mains à ma chevelure. Qu'êtes-vous pour moi? L'homme, le sage, ou le grammairien? Je ne veux ni vous troubler ni vous attendrir. Je ne m'adresse pas à vous mais à votre inconsciente agressivité. Fermez les yeux, laissez glisser votre couteau dans ma chair. Sa lame illuminera mon sang.

Je vous ai choisi à la loupe. Vos yeux brillent de lueurs vertes qui m'électrisent. Votre crâne est petit, oblique, insuffisant. Vous ne ressemblez ni au sinanthrope, ni à l'homme de Cro-Magnon. Sur votre front je lis l'histoire du monde, fable inintelligible qui ressemble à celle de ma vie.

Tout être porte en lui son mensonge; le mien, c'est de n'être pas ce que je suis. Avant de naître j'étais un mâle. Sur mon corps impuissant, je voyais croître une morne racine, symbole de fixité. Déjà je me sentais liée, ligaturée par elle. En mon âme la bête se dressait déjà, terrassant l'embryon que j'étais. Sagesse ou démence je m'amputai de ce membre pernicieux, trop lucide pour accepter sa tyrannie. L'homme que je fus, que je ne fus point, celui qui naquit à ma place c'est probablement vous, le grammairien. Je vous connais depuis toujours; vous possédez l'insouciance de ma mère et la bestialité de l'homme qui m'a engendrée. Vous êtes à la fois prodigue et perfide.

Entre votre fourchette et moi ne subsiste qu'une virgule. Je cache ma nudité derrière ce corset virgulaire. Comme moi, vous fûtes jeune et beau, ange culotté sous la jupe maternelle. Rappelez-vous la sagesse de vos cuisses d'écolier. Croisées, boulonnées, rivées aux torpeurs de l'enfance, les cuisses des enfants sages sont comme des arbres sans écorce. Qui réveilla l'atonie de vos muscles? Qui fit jaillir de sa gangue le jouet pesant de votre virilité?

Parlez-moi de vos passions, de vos mœurs. Je veux tenir entre mes mains l'âme transparente de mon meurtrier. À peine né, le langage érotique s'efface sur vos lèvres. Ne copulent jamais dans vos jeux grammairiens la dure consonne et l'inerte voyelle? J'aimerais fouiller vos espaces crâniens, découvrir en leur antre la grise parenthèse, et l'inquiétant point d'interrogation. Seules vos mâchoires articulent un étrange jargon. Vous mastiquez sans cesse. L'alphabet de votre faim ne s'épuise donc pas! Vous me rappelez un canasson aux dents vertes qui me mordillait les jambes essayant de cueillir le trèfle sous mes jupons troussés. Cheval en rut, il s'épuisait tant en ses jeux que j'en défaillais. Je ne sais pourquoi vous me rappelez cet inquiétant bourrin. Je voudrais saisir la gerbe de votre sexe, apaiser en mon sein ce volumineux serpent.

Est-ce votre couteau qui pointe vers les plis de ma peau? Mieux qu'une arme votre fébrilité m'atteint. Je desserre les genoux, j'ouvre l'écrin de mes cuisses. Pourquoi reculez-vous? Quelle brusque pâleur altère vos traits? Vos cheveux rouges s'assombrissent, l'éclat de votre rubis s'éteint. Quel est ce visage exsangue où couve une incohérente frayeur? Est-ce le vôtre ou celui de mon père? Vous vous taisez toujours... votre silence m'horripile. Seules vos mandibules déchiquètent les fragments de ma mémoire. Quand vous ai-je connu? Pourquoi suis-je nue à vos pieds?

À l'instant, une araignée se noie dans votre potage. Je la regarde mourir et se désagréger. Sous votre cuillère, elle devient un point sanguinolent. Que ferez-vous de mes os morts? Je frémis en songeant à la noire dictée qui naîtra de mon corps. Tendons inertes, os courbés, voués à la servitude du mot. Moi qui n'ai jamais voulu enfanter, j'accoucherai dans la mort d'un millier de paraphes inutiles.

Tuez-moi s'il vous plaît avant que le jour décline; je n'aime pas la nuit. Je possède déjà une très longue habitude de l'agonie. Ma strangulation, je la porte en moi, corde haineuse tordue à l'occiput. Comme ce sera facile pour vous de tuer mon cadavre! N'hésitez plus, ne laissez pas se prolonger mon incohérence et ma fatigue.

Entre votre fourchette et moi ne subsiste qu'un tréma, points visqueux fixés comme des yeux. Je suis si près de vous que j'entends le gargouillement de vos entrailles. Votre digestion est lente, laborieuse; elle vous alourdit. Gonflé comme une éponge vous avalez le flot mordant de mon impatience. De grâce, n'allez pas vomir! Retenez captive cette bile chaude qui monte en vous. C'est de son aigreur que doivent jaillir vos élans meurtriers.

Maintenant il est trop tard. Votre nausée m'inonde, flot ordurier qui coule sur mes mains. Vous hoquetez, chancelez, la sueur ruisselle sur votre front. Le sinistre pantin que vous êtes se désarticule, son âme est pusillanime et veule. Comment ai-je pu croire en l'imprévisible fureur de vos yeux fuyants? Vous n'êtes pas un homme mais un fantôme. Vos dents carnassières ont mordu mes jeux d'enfant, vos cheveux rouges ont illuminé mes incestueuses nuits. J'ai mis vingt ans à vous oublier et voici que je vous retrouve. Comme vous n'avez pas changé! Le satyre se cache derrière votre pâleur, le monstre derrière vos gestes inhibés. Enlevez votre masque, mon père, que je vous crache à la figure! Sous le crâne de tous ces hommes à tête de feu c'est vous que je découvre impitoyablement. La mort ne vous a pas retranché de ma vie puisque votre souvenir me poursuit sans relâche. Sur le mur de mes jours votre ombre se profile, et tyrannise mes nuits.

Pourquoi ai-je survécu à la calligraphie de mon enfance: syllabes-pièges, mots ternis? Où commence l'aube dans l'anse des matins maudits? L'inceste est le premier mot que j'ai appris à écrire, la haine est le deuxième et le désespoir est la synthèse de tous ces cris.

Ne fuyez pas, monsieur le grammairien! Pas avant que je déverse sur vous le flot de haine qui m'empoisonne. Vous êtes faible. Mon père l'était aussi jusqu'au moment où l'alcool décuplait sa fausse impuissance. Alors cet homme devenait un fauve; l'écume jaillissait de sa bouche tandis que nous roulions ensemble sur le lit. Pour mieux me salir, les écluses de ce corps s'ouvraient m'imprégnant de sperme et de salive. Toute l'âcreté de ce monstre, j'ai dû l'avaler avant de mordre à mon tour. Puis un soir, ce fut la fin; je le laissai boire jusqu'à ce qu'il crève; ensuite j'urinai sur son cadavre.

De même vous urinerez sur moi quand votre main osseuse aura trouvé la force de me tuer. N'hésitez plus, c'est si facile! Mieux que quiconque, les bêtes nous enseignent la gratuité de ce geste. L'insecte tue, la fourmi assassine, l'oiseau est le plus féroce meurtrier. Mais pourquoi vomissez-vous sans cesse? Est-ce l'âme nauséabonde de mon père qui vous habite? Son spasme qui vous secoue? Comme vos haricots sont effrayants à voir dans leur masse putréfiée! L'alphabet de l'horreur se décompose dans votre assiette.

Gilles Archambault

Curriculum vitæ

Gilles Archambault est né à Montréal en 1933. Réalisateur à Radio-Canada, il est aussi un amateur de jazz éclairé. Il a publié des pièces radiophoniques, une dizaine de romans, des textes de prose poétique et deux recueils de nouvelles: *Enfances lointaines* (1972) et *L'obsédante obèse* (1987). Sur un ton ironique, parfois désabusé, l'auteur continue dans ses nouvelles à explorer le monde intimiste qu'il a créé dans ses autres œuvres.

«Curriculum vitæ» dans *Enfances lointaines,*
Montréal, Le Cercle du livre de France, 1972.

Puisque je suis plongé, bien malgré moi, dans le monde du souvenir, traqué par vos questions indiscrètes, chers employeurs problématiques, aussi bien tout révéler. Je suis et j'ai toujours été un être de doute. Vous exigez de moi des affirmations, je tenterai de vous satisfaire. Je vous dis que je suis né en 1933, que mon père était un homme honnête, portant chapeau melon, que ma mère était une cuisinière émérite. Vous remarquerez que je m'efforce de ne rien dissimuler. Mes parents ont tenu une telle place dans ma vie! Ce n'est pas qu'ils ne se soient pas bien conduits envers moi, ils furent des parents corrects. Mon enfance a été joyeuse, insouciante. Chaque jour, je remercie le ciel de n'être pas né dans une de ces familles aux mœurs trop rigides.

Mon enfance s'est terminée, le 14 novembre 1944. Le soir de ce jour, vers neuf heures, mon père se rendait coupable d'une grave injustice à mon endroit. Là non plus, je ne vous cacherai rien. Il m'a envoyé au lit plus tôt que d'habitude pour me punir, disait-il, d'une leçon mal apprise. Je n'exagère pas, chers employeurs, ce geste en apparence anodin m'a bouleversé à jamais. J'ai su très rapidement qu'il ne se servait de son autorité d'une façon si brutale que pour caresser ma mère. Oui, chers employeurs, pendant que je me roulais dans mon lit, rongé par une jalousie bien légitime, ces deux-là s'apprêtaient à faire l'amour. J'entendais, de mon trou, les éclats de rire d'une femme douée d'une beauté éclatante, ses cris qui me perçaient le cœur aussi sûrement qu'une dague! L'angoisse était entrée dans ma vie pour n'en jamais ressortir.

Je les aurais tués. Bien sûr, je n'ai pas bougé. Je me suis contenté d'être malheureux dans le noir, puis de porter, pour la première fois, la main à mon corps. Incident capital, je répète, car c'est de cette époque que date mon profond intérêt pour les sciences mathématiques. Les études que j'ai poursuivies en ce sens, distingués employeurs, au cours d'une vie si vide de joies véritables, n'ont d'autre origine que les cris de jouissance que lançait ma mère dans la nuit pendant que je m'alarmais de voir mes draps maculés. J'entends encore le grincement des ressorts, puis, ô douleur qui me blesse encore, le rire victorieux de mon père! Chaque fois que j'ai raconté cette partie de ma vie, on s'est moqué de moi. Comme s'il n'était pas suffisant d'avoir eu à subir si jeune le poids de la défaite! Cette sensation d'échec, je l'ai traînée toute mon existence, où que j'aille. Je ne devrais peut-être pas vous l'avouer, chers employeurs, puisque vous clamez bien fort que vous recherchez un être plein de dynamisme. Je n'y peux rien. Je ne saurais être que pessimiste.

Pourquoi n'ont-ils pas choisi de se livrer à leurs jeux lubriques dans quelque lieu éloigné, connu d'eux seuls? Leur indécence me troublait au point qu'un soir, je n'ai pu résister au mauvais exemple qu'ils me donnaient. Je me suis approché de leur chambre et, derrière la porte qu'ils avaient mal refermée, j'ai goûté des voluptés solitaires. Ne voyez en cela, chers employeurs, que la manifestation de ma grande douleur. Mon âme était belle, sensible. Je regrettais d'ailleurs amèrement mes écarts de conduite. Le plus vite que je le pouvais après ces exploits d'une grande témérité, je courais m'agenouiller sur mon prie-dieu. Cent fois, j'ai craint que mon père ne se lève pour se rendre à la salle de bains! Ma grande piété augmentait ma culpabilité toute naturelle. Je priais pour moi, mais surtout pour ces porcs qui, sans égard pour ma pureté, se pelotaient à qui mieux mieux; ces insensés qui, non contents de jouir à hauts cris, se mêlaient de veiller à mon éducation!

Je n'étais pas un mauvais fils, tout juste un être ché-tif qui avait soif d'une joie perdue. Je veux bien admettre que ces détails ne vous intéressent pas, qu'il vous plairait davantage d'apprendre le nombre d'années que j'ai con-sacrées à l'étude et au travail. Soit! Je suis entré à la faculté des Hautes Mathématiques à l'âge de seize ans, j'en suis ressorti à vingt-deux, sans avoir obtenu le moin-dre diplôme, je m'en confesse. Je n'ai jamais pu me plier à aucune règle académique; je n'ai pas d'autre explica-tion à vous fournir, j'imagine. Cependant, lorsque vous saurez que tous mes loisirs ont été consacrés à l'étude et à la pratique des mathématiques, vous reprendrez con-fiance. Que pouvais-je faire, sinon étudier? Les femmes ne m'ont jamais porté bonheur. Elles m'ont entraîné dans des catastrophes innombrables, chers employeurs, je leur ai vite préféré la compagnie des livres. Depuis très longtemps, je ne connais que des veilles studieuses, m'habituant petit à petit à la vue de couples transformés par l'amour. Ce que j'ai pu aimer les femmes pour ce qu'elles m'ont rendu de bonheur! Aucune d'entre elles ne vient me provoquer dans ma retraite. Serais-je con-damné jusqu'à la fin à n'être qu'un homme qui se sou-vient? Dites-le moi, chers employeurs, avec brutalité s'il le faut, cela m'importerait plus, je crois, que ce poste que je sollicite avec toute la ferveur qui convient.

Mes parents sont morts dans un accident de voiture. J'ai décidé de dilapider systématiquement leur héritage. N'importe comment, en voyageant, en donnant des réceptions coûteuses auxquelles personne n'assistait, en m'entourant d'un faste inouï. C'est notre unique ven-geance à nous, les fils oubliés, que de voir disparaître ces gens qui nous ont servi de parents. Ces excentricités ne m'ont pas libéré, pas plus que les études d'ailleurs.

Deux fois, j'ai tenté de me suicider. Si je ne suis pas

allé au bout de mon projet, c'est que j'entendais, chaque fois, ce cri libérateur de ma mère au moment où mon père, ô l'être magnifique, pénétrait en elle. Je les ai vus souvent, je m'inspirais de leurs extases, sans eux je ne concevais pas de plaisir. Ces détails et les autres, j'en ai bien peur, chers employeurs, vous indisposeront. Ils sont pourtant tout aussi véridiques que ce formulaire que, par une convention aussi hypocrite que ridicule, je suis tenu de remplir pour solliciter l'insigne honneur de faire partie de vos cadres.

Yvette Naubert

L'obéissance

«L'obéissance» dans *Contes de la solitude II*,
Montréal, Le Cercle du livre de France, 1972.

À la première consultation, elle arriva en retard de dix minutes et depuis, elle était toujours en retard de dix minutes. Le psychiatre l'avait grondée comme on gronde un enfant désobéissant mais sans résultat. Il avait plus tard essayé de lui faire comprendre que son propre intérêt dépendait, pour une bonne part, de sa ponctualité puisqu'elle payait vingt-cinq dollars de toute façon. Mais c'était là une bagatelle dont elle ne se souciait guère.

— Oh! vous savez, dix minutes de plus ou de moins à raconter ses misères, qu'est-ce que cela change?

Mais ces dix minutes exaspéraient de plus en plus le psychiatre qui exigeait de tous ses patients une confiance et une obéissance absolues. Il jugeait l'une et l'autre indispensables à leur guérison et bien qu'il se défendît de vouloir entraver leur liberté, qu'il leur enjoignît de trouver eux-mêmes la cause de leur maladie et la clé de la guérison, il n'admettait pas la désobéissance. Tout cela, il l'expliqua patiemment à Hermance Robin mais après lui avoir promis une entière soumission, elle déclara qu'elle avait toujours été en retard et qu'il devait se trouver bien heureux de ne l'attendre que dix minutes. Les amis qui l'invitaient à dîner préparaient toujours le repas soixante minutes au moins après l'heure convenue.

— Vous ne vous rendez pas compte que vous êtes d'une extrême impolitesse?

— Oui. Mais je n'arrive pas à être à l'heure. J'essaie, je vous assure, docteur, que j'y mets toute ma bonne volonté. Mes amis me connaissent et m'aiment assez pour me pardonner.

— Moi, je ne vous le pardonnerais pas.

— Vous êtes peut-être aussi malade que moi dans le sens contraire.

Une petite veine battit sur la tempe du psychiatre; sa

joue se crispa mais il réussit cependant à retenir un mouvement d'impatience.

— Alors, mettons fin au traitement. Je ne vous suis d'aucune utilité et peut-être même que ces consultations vous sont néfastes d'une certaine manière. Comment pourrais-je vous soigner si vous n'en faites qu'à votre tête? Je perds mon temps et vous perdez le vôtre.

— Qu'allez-vous penser? Je suis très obéissante. Je fais tout ce que vous me dites. Mais vous ne pouvez pas me changer du tout au tout. En retard je suis, en retard je serai, même si je vous promets de faire tout mon possible pour être à l'heure. Mais qu'est-ce que dix minutes, après tout? Elles ne tiennent pas beaucoup de place dans une journée. Je ne vous enlève rien puisque je vous paye pour une heure. Ces dix minutes vous permettent de vous reposer. N'êtes-vous pas fatigué d'écouter ces misères? Toujours les mêmes, je suppose. Les êtres humains ne sont pas tellement variés.

— Je ne me repose pas puisque vous devriez être là. Je vous attends, je ne peux rien faire d'autre. Votre attitude rend le traitement difficile et votre guérison douteuse.

Mais elle rit en faisant mousser ses cheveux. Une bonne dose d'insouciance, une gaieté foncière et peut-être aussi son métier de comédienne qu'elle aimait, l'avaient longtemps protégée contre le malheur. Mais comme celui-ci s'était un peu trop acharné sur elle, il avait fini par ébranler sa résistance. Hermance Robin s'était tout d'abord réfugiée dans l'alcool, puis elle était un jour apparue dans le bureau du psychiatre. Mais elle était une patiente difficile sous son apparente soumission; elle ne se livrait que par bribes qu'il fallait presque lui arracher de force. Elle ne rêvait jamais ou du moins ne se rappelait pas ses rêves. Elle avait beaucoup oublié et les plongées dans le passé l'effrayaient.

— Pourquoi toujours parler de ce qui est révolu, puisque de toute façon, on ne peut pas recommencer sa vie. Guérissez-moi sans que j'aie à déterrer tous ces morts.

Elle ne pleurait jamais mais lorsqu'elle parvenait à arracher d'elle-même un épisode angoissant de son enfance, elle tremblait de tout son corps et poussait de petits cris d'animal blessé. Une étrange patiente. Soumise mais têtue, obéissante, sauf pour les dix minutes fatidiques dans lesquelles le psychiatre crut déceler un défi qui lui était personnellement adressé par transfert. Peut-être le père d'Hermance était-il à l'origine de ces dix minutes et par un processus normal du traitement, elle en rejetait tout le poids sur le psychiatre qui la soignait. Il essaya de n'y plus penser, de les oublier lui-même comme elle paraissait les avoir rejetées au plus profond de l'inconscient jusqu'à ce qu'elle découvrît et démêlât le nœud fatal. Mais plus l'heure du rendez-vous approchait, plus il devenait distrait, moins il s'intéressait au patient qu'il était en train de psychanalyser. Puis, durant les fameuses dix minutes, il fumait sans arrêt et consultait sans cesse son bracelet-montre. L'impatience qui se muait peu à peu en rage durcissait ses mains.

Il changea l'heure de la consultation et la reçut après le déjeuner. Ainsi, l'attente ne priverait pas de son attention les autres patients qu'il n'avait pas le droit de léser. Mais durant le déjeuner, sa femme lui demandait:

— Qu'y a-t-il, chéri? Tu sembles distrait.

ou

— Tu parais préoccupé. Qu'est-ce qui ne va pas?

ou

— Chéri, tu ne m'écoutes pas.

Il écoutait plutôt les battements de son cœur fébrile; il appréhendait les six cents secondes qu'il allait passer à attendre Hermance, les mains dures.

— Excuse-moi. Une patiente m'attend.

— Mais qu'elle attende. Tu as bien le droit de manger en paix comme tout le monde.

— Je ne peux pas la faire attendre. Elle est très malade.

Il ne pouvait pas lui expliquer que ce n'était pas la patiente qui attendait mais lui. Il avait beau s'efforcer de manger lentement, de s'attarder à table en buvant son café et en fumant une cigarette, il se levait brusquement.

— Excuse-moi. Je dois partir.

Il partait aussitôt, conduisait sa voiture à toute vitesse au risque d'accidents, s'enfermait dans son cabinet et attendait que les dix minutes exaspérantes fussent écoulées. Hermance arrivait, souriante ou triste, sobre la plupart du temps mais ivre parfois, seule ou conduite par son mari qui la quittait à la porte. Elle s'étendait docilement sur le divan, fouillait dans son passé ou restait silencieuse. Il lui arrivait de confondre des faits réellement arrivés avec des scènes de pièces de théâtre. Elle se représentait elle-même dans des rôles qu'elle avait tenus, des personnages qu'elle avait joués sur la scène. Il était difficile de démêler le vrai de l'imaginaire dans ce qu'elle dévoilait et tout en étant sincère, elle racontait souvent une comédie ou un drame qu'elle n'avait pas vécu réellement mais qui sortait de l'imagination d'un auteur dramatique. Elle disait souvent:

— Je ne sais pas qui je suis.

— Peut-être que vous êtes vraiment et réellement vous-même pendant les dix minutes que vous me faites attendre. Ne croyez pas que je les accepterai jamais. Vous devez absolument retrouver l'origine de ces dix minutes qui doivent avoir une importance capitale dans votre vie. Elles sont peut-être la cause même de votre angoisse. Vous ne serez vraiment guérie que le jour où vous saurez exactement pourquoi vous me faites attendre dix minutes à chaque séance de psychanalyse.

Elle écoutait ses remontrances, prenait un air contrit, allumait une cigarette et promettait de chercher honnêtement toutes les causes de sa maladie et d'être une patiente modèle en tous points.

Il changea de nouveau l'heure des consultations, alléguant qu'il y aurait de meilleures chances qu'elle fût sobre à neuf heures du matin. Elle acquiesça en souriant: elle aimait se lever tôt et aurait ainsi une bonne raison de ne pas traîner au lit au moins une fois par semaine. Elle promit d'employer toute sa bonne volonté à être à l'heure mais elle arriva à neuf heures dix. Alors, le psychiatre se réveilla plus tôt le matin, et dès son réveil, il ressentait une vive douleur dans les mains. Un jour, en les examinant, il vit dans les paumes les traces de ses ongles. Il se levait, allumait une cigarette, s'habillait en hâte, buvait en vitesse une tasse de café et s'en allait à son bureau. Mais il commença de s'inquiéter vraiment le jour où après avoir allumé sa première cigarette de la journée, il se dirigea vers le cabinet aux boissons. Il referma vivement la porte, le cœur battant, et se prépara en toute hâte une tasse de café.

Le gardien de nuit de l'édifice où il avait son bureau s'habitua à le voir arriver au petit jour, l'air préoccupé, le front barré d'un pli soucieux. Il entrait dans son bureau, sortait le dossier d'Hermance Robin, l'étudiait: dix minutes avaient tellement marqué la jeune femme qu'elle les avait enfouies au plus profond de l'oubli, jusqu'à l'inconscient. Mais elle devait les reprendre sans cesse ou les éviter. Plus vraisemblablement les éviter. Son enfance était passablement chargée. Des parents divorcés, une existence ballottée d'une grand-mère à l'autre. Cohabitation avec sa mère remariée et bien entendu, l'inévitable

assaut sexuel de son beau-père. Sa mère était morte tra-
giquement dans un accident de voiture qui avait laissé
Hermance elle-même entre la vie et la mort durant plusieurs jours. Sa carrière de comédienne bien réussie était
de plus en plus compromise par ses crises d'alcoolisme.
Enfin, croyant mettre un terme à son insécurité, elle avait
épousé un homme qui, en somme, ne lui apportait rien.
Sa vie justifiait amplement le traitement psychanalytique.
Mais pourquoi ces dix minutes? Que signifiaient-elles?
Où les rechercher? Elles étaient l'énigme non résolue, la
mystérieuse conjoncture qui pouvait provoquer la guérison
de la patiente ou sa complète dislocation. Elles angoissaient
le psychiatre comme si un aspect de sa propre vie en
découlait. Que faisait Hermance durant ce laps de temps
si court pour elle et si long pour lui?

— Que faites-vous durant ces dix minutes?

— Mon Dieu, que voulez-vous que je fasse durant
dix minutes? Je cherche la clé de la voiture ou bien mon
porte-monnaie. Ou bien, je dois arrêter faire le plein
d'essence ou bien je réponds au téléphone. C'est tout, je
vous assure, docteur. Vous prenez ces dix minutes bien
trop au tragique. Moi, elles ne me tracassent pas du tout.
S'il n'y avait que ces pauvres dix minutes dans ma vie, je
ne viendrais pas toutes les semaines étaler mes misères
devant vous.

— Vous vous trompez: ces dix minutes sont peut-
être les plus importantes de toute votre vie. La connaissance de la raison profonde de ce retard est peut-être la
clé de votre guérison complète et définitive.

— Vous les prenez trop au tragique, docteur. Oubliez
ces dix minutes et pensez aux cinquante autres que je
passe ici. Il me semble que ce sont celles-là les plus importantes puisque je vous raconte ce que je n'ai jamais dit
à personne.

— Non, non, vous ne comprenez pas. Ce n'est pas ce qu'on se rappelle qui compte mais ce qui est profondément enfoui dans ce qu'on croit être l'oubli et qui agit sur nous d'une manière pernicieuse qui nous empêche de vivre pleinement notre vie. Ces dix minutes qui vous paraissent anodines sont peut-être les dix minutes les plus importantes de votre vie, celles qui constituent pour vous la force même de votre vie ou de...

— De ma mort. Ou même de la vôtre, docteur, car vous·y attachez tellement plus d'importance que moi.

Elle avait raison: ces dix minutes le torturaient. Peut-être, en effet, devait-il chercher la cause de cette angoisse dans sa propre vie. Mais ayant été soumis à la psychanalyse avant de pratiquer son art, il était certain de se connaître. Pourtant, il craignait de perdre toute patience, de prononcer des paroles regrettables, de faire des gestes qui pourraient paraître menaçants. Un jour qu'il supportait l'attente plus mal encore, il téléphona à un confrère.

— Puis-je vous demander de vous occuper d'une de mes patientes? Je crois que je compromets sa guérison. Recevez-la, je vous prie, du moins durant un certain temps, jusqu'à ce que je reprenne mon aplomb.

Après qu'il lui eût fait part de la décision qu'il avait prise de la confier à un autre psychiatre, elle fit mousser ses cheveux selon son habitude quand quelque chose la contrariait, mais elle n'émit aucune objection.

— Bon, comme vous voudrez.

Sa soumission l'étonna et l'irrita même quelque peu: il aurait aimé qu'elle n'acceptât pas aussi facilement, qu'elle protestât, que pour une fois, elle ne lui obéît pas d'aussi bonne grâce. Il ne se sentait pas rassuré lui-même quant à la sagesse de cette décision. À ce stade du traitement, ce revirement inattendu qu'il avait jugé nécessaire pouvait toutefois être dangereux pour elle. Mais dès qu'il cessa de l'attendre, son angoisse disparut et il put retourner à une vie normale. Il dormit mieux, ne se leva plus à l'aube, fuma raisonnablement.

— Tes ennuis sont terminés? lui demanda sa femme. Tu m'inquiétais. J'ai cru un moment que c'était toi, le malade.

Il porta une attention égale à tous ses patients et comprit qu'il devait se montrer plus prudent à l'avenir, ne plus jamais se laisser dominer ainsi. À Pâques, il accompagna sa femme à Miami et vécut deux semaines de vraie détente. Il revint bronzé, détendu, prêt à reprendre le travail. Mais un message de son confrère l'attendait.

— Je ne peux rien pour elle. Elle me glisse entre les mains comme un poisson. Elle arrive de plus en plus en retard et une fois sur trois, elle ne vient pas du tout. Elle s'est remise à boire et je ne serais pas étonné qu'elle se drogue, bien qu'elle le nie. Je n'arrive pas à établir un diagnostic précis: son cas m'échappe complètement.

Elle arriva à l'heure dite à la consultation. Amaigrie, le regard morne, le front mélancolique. Il la contempla longuement, puis il la prit dans ses bras et la baisa sur la bouche.

— Il le fallait, n'est-ce pas?

Toute tremblante, elle se serrait contre lui, l'étreignait comme un enfant qui a une grande frayeur. Ils devinrent des amants à l'instant même, sur le divan où tant de fois elle s'était étendue pour lui raconter sa vie.

— Maintenant, tu m'appartiens. Tu feras ce que je te dirai, exactement comme je te l'ordonnerai, n'est-ce pas? Tu m'obéiras en tout et sur tout.

Elle promit mais au rendez-vous suivant, elle le fit attendre les dix minutes habituelles. Après que son assistante eût refermé la porte, il s'avança vers Hermance et il la gifla violemment. Aussitôt, apparut sur la joue de la jeune femme la marque de ses doigts. Alors, les mains du psychiatre se détachèrent de lui: elles entourèrent le cou d'Hermance Robin et serrèrent jusqu'à ce qu'elle eût cessé de lui résister. Il porta le corps sur le divan, l'étendit. Il s'assit dans son fauteuil, respira profondément, alluma une cigarette. Il consulta son bracelet-montre: dix minutes exactement s'étaient écoulées depuis que Hermance Robin était entrée dans son bureau. Dix minutes, c'était assez pour mourir et tuer. Tous deux, ils les avaient longtemps attendues et longuement préparées. Mais à présent, le psychiatre savait tout sur Hermance Robin et sur lui-même.

Claudette Charbonneau-Tissot

Relent

꧁꧂

Claudette Charbonneau-Tissot est née à Montréal en 1947. Professeur de lettres, elle collabore aussi à plusieurs revues. Elle est l'auteur de deux romans: *La chaise au fond de l'œil* (1970) et *L'assembleur* (1985); d'un récit en deux volumes pour enfants: *Les petites boîtes 1 et 2* (1983); d'un recueil de contes: *Contes pour hydrocéphales adultes* (1974); et de deux recueils de nouvelles: *La contrainte* (1976) et *Banc de brume* (1987). Dans les deux premiers recueils s'entame l'univers singulier, marginal et quelque peu étrange dont l'auteur poursuivra l'érection dans ses œuvres subséquentes. Claudette Charbonneau signe maintenant tous ses textes du nom de Aude.

«Relent» dans *Contes pour hydrocéphales adultes*, Montréal, Le Cercle du livre de France, 1974.

Mes mains crevèrent la surface. J'eus une toux douloureuse qui m'empêcha de voir pendant quelques secondes mais dès qu'elle eut cessé, tout en continuant d'agiter les bras et les pieds pour me tenir la tête hors de l'eau, je regardai autour. Le voilier flottait en pièces détachées, le grand mât couché au travers de la partie avant de la coque fendue. Juste en arrière, un peu plus loin, je vis soudain L émerger puis s'enfoncer. Je nageai dans sa direction. L'eau était rose à cet endroit. Il ne refit pas surface et je dus plonger. Je gardai les yeux ouverts mais ce fut inutile car l'eau était brouillée et je ne vis rien, pas même le bras que je heurtai par hasard et dont je m'emparai avec force. Mes jambes et mes bras s'agitèrent frénétiquement et nous avons crevé la surface. Il n'opposait aucune résistance et cela me facilitait la tâche mais ses yeux laissaient voir plus de blanc que de brun et j'avais l'impression de sauver un cadavre. Je lui maintenais la tête hors de l'eau en lui tenant la nuque lorsque tout à coup j'eus une sensation de chaleur aux doigts de ma main droite. Je me penchai de ce côté et je vis l'ouverture dans sa chair, longue de plus de six pouces et aux parois de laquelle deux de mes doigts s'agrippaient pour le maintenir solidement. Je détachai ma main et tâchai de le prendre sous le menton, par derrière, pour le tirer jusqu'à la première épave mais je n'avais plus assez de force. Je continuai donc à nous maintenir sur place et soudain, je vis M, au bout de mon rayon, les yeux démesurément ouverts, tourné de notre côté, les deux mains appuyées sur la rame droite dont la palette était dans les airs, à mi-chemin de son trajet normal, mais immobile, comme si tout cela n'avait été qu'une photo. Je me mis à l'appeler, laissant même s'enfoncer légèrement L pour mieux agiter un bras afin d'attirer suffisamment l'attention de M pour le faire sortir de son étrange torpeur. L commença à tousser un peu et je dus le maintenir plus solidement. La palette de la rame s'enfonça dans l'eau et les yeux de M bougèrent mais je vis ses mains quitter l'extrémité de la rame et se poser sur ses genoux, comme si de rien n'était, comme si L et moi n'avions été que les personnages d'un film. L toussait de plus en plus et il commençait à se débattre. J'essayai par derrière de déjouer sa résistance et de l'immobiliser en le prenant par le dessous des bras mais il fut plus rapide que moi et ses deux mains se posèrent sur mes épaules qui s'enfoncèrent sous son poids, puis ce fut au tour de ses pieds à s'appuyer sur moi de telle sorte qu'en peu de temps je manquai d'air. Je me mis à me débattre moi aussi de façon désordonnée jusqu'à cet instant où je crevai à nouveau la surface. Je nageai jusqu'à l'épave la plus près de moi dans le bois de laquelle mes ongles s'enfoncèrent. J'étais prise de spasmes et je finis par vomir. Ce n'est qu'après que je vis M enfoncer les rames dans l'eau et se diriger vers moi. Je me retournai vers L mais il avait disparu. Je me laissai hisser dans la chaloupe au fond de laquelle M m'étendit, les pieds vers l'avant. Il s'installa ensuite sur le banc du centre en écartant les jambes pour les poser de chaque côté de moi et il commença à ramer, lentement, ne détachant les yeux de moi que pour regarder, par intermittence, la berge où nous allions. J'étais dépourvue de toute pensée critique et, dans cette situation où j'aurais eu raison d'être affolée, j'étais tout simplement préoccupée par le titre du film dans lequel j'avais vu une scène similaire à celle que je vivais, c'est-à-dire cette scène dans laquelle la caméra descendait au fond de la fosse, en même temps et avec le cercueil, pour ensuite diriger sa lentille vers ceux qui étaient en haut, autour, à regarder. Non seulement cette préoccupation ne me quitta point mais elle alla s'accentuant lorsque

l'on m'étendit sur la plage et que d'autres visages s'ajoutèrent à celui de M en donnant du même coup à la scène
son élément sonore fait de voix retenues où je croyais
entendre le balbutiement des survivants réunis au salon
funéraire. Mais il y eut bientôt une sirène d'ambulance
qui vint briser le charme qui me tenait à l'écart de moi-
même et lorsque l'on mit sur ma bouche la ventouse
noire de l'oxygène, L mourut au fond de moi et de l'eau.
On me glissa sur une civière, on me recouvrit d'une
couverture de laine rouge puis on boucla les deux larges
courroies de cuir.

Sa main droite quitte son genou et va jusqu'à la
table sur laquelle est posé le verre qu'il prend et porte
jusqu'à ses lèvres qui s'entrouvrent pour laisser entrer le
liquide jaune dont la mousse colle à sa lèvre supérieure
qu'il essuie du revers de la main après avoir posé le verre.
Puis sa main droite va rejoindre l'autre sur ses genoux
puisqu'il sait que tout geste est inutile et que même en
appuyant sur la gâchette d'un fusil, ou en tendant une
corde, ou en tournant davantage le volant, ou même en
ramant il ne fera pas échapper les personnages du film à
l'ennemi ou à la chute ou à l'accident ou à la noyade,
selon le cas, c'est-à-dire suivant le déroulement de cette
histoire dont je n'ai vu que les premières images puisque
j'ai ensuite tourné les yeux vers M en veillant à ne point
tourner la tête pour ne pas qu'il s'aperçoive que je le
regarde regarder de ses yeux démesurément ouverts.
Mais soudain je vois ses yeux bouger et avant qu'ils ne
m'atteignent je détourne les miens sur l'écran où les
personnages sont maintenant disparus, peut-être au fond
d'un précipice, peut-être au fond de l'eau, et où je vois
maintenant défiler des rangées de fromages grossiers en
même temps que me rejoint la voix solliciteuse et sans
visage de l'annonceur, puis cette autre voix vers laquelle

je me refuse à me tourner et qui aligne à mon intention des mots en apparence anodins mais au fond si terribles que je finis par me retourner et le dévisager. Sitôt que s'effectue le contact, son regard se décroche et va se poser sur l'écran où les personnages qui restent doivent avoir réapparu pour entamer cette deuxième ou peut-être même une troisième bobine de leur vie pendant laquelle, après ce qui est arrivé dans les deux premières, c'est-à-dire après que le mari eût tué l'amant de sa femme ou peut-être même le frère de cette femme, ce qui re-vient dans les circonstances au même, il y aura, simple-ment pour entretenir le drame, un autre meurtre, celui du mari probablement, ou un suicide, celui de la femme, ou les deux à la fois, ce qui n'est pas rare et plaît au spectateur, voire même au lecteur de ces journaux à sen-sations dans lesquels de tels événements excitent davan-tage du fait qu'il sont censés être réels. Je me lève, appuie sur le bouton et l'image disparaît. M me crie de repous-ser ce bouton, que le film est excellent. J'ai sur moi un instant, son regard irrité. Voyant que je ne réagis pas, il se lève et appuie lui-même sur le bouton. Sans quitter des yeux l'image, en reculant, il va se rasseoir, les mains posées sur les genoux. Je retourne m'asseoir aussi et con-tinue de le regarder à la dérobée. Sans quitter l'écran il me demande ce qui m'a pris. Je dis que je croyais le film terminé. Sa main droite quitte ses genoux et prend le verre sur la table. Mais le film doit être à un point tournant car il maintient le verre un long moment à mi-chemin entre la table et sa bouche. Il approche enfin le verre de ses lèvres et boit ce qui y reste en l'inclinant considérablement et en penchant la tête en arrière de telle sorte que je ne m'aperçois d'abord pas qu'il me regarde et que ce n'est qu'au son de sa voix que j'en prends conscience. Il me demande ce que j'ai à le regarder ainsi. Je lui réponds que je regardais son verre vide et que je me demandais s'il ne voulait pas une autre bière. Il redescend le verre et ramène la tête en position normale. Il a un petit rire et dit que cela lui plairait en effet mais de ne pas me déranger, qu'il ira la chercher lui-même. Je me lève aussitôt et allant jusqu'à lui je m'empare du verre en le priant de se laisser gâter un peu, que cela n'arrive pas très souvent. Je m'apprête à le quitter lorsqu'il me tire par le poignet et, me forçant à me courber, me donne un baiser rapide avant que ses yeux ne se reposent sur l'écran où sont revenus les survivants du drame. Je vais jusqu'à la cuisine, pose le verre sur l'armoire puis retire sans bruit mes souliers et me dirige vers l'escalier que je monte rapidement mais en m'appuyant fortement sur la rampe pour répartir mon poids et éviter le grincement des marches. J'ouvre l'armoire à pharmacie au-dessus de l'évier et prends dans une bouteille brune à l'extrême gauche sur la troisième tablette, quatre pilules sur lesquelles je referme la main avant de descendre l'escalier. Je remets mes souliers et sors du réfrigérateur une bouteille de bière ainsi que le contenant métallique d'un fromage à la crème à la ciboulette. J'ouvre deux des capsules et verse leur poudre au fond du verre. Je verse ensuite la bière par-dessus en la faisant mousser comme M la préfère. La poudre est invisible. J'ouvre un sac de croustilles et prépare le fromage dans lequel M les trempera. J'y ajoute le contenu des deux autres cachets et un peu de sel d'ail et d'oignon. Ce sont à nouveau les fromages qui défilent à l'écran. M s'avance et du bord de son siège il prend la bière en me remerciant. Je dépose les croustilles et le fromage sur la table. Il en prend une et en fait glisser la partie recourbée dans le fromage. Il trouve la sauce plus piquante. Le film reprend. Il prend une gorgée et pose le verre sur la table. Sans prendre la peine de me regarder il me demande le nom de la bière que je lui ai servie et dont il ne reconnaît pas le goût un peu aigre. Je lui dis que c'est une nouvelle marque, celle qu'il voulait essayer. Il me dit de ne plus en acheter. Les personnages se mettent à crier. Je tourne la tête vers eux mais ils se sont déjà tus. Ils sont face à face. Ce doit être le mari et la femme. Ils ne bougent pas. On dirait que le film s'est arrêté. Il n'y a aucun son. Je tourne la tête vers M et lui demande ce qui arrive. Il me fait signe de me taire. Je tourne à nouveau les yeux vers l'écran; c'est la même image ou plutôt presque, car le mari ne regarde plus sa femme: il regarde de chaque côté d'elle, comme ses jambes, un peu plus tôt, étaient posées de chaque côté d'elle. L'image n'est plus verticale. Elle est horizontale ou bien la femme s'est couchée. Je ne les ai pourtant pas vu faire de mouvements. La scène s'éternise et cela finit par m'impatienter. Je me tourne à nouveau vers M pour lui demander des explications mais les sons s'arrêtent dans ma gorge: M, les yeux démesurément ouverts, fixe toujours l'écran; il tient à deux mains, horizontalement, à la hauteur de sa poitrine, comme s'il s'y appuyait, son verre vide. Un cri de femme me fait tourner la tête vers l'écran. Les personnages ont disparus. On ne voit plus qu'un remous. Il y a tout à coup un bruit de vitre brisée. Je cherche vainement l'association que le réalisateur a voulu faire entre le remous et ce bruit. Je tourne mon visage interrogateur vers M et j'aperçois les éclats de verre par terre. M marmotte quelque chose: il n'est pas bien et veut que je l'aide à monter à la chambre. Je m'étonne qu'il ne veuille pas voir la fin du film mais il m'informe qu'il est déjà terminé. Je me lève, pousse le bouton et l'aide à se lever de son fauteuil. Il est très lourd et s'aide peu. Je lui fais tenir la rampe à droite et le maintiens à gauche.

Arrivé près du lit il s'y laisse tomber avec lourdeur. Il me demande d'appeler son médecin. Je prends l'écouteur, le porte à mon oreille et compose un numéro au hasard. Dès qu'il est complet, j'appuie l'index sur l'interrupteur et commence un monologue. Vous ne pouvez venir avant trois quarts d'heure. Un bain froid en attendant. Le cœur. Bon. Le garder éveillé. Bien. M écoute en s'efforçant de garder les yeux ouverts. Il m'interroge, s'inquiète. Je prépare le bain et l'aide à s'y rendre. La peur lui donne de l'énergie. Il croit que s'il s'endort il mourra. L'eau froide le secoue. J'ai retiré le tapis antidérapant et il a de la difficulté à se maintenir. Il oscille de tous côtés et je dois lui servir d'appui. Je commence à lui savonner les bras et les mains. Il est étourdi. Je dégage une de ses mains qui s'accroche à moi et me recule. Son autre main glisse sur mon bras et va frapper le rebord de la baignoire. Il perd l'équilibre et tombe à la renverse dans l'eau qui lui couvre la figure. Il se débat un instant et je finis par m'approcher assez près pour qu'il s'agrippe à mon bras qu'il écorche en se redressant. Il est secoué de frissons et me regarde avec effroi. Il tente en s'appuyant sur moi de se hisser hors du bain dans lequel je continue à le maintenir sans trop de difficultés. Il se met à crier qu'il a froid et qu'il veut sortir de là mais après un moment il comprend que ses cris sont inutiles et se tait. C'est alors que je lui demande si cela ne lui rappelle rien. Les yeux démesurément ouverts il me fait signe que non. J'arrache alors ses mains de moi et le laisse tomber pour la deuxième fois dans cette baignoire sur le rebord de laquelle il se heurte la tête, juste en haut de la nuque, une ouverture de plus de six pouces qui teinte l'eau de rose. Sa bouche fait des bulles pendant qu'il se débat. Je m'approche enfin et dois moi-même, en appuyant ma main derrière sa nuque, le redresser. Il tousse et crache.

J'ai peur qu'il vomisse, ce que je ne peux supporter, mais la toux finit par cesser. Il porte la main à sa tête puis la ramène, rouge et la regarde: son sang l'affole. Il me supplie de l'aider. Je lui demande si tout cela ne lui rappelle rien. Il reste un long moment immobile à me regarder puis ses yeux s'ouvrent à nouveau démesurément. Ses mains laissent mon bras et entrent dans l'eau pour se poser sur ses genoux, comme si de rien n'était, comme si L et moi n'avions été que les personnages d'un film semblable à celui qu'il regarde à présent, les yeux grands ouverts, comme dans cette chaloupe, il y a déjà plus de quinze ans, et comme, il y a à peine deux ans, dans ce bain duquel il est sorti dégrisé pour entrer à nouveau dans notre vie quotidienne que nous avons poursuivie comme si de rien n'était. Sa main droite quitte son genou et va jusqu'à la table sur laquelle est posé le verre qu'il a rempli lui-même et qu'il prend et porte jusqu'à ses lèvres qui s'entrouvrent pour laisser entrer le liquide jaune dont la mousse colle à sa lèvre supérieure qu'il essuie du revers de la main après avoir posé le verre. Puis sa main revient rejoindre l'autre sur ses genoux puisqu'il sait que tout geste est inutile et que rien ne changera cette histoire déjà écrite dans laquelle un homme aime une femme qui a un frère avec lequel elle entretient une relation qu'il saisit mal mais qui le blesse profondément, une sorte d'inceste entre eux qui le maintient à l'écart. Les fromages défilent une fois de plus devant nous sans que la moindre petite couche de velours cryptogamique verdâtre ne les recouvre après ces années de ridicules parades. M dit que le mari n'a pas tué le frère. Je lui dis que si. M m'explique alors qu'il est vrai que le mari désirait l'élimination du frère mais qu'il n'aurait jamais osé le faire. Je lui dis que justement il n'a pas eu à oser: il n'a eu qu'à laisser faire ce qui se faisait seul mais qu'il aurait pu empêcher s'il l'avait voulu. M essaye de me faire comprendre que tout cela s'est passé comme en dehors du mari, dans un film qui se déroulait devant lui et à la trame duquel il n'aurait rien pu changer, ou plutôt dans un rêve qui était le produit de son inconscient actualisant mentalement ses désirs les plus secrets pour l'en libérer. Je rétorque que tout cela ne s'est pas passé mentalement mais que c'est effectivement arrivé puisque le frère est mort. M l'admet mais il dit que sur le coup le mari n'a pas distingué le rêve de la réalité ou la réalité du rêve. Les yeux de M me quittent et vont adhérer à l'écran dont ils se mettent à sucer les images. Le corps est repêché après deux semaines de recherches. L'enquête révèle que la cause de l'accident est la pesanteur disproportionnée du nouveau mât que la victime avait installé dernièrement sur son voilier. Le mari est honoré du titre de sauveteur. Je dis que c'est injuste. M répond que si le mari n'était pas venu au secours de sa femme elle se serait épuisée et noyée elle aussi. Je dis qu'elle se serait hissée sur la coque et aurait attendu du secours. M n'écoute plus et les yeux démesurément ouverts il fixe l'écran vers lequel je tourne aussi les yeux et vois la femme à genoux à quelques pieds de la baignoire, laisser son mari tomber à la renverse dans cette eau qui lui couvre le visage qu'il tente désespérément de ramener hors de l'eau, mais ses efforts sont vains car il est sous l'effet de somnifères qu'elle lui a fait prendre, à son insu, et ses mains glissent sur la fine couche de savon qu'elle a dû soigneusement étaler, tout le long des parois, en préparant ce bain qui allait lui servir de cercueil. M dit qu'il a rarement vu un meurtre aussi ignoble. Je lui dis qu'il ne s'agit pas d'un meurtre: certes elle désirait cette élimination mais elle ne l'aurait jamais osée. C'est lui qui n'a pas réussi à sortir de l'eau et non elle qui l'y a enfoncé. Je croyais que c'était là la fin du film mais les yeux de M se détachent à nouveau de moi et retournent à l'écran. Le mari est assis dans un fauteuil, les mains posées sur les genoux et il regarde un film en compagnie de sa femme. Je croyais qu'il était mort! M répond qu'il ne faisait que semblant comme dans un autre film. Le mari se lève en prétextant qu'il va chercher une autre bière. M dit que c'est une bonne idée et se lève aussi. Je reste à regarder la femme qui regarde. Soudain son mari apparaît derrière elle, quelque chose étendu entre les mains. Je vois mal ce que cela pourrait être car il est de côté. Il lève les mains au-dessus de la tête de sa femme et c'est alors que je vois distinctement la corde qui, d'un mouvement rapide, me passe devant les yeux pour aller encercler ma gorge dont la chair doit se plisser sous la tension qui se fait de plus en plus forte au fur et à mesure que je manque d'air au fond de cette eau dans laquelle je vois maintenant L s'agiter devant moi, la tête fendue comme notre voilier sur lequel nous avons fait notre dernier voyage d'hermaphrodite.

Naïm Kattan

L'opération

❧

Né à Bagdad en 1928, Naïm Kattan a émigré au Canada en 1954. Membre de la Société Royale du Canada et de l'Académie canadienne-française, il a publié de nombreux essais, des pièces de théâtre, cinq romans et cinq recueils de contes et nouvelles: *Dans le désert* (1974), *La traversée* (1976), *Le rivage* (1979), *Le sable de l'île* (1981) et *La reprise* (1985). Dans ses nouvelles comme dans ses romans, l'auteur explore sur le mode de la fiction, c'est-à-dire de façon personnelle et intime, le monde dont il scrute les fondements et les problèmes dans ses essais.

«L'opération» dans *Dans le désert*, Montréal, Leméac, 1974.

«Oui, je me sens beaucoup mieux. Merci docteur. Non je n'attends aucune visite. Peut-être va-t-on me téléphoner. Au revoir, docteur. Merci encore.»

Je reviens de loin. Qui peut franchir cette porte? Venir pour moi, pas en service commandé, mais pour moi, pour le plaisir de me voir? Et moi? Ai-je jamais eu envie, vraiment envie de voir qui que ce soit? Même maman, j'allais la voir à l'hôpital par obligation. Je n'ai jamais su si elle m'a aimée.

— Allô! C'est toi Odile? Tu est gentille de penser à moi. Je me sens un peu mieux aujourd'hui. Je reviens de loin. C'est comme un long sommeil, une longue absence. Je suis morte et me revoilà en vie. Je sais que ce n'est pas grave. Je ne suis pas la première femme à avoir subi cette opération. N'empêche que je me sens comme mutilée. Non, je t'assure que je ne me fais pas des idées. C'est ce que je sens. Non, il n'est pas venu mais il m'a envoyé un beau bouquet de roses. Ah oui, il est gentil mais comme tu dis il est occupé. Et puis on n'a pas envie d'aller voir une vieille tante malade à l'hôpital surtout quand il fait si beau dehors et que l'on est entouré de jeunes filles. Oui, tu as raison, cela me fatigue un peu de parler. Merci d'avoir téléphoné. Tu es si gentille de penser à moi.

Pourquoi viendrait-il me voir? Il n'a envers moi que des obligations. Il s'en décharge avec des fleurs. À dix ans il comprenait déjà le sens de notre contrat. Je m'occupais de lui mais ne remplaçais pas sa mère. Il réservait son affection à son père. Et mon frère la lui rendait bien. Qui sait? Si j'avais pu l'aimer, lui manifester quelque tendresse, il me l'aurait peut-être rendue. Mais je n'ai jamais osé. Je crois qu'il m'en a voulu. Il me parlait souvent des mères, des tantes ou des sœurs de ses copains. Elles avaient le cœur sec comme un roc ou bien elles n'étaient qu'amour et douceur. Toujours un ton de regret, un reproche inexprimé. Je ne lui devais rien. Il me l'a souvent dit comme pour me prévenir que lui non plus n'avait rien à me rendre ou donner. Il s'est si bien arrangé pour se passer de moi. Jamais il ne m'a réclamé de l'argent de poche. Bien sûr, il n'allait pas me présenter ses amis et savait si habilement esquiver toute question sur les jeunes filles qu'il fréquentait. Il aurait pu tout de même se demander ne fût-ce qu'une fois si j'étais heureuse, si j'avais de la peine ou du chagrin. Quand je pleurais il faisait semblant de ne pas me voir, se barricadant dans sa chambre et refusant de me parler. Ah que ne me suis-je jetée sur lui, sans orgueil et sans honte... Peut-être alors...

— Oui, entrez. Merci. Posez-les sur la table. L'odeur des œillets m'écœure un peu mais j'aime les regarder. Oui, donnez-moi la carte. Merci. «De la part de Gaston.» Il ne s'est même pas dérangé pour l'écrire lui-même. Tout se fait par téléphone. On commande et l'on paie après, plus tard, à tempérament. C'est bien de lui. Je ne lui en veux pas. Même pas. Je ne crois pas qu'il ne m'ait jamais regardée en face. Pas une fois. Il m'écrivait des notes. Pour les petits bouts de papier, il est fort. Ah ça, oui. J'ai élevé son fils tandis que lui ne se privait de rien. A-t-il pensé à me remercier? Il l'aurait envoyé dans un pensionnat. Et il se serait arrangé pour ne rien débourser. Il est fort. Il n'a jamais rien donné. On dirait qu'il était né avec une malformation. Enfant, il était toujours celui qui prenait, qui arrachait et quand je résistais je donnais l'impression d'avoir tort. Je finissais par me laisser faire. Je l'aimais et il ne me payait pas de retour. J'aurais dû déjà savoir que l'amour n'est jamais rétribué. J'aurais moins souffert plus tard. Comme j'étais heureuse en sa présence. Et je l'admirais et j'admirais même sa cruauté, sa sécheresse de cœur. Il n'a pas été heureux lui non plus. On dirait que nous ne sommes pas nés pour le bonheur chez nous.

— Allô, oui. Bonjour Charles. Merci Charles. Oui, bien sûr que tu peux. Non. Pas ce soir; les heures de visites sont passées. Oui c'est ça. Oh, comme tu es gentil. Et Fernande? Ah, oui, la pauvre. Je comprends. Il faut surtout qu'elle se repose. Merci Charles. Tu n'as pas besoin de le dire. Oui, je sais. Mais c'est gentil quand même. Oui c'est ça. À demain peut-être. Au revoir.

Me voilà tremblante, toute remuée, bouleversée comme la première fois. Il y a vingt-neuf, trente ans déjà. A-t-il jamais su que je l'ai aimé, vraiment aimé? Je faisais tout pour l'en dissuader, exprès pour l'éloigner. Je devais être malade. Il doit me manquer quelque chose. Je le revois encore. Si beau. Il n'a pas changé d'ailleurs, malgré Fernande. Elle a eu toutes les chances celle-là, il n'y a pas à dire. «Je t'aime Hélène, je n'aimerai que toi.» Si je lui rappelais ses mots? Il rirait. Nous avions vingt ans, nous étions jeunes, dirait-il. Lui, oui. Jeune, passionné. Moi, je suis née vieille. À vingt ans j'étais déjà revenue de tout. Il me trouvait belle. Je lui disais qu'il se trompait, que j'étais ordinaire, fabriquée à des milliers d'exemplaires. Cela le fâchait. Il avait raison. J'étais peut-être réellement belle. En tout cas moins triste que Fernande, et plus propre. Je m'arrangeais toujours pour qu'elle soit là quand il venait me chercher et je lui parlais souvent d'elle. Il ne comprenait pas, moi non plus d'ailleurs. Jusqu'au jour où il m'a dit: ma parole, tu me jettes dans ses bras. Oui et elle les avait grands ouverts pour lui. Elle me l'aurait pris de toute manière. Elle se serait arrangée n'importe comment. Autant le lui donner de bonne grâce. Je me souviens: «Ta sœur ne m'attire pas du tout», me dit-il un soir. Il m'a prise dans ses bras. Il était fou de désir. À la moindre faiblesse il aurait sauté sur moi. Je le voulais, je le désirais, que n'a-t-il déchiré ma robe? Il aurait dû me faire taire, me gifler. Je ne lui aurais pas résisté. J'avais peur de tout. J'étais effrayée par l'idée de me laisser fondre, absorber. Je l'éloignais. Dès qu'il voulait me prendre dans ses bras, je le repoussais. Quand on dansait je me sentais anéantie, légère. Je me ressaisissais. Il le fallait. Pourquoi? Pourquoi? Je l'aimais. C'est le seul que j'ai jamais aimé. Je ne sais pas ce que j'attendais de lui. J'avais peur et il ne me terrorisait pas assez. Des claques, voilà ce que je méritais. Je lui disais que Fernande le trouvait beau, intelligent. Et toi? Oui moi. Il aurait dû comprendre que c'était moi qui l'aimais, qui le trouvais beau mais que je n'osais pas le lui dire directement. J'avais besoin d'un prétexte, d'un paravent. Il n'a pas compris. Ou peut-être il a trop bien compris. Il a tourné cela en jeu. «Comment Fernande trouverait-elle ma cravate? me demandait-il, mon pantalon, ma chemise, ma mine?» Belle, superbe. Fernande était toujours d'accord. Il ne me demandait plus mon avis. Au nom de Fernande, je pouvais tout dire. Toute ma réserve tombait. Le malheur c'est que Fernande existait bel et bien. Avait-elle deviné? Elle avait toujours l'air étonné, candide. Elle était innocente, la voleuse. Au début elle mettait le hasard de son côté. Elle se trouvait près de la porte quand Charles sonnait. Et Bonjour Charles et comment cela va au bureau, au revoir Charles, amusez-vous bien. Comme elle savait minauder. «Elle est gentille, ta sœur», me dit-il un soir. Pourquoi ne l'invites-tu pas? Tu es bête. Il n'en a plus jamais parlé. C'était un sujet tabou. Elle n'existait plus. Il affectait même l'indifférence quand elle se précipitait pour nous souhaiter une bonne soirée. Il jouait mal le pauvre. Il la cherchait des yeux dès qu'il traversait le seuil de la porte. J'aurais pu encore le rattraper, coucher avec lui. J'en mourais d'envie. J'étais encore plus rigide.

Je me rebiffais. Tu la veux ta garce? Prends-la. Il n'a pas attendu ma permission. Je me demande encore quel démon m'habitait. Je souffrais mais je faisais exprès pour les laisser ensemble. Je les surprenais, pleins d'animation, d'ardeur. Et c'est moi qu'il aimait. Je le savais. Il cherchait encore à me garder dans ses bras, à m'arracher un aveu, à me soutirer une confidence. Je devenais bête, hargneuse. Demande à Fernande. J'ai su après qu'ils se voyaient. Au début c'était encore le hasard. Elle se trouvait devant son bureau. Elle a dû l'attendre pendant une heure à faire le trottoir comme une putain. En ma présence elle l'évitait. Elle n'avait plus besoin de prétexte, l'hypocrite. Elle aurait dû savoir qu'il était la loyauté même. Ce n'était pas lui qui allait poursuivre ce double jeu. «J'ai à te parler.» «C'est inutile. Tu aimes Fernande et c'est elle que tu veux voir.» «Elle te l'a dit?» «Non.» «Je regrette.» Si je n'avais pas été assise, je me serais effondrée. L'a-t-il vraiment aimée, elle? Ou est-ce toujours moi qu'il cherchait à étreindre à travers elle? Quel soulagement! Désormais je n'avais plus à accepter ou à refuser. Je n'étais plus guettée. Personne n'attendait plus rien de moi. J'étais tranquille. Au début quand Fernande me disait son bonheur, cela me faisait mal. Puis la curiosité a pris le dessus et ce fut ensuite l'indifférence jusqu'au moment où je ressentis un véritable plaisir à l'entendre parler de Charles. Elle avait besoin de se confier comme si elle ne croyait pas à son aventure. Et moi, j'étais là, je l'écoutais, je la questionnais, je la harponnais. Cela dure encore. J'ai vécu ses querelles, ses grossesses, ses jalousies. Je souffrais et j'étais heureuse à sa place. Et je n'avais de compte à rendre à personne. Charles ne me regardait même plus. J'étais devenue un meuble, un chat que l'on caresse en passant. Et moi j'avais tout mon temps. Je n'étais plus bousculée par lui. Je pouvais l'aimer, l'aimer vraiment. «Que ferais-je sans toi?» me disait Fernande. Savait-il que je réglais son bonheur, ses plaisirs? Il s'en moquait. Il prenait. Quelle avidité. Quel appétit. Il ne faut pas qu'il vienne. Il ne faut pas qu'il franchisse cette porte. C'est trop tard Charles. Tu m'entends. Reste avec ta Fernande et va retrouver tes maîtresses. Il ne faut pas que tu viennes visiter un cadavre. Oui un cadavre, voilà ce que je suis devenue, voilà ce que je suis.

— Mademoiselle, Mademoiselle, s'il vous plaît, donnez-moi du papier, non, non, seulement quelques mots, je veux envoyer un télégramme. Oui j'ai mal, je ne peux pas bouger. Je voudrais bien. Mais comment? Oui, j'attends.

Je n'ai rien d'autre à faire. Du calme, elle est drôle. Je ne cherche que cela. Toute ma vie fut une poursuite du calme. Je veux la paix, je n'ai voulu que la paix.

Merci Mademoiselle. Je vais essayer. Non, non, je ne peux pas. Oui, c'est vrai je peux vous dicter. Vous êtes vraiment aimable. L'adresse? Je vous la donnerai après. D'abord le texte: «Je te demande pardon. Je regrette. Nous aurions pu être heureux.» Non, non, ce n'est pas cela. Écrivez! «Suis à l'hôpital, mourante, ma dernière pensée est pour toi. Dommage que nous ne sûmes pas être heureux.» Ah oui l'adresse. Au fait, je ne sais plus, je ne l'ai pas. Peut-être mon beau-frère, tout à l'heure. Et puis non. À quoi bon. Déchirez tout cela et excusez-moi de vous avoir dérangée pour rien. Oui, je vais me reposer, je vous promets.

Laissez-moi, laissez-moi tous. Va te pomponner idiote, tu es si pressée. Ton amant est peut-être dans le couloir. Elles ne pensent qu'à cela, toutes. Quelle tristesse si elles savaient. Oui, si elles savaient. Pauvre idiote. Tu sais toi. Comme si cela servait à quelque chose. Frédéric, pourrais-je te demander pardon? Où es-tu? Depuis des mois, des années que je repousse ton fantôme. Je te sens toujours là, ta main va se poser sur mon épaule, me tenir le cou. Je te sens là derrière moi et je me ressaisis, me secoue et te voilà chassé, renvoyé loin, si loin. Je suis sur mes gardes, il ne faut pas que je m'oublie, dès que je m'abandonne tu es là pour me recueillir, il faut chasser cette vie que je n'ai pas vécue et qui me poursuit. Pourquoi m'as-tu épousé, Hélène? Mais ce n'est pas moi. C'est toi l'homme et c'est toi qui as voulu. C'est toi qui m'as demandée en mariage. J'ai accepté. Pourquoi toi? Parce que tu l'as bien voulu. Tu étais un grand garçon. Tu savais où tu allais. Je me suis laissée faire. Je suis une femme, je n'avais qu'à consentir. Pourquoi toi et personne d'autre? Parce que tu étais là, le seul, il n'y avait pas foule à ma porte. Qui aurait voulu de moi? Il fallait que je me marie. Tu t'es présenté. Tant pis pour toi. Frédéric, aie pitié de moi, je n'ai pas voulu cela. Toutes les femmes se marient. Comment font-elles pour être heureuses? Peut-être aurions-nous dû avoir des enfants. J'avais tellement peur? S'ils devaient être à mon image? Me ressembler? Remarque ils n'auraient pas été mieux partagés s'ils avaient été tes héritiers à toi? Ton sale caractère et ta laideur. Les beaux cadeaux. Et ton vice. Je regrette, Frédéric. Je regrette amèrement ce qui s'est passé. Mais ce n'est pas à cause de moi. Ça je ne l'accepte pas. Tu n'avais que ce mot à la bouche. C'était toujours la faute des autres. Ce n'est pas moi qui t'ai appris à boire. Je n'étais pas près de toi au berceau pour te tenir ton verre. Tu as appris à boire tout seul, comme un grand garçon. D'ailleurs, c'est cela qui m'a attiré en toi. Tu étais un peu éméché quand je t'ai rencontré. Tu débordais de vie. Tu étais si joyeux, si gai. Tu avais du bonheur à en revendre. C'était tout ce qu'il me fallait. Tu allais me rendre gaie, heureuse, tu allais m'apprendre à vivre. Tu m'as trompée, Frédéric, car tu n'as pas ton double. Pour être triste, tu l'es et je n'imagine pas un homme aussi sinistre que toi. Il fallait que tu ries, que tu chantes, que ta joie éclate. Autrement, pour moi, c'était le mur. J'aurais pu partir, tout abandonner, tout flanquer là, ne plus jamais revenir. Pour aller où? Voilà. Toutes les portes m'étaient fermées. Que dis-je, elles n'existaient même pas. C'était toi ou moi. Me dissoudre dans l'océan, m'enfoncer dans le sable? Et si la vie portait une lueur? Si la joie existait vraiment? Non pas ce masque dont tu couvrais ta tristesse; mais concrète, solide, incandescente. Si je pouvais un jour la saisir entre mes mains comme une pierre? Il fallait continuer, être là, attendre. Et il fallait que tu dises que le bonheur était possible, qu'il était là au tournant. Et tu buvais et tu chantais la joie et moi je retrouvais la paix, le calme. J'attendais. Tu n'aurais pas dû me tromper. Je n'ai jamais refusé de coucher avec toi. Pourquoi alors d'autres femmes? Te rendais-tu compte que tu effaçais ainsi d'un trait notre convention, que toute entente devenait sans objet? Tu as voulu la guerre, tu l'as eue. J'avais toutes les excuses de te quitter, toutes les raisons de te laisser mais c'est toi qui es parti. Toi aussi tu cherchais le bonheur. Quel mensonge. Tout ce que tu souhaitais c'était d'abîmer en moi l'espoir, me détruire. J'étais plus solide que tu ne pensais, plus forte que toi. Oh! Frédéric, si tu savais le vide de ma vie. Je regrette notre amour perdu. Oui je dis bien notre amour. Car j'étais toute prête à t'aimer. Mais tu n'étais que mensonge. Je t'en veux d'avoir été une chimère, de n'avoir pas su exister, d'avoir trompé mon attente! À quoi bon. Je suis là immobilisée, figée dans mes colères et mes rages. Et c'est bien trop tard. Voilà l'infirmière qui vient me demander d'être calme, elle va me donner une autre piqûre pour que je me taise. Oh! le silence, le silence, la paix. Va-t-en, laisse-moi. Tu es mort, mort.

Merci, docteur. Déposez-les près de la fenêtre. Je ne peux pas supporter l'odeur des œillets. Oui c'est ça, oui, donnez-moi la carte. Ils me souhaitent tous un prompt rétablissement. Pour que je revienne rejoindre l'armée des esclaves. J'aurais pu avoir un mari, des enfants, passer ma journée à arroser les plantes, à m'occuper du jardin, à préparer des gâteaux. Mais non je passe le clair de ma vie à ranger des documents. Si encore cela m'intéressait. «Rien ne t'intéresse», me dit Estelle. Celle-là. Elle souhaite me revoir pour se sentir moins seule dans sa cage. Quelle enfant tout de même. Toujours étonnée, éclatant de rire à la plaisanterie la plus idiote. Elle est plus heureuse que moi, la sotte. Elle ne se rend compte de rien. Sait-elle seulement qu'elle vit? Il faut bien gagner sa croûte. M'intéresser aux vieux dossiers? C'est trop me demander. Il y a pourtant des femmes qui aiment leur travail. On ne leur confie pas des tâches idiotes. J'aurais voulu faire de la décoration, être hôtesse dans une grande compagnie, dans une agence de voyage, par exemple. Tout le monde me félicite. Je suis efficace, consciencieuse. Je ne suis pas ignorante à ce point. «Tu ne sais rien faire», me disait-il. Et toi Frédéric? Tu n'as monté les échelons que parce que tu étais entouré de nullités. C'est facile d'avancer quand il n'y a que le vide autour de soi. J'aurais bien voulu trouver quelque chose de passionnant à faire pour lui montrer ce que je suis à celui-là, ce que je sais faire. Je dois me contenter de l'admiration des Estelle. Elle me prend pour sa meilleure amie, la pauvre. Et je me prête à ce jeu. Comment faire autrement. Des semaines, des mois durant je ne vois personne d'autre que les deux vieilles filles qui partagent mon bureau. C'est moi la raisonnable, l'idéal de sagesse, l'arbitre des chicanes. Je voudrais bien être comme elles pourtant. Être heureuse toute la journée si le gros directeur me demande de mes nouvelles dans l'ascenseur ou si un messager trouve joli mon chandail. Et je ris aux éclats comme elles et je dis merci mille fois, merci, toute sourire, toute courbettes. Si elles n'étaient pas là, je ne saurais comment agir, je serais grave alors qu'il faudrait être enjouée, je rirais toujours au mauvais moment. Il allait m'apprendre à vivre, Frédéric. Pauvre prétentieux. C'eût été trop beau. Grâce à toi, il ne me reste qu'à calquer ma vie sur celle d'Estelle. Docteur, il ne fallait pas me sortir de la salle d'opération. Qu'ai-je à faire de cette vie? Je ne veux plus aller à ce bureau, attendre comme Estelle la retraite et la mort. Mieux vaut partir tout de suite, pour de bon. Je n'attends plus rien, ni personne.

— Allô, allô, oui, oui, bien sûr Marcelle que je reconnais ta voix. Non, tu ne me déranges pas. Je n'ai rien à faire. Fatiguée? Oui, un peu. Surtout lasse, très lasse. Oh! je ne sais pas si j'ai tellement hâte d'être chez moi. Au moins ici je ne suis pas seule. Oui je me souviens. Comment veux-tu que j'oublie. Oh! ça, les grands voyages, c'est pour plus tard, bien plus tard. Quelle bonne idée. Demain, déjà? Je comprends bien sûr. Je sais que tu penses à moi et que tu serais venue autrement. Là au moins tu auras du soleil. Merci, merci Marcelle. Amuse-toi bien. Bon voyage. Oui c'est cela. À ton retour... Au revoir. Bon voyage.

Et bon débarras. Oh non! pas toi. Pas ici. J'espère que cette fois tu trouveras un idiot de ton espèce pour te réchauffer la nuit. Ce ne serait pas difficile, même à ton âge. Quand on n'est pas regardant. Qu'est-ce qui m'avait prise d'accepter de t'accompagner pendant trois semaines, trois longues semaines? Folle à lier. Combien d'hommes te faut-il chaque nuit? Je croyais vraiment que j'aimais les voyages. Peut-être y aurais-je pris goût si j'avais eu pour guide Charles ou même Frédéric. Mais Marcelle? Je devais être désespérée. Je l'étais. Après le départ inopiné de Frédéric. Il voulait des enfants, l'idiot. Et je m'en vais et débrouille-toi ma belle. Il faut dire que malgré toutes ses bizarreries, cette Marcelle a eu la bonne idée de ne jamais dire un mot de Frédéric. Je n'avais pas besoin de pitié, ni de bonnes paroles consolatrices. Par contre je ne pouvais pas lui retirer de la tête cette idée saugrenue qu'il me fallait un homme. Elle, oui, à la douzaine. Moi, après ce que j'ai vécu. Où sommes-nous allées? Il ne me reste rien de ce périple harassant: musées, églises et cabarets. Elle ne lâchait pas son guide. Il fallait tout voir. Des dates, des noms, elle en avait à revendre. Mais pas la moindre réaction personnelle. Tout était indifféremment beau puisque c'était inscrit dans son livre. Et elle avait constamment la manie de me demander si j'aimais ceci ou cela. Comme si on pouvait aimer un musée comme cela du premier coup. Je n'ai retenu de cette folle aventure que les insomnies, les indigestions et la fatigue. Il m'a fallu des semaines pour récupérer. J'ai essayé, Marcelle, et j'ai été patiente. Tu n'as jamais rien deviné et tu étais prête à recommencer. Tu ne soupçonnes même pas que je te trouve sotte, bête, insupportable. Oui, je suis ton amie. De qui ne le suis-je pas? J'ai tout essayé Marcelle, avec toi et avec les autres. Rien à faire. Pas de chance. Le monde est mal fait à moins qu'il ne me manque quelque chose à moi.

Bonjour Docteur. Je suis contente de l'apprendre. Oui, je me sens mieux. Mais, je suis si lasse, si découragée. Oui, cela doit être ça. Bien sûr que c'est normal. Je ne suis pas différente des autres. Merci Docteur.

N'avez-vous pas une piqûre, une véritable piqûre pour que je retrouve enfin la paix, le calme? Je ne veux pas recommencer. Que me reste-t-il à essayer? Je n'ai plus la force, ni le goût.

Docteur, s'il vous plaît, revenez, appelez les infirmiè-res. Je veux vivre. Je ne veux pas mourir. Sortez-moi d'ici, vite. J'ai envie de marcher, de courir, de sauter, de voir le monde. Laissez-moi partir. Je vais changer, je vous le promets. Je serai méconnaissable. Je veux recommencer, tout recommencer; je serai transformée, tout autre. Doc-teur, je veux partir, partir... Je veux vivre, vivre.

Jean-François Somain

La répétition

❧❧

Jean-François Somain est né à Paris en 1943. Fonctionnaire au ministère des Affaires extérieures, il collabore à plusieurs revues. Il a écrit des pièces de théâtre et publié une quinzaine de romans, de la poésie et cinq recueils de nouvelles: *Les grimaces* (1975), *Peut-être à Tokyo* (1981), *J'ai entendu parler d'amour* (1984), *Vivre en beauté* (1989) et *Excursions - Module V* (1991). Après avoir exploré l'idéal révolutionnaire, l'auteur s'est intéressé aux relations humaines, à la critique sociale et à tous les thèmes qui témoignent de l'attachement à la vie. Parfois tournée vers le fantastique, la science-fiction et la littérature de jeunesse, son œuvre demeure fermement ancrée dans la fiction réaliste.

«La répétition» dans *Les grimaces*, Montréal, Pierre Tisseyre, 1975. Ce recueil est paru sous le nom de Jean-François Somcynsky.

«Vous êtes des idiots, les enfants. Au lieu de faire des sottises qui vous mènent en prison, vous auriez dû penser à jouir de la vie.» Jouir de la vie. Oui, mais comment? Cela, le bon commissaire ne le dit pas. Il nous parle sur son ton paternel, et je pense à Cristina. Il y a un mois, une nuit qu'elle collait des affiches, les fascistes l'ont prise, l'ont violée, l'ont tuée. Cristina, si belle, si jeune. D'autant plus belle et plus jeune qu'elle est morte. Je pense à Juan, à Eduardo, à Anita: au procès, le médecin-légiste a dû reconnaître qu'ils avaient été torturés. Et c'est eux qui sont en prison, tandis que la police se cherche d'autres victimes. Jouir de la vie, qu'il dit. Fermer les yeux, apprendre une profession quelconque, courtiser des gamines qui ont peur de faire l'amour ou n'en ont simplement pas le goût, aller voir des parties de football, des films censurés, lire le genre de livres qui ne déplaisent ni aux flics ni aux curés, causer de philosophie, de femmes et de sports avec des copains dans un café-terrasse, engendrer des citoyens châtrés d'avance, somnoler devant la télévision, applaudir aux discours de nos maîtres et seigneurs, et arriver sain et sauf à l'âge où l'on se dit qu'on peut mourir en paix.

Non, je ne veux pas jouir de la vie et je ne veux pas mourir en paix. Mais je ne le dirai pas au commissaire, ni au juge, ni à personne. Nos actes sont là et les paroles sont inutiles.

Nous voici donc arrivés à la caserne. Que je me sens fatigué, éreinté, épuisé! À l'idée de répéter l'attaque d'avant-hier, j'ai l'impression d'assister à la répétition de l'histoire universelle. L'éternelle impuissance de l'individu devant le pouvoir. La lutte pour la libération, c'est l'effort de bouger quand on a les pieds collés sur une surface gluante. Des mouches qui ont cherché le paradis sur une tartine de miel et qui essaient de reprendre leur vol.

— Vous êtes arrivés ici à une heure du matin. Pourquoi?

— C'était la meilleure heure, explique Antonio. On savait que la garde de nuit ne consistait qu'en un lieutenant, deux sous-officiers et douze conscrits, dont Ignacio. L'opération ne devait pas durer plus d'une heure ou deux. On aurait pu s'enfuir sans problème.

Nous sommes prêts à collaborer, à fournir tous les renseignements, toutes les explications. Ils n'avaient même pas besoin de nous malmener, au poste. Ils nous connaissent tous, même Jorge, Marta, Roberto et Alfredo, qui sont en fuite. Nous aussi, nous les connaissons. Et nous connaissons la plupart des tortionnaires, et nous les tuerons. Les journaux parleront de policiers assassinés sommairement, par traîtrise. Mais qui se fie aux journaux? Ils ne savent pas.

C'est presque drôle. Ignacio, un pistolet déchargé à la main, fait semblant de menacer une sentinelle. Il lui prend sa mitraillette et ouvre la porte de la caserne. C'est bien ainsi que ça s'est passé. Notre camion entre, ses deux croix rouges sur les côtés, et on referme la porte.

— Vous étiez treize dans le camion. Huit gars et cinq filles, tous en uniforme. Où aviez-vous pris les uniformes?

José le lui explique. L'avantage du service militaire, c'est qu'on peut avoir des complices un peu partout dans l'armée. On sait comment se procurer les uniformes, on apprend les mots de passe, on connaît les plans des casernes, les habitudes, les routines. Bien sûr, ils vont dire qu'Ignacio a trahi son régiment et j'ai bien peur que la justice militaire ne soit pas douce. Ils ne comprendront jamais qu'il a choisi d'être fidèle au peuple. Au peuple? Plutôt à une idée du peuple, à une idée plus généreuse et plus libre de l'humanité.

Nous étions donc descendus du camion. La sentinelle avait été désarmée. On lui avait attaché les mains
derrière le dos et on l'avait laissée là, bâillonnée, à plat-
ventre, surveillée par Antonio.

Ignacio nous avait conduits ensuite aux trois autres
portes de la caserne. Tout se déroulait tel que prévu. Il
donnait le mot de passe, s'approchait de chaque sentinelle, lui braquait la mitraillette sur les côtes. Plusieurs
soldats croyaient qu'il s'agissait d'une blague. Mais quand
ils se retrouvaient à terre, ligotés, une large bande adhé-
sive sur les lèvres, ils se rendaient compte qu'on ne jouait
pas aux bons et aux méchants.

Je marchais avec Juana. Je me souviens que je me
sentais étrangement fataliste, comme si je participais à
une tragédie antique. «Tu sais, Juana, ce dont j'ai envie,
maintenant, c'est de faire l'amour avec toi.» «Tu es fou»,
fit-elle, «ce n'est pas pour cela qu'on fait ça». «C'est aussi
pour cela», avais-je dit. Je me souviens bien de cette brève
conversation dans la nuit, de ce dernier refus à voix
basse.

Pauvre Juana. Son frère avait été tué l'an passé, lorsqu'il avait détourné un avion pour sortir des prisonniers
politiques du pays. Ses camarades avaient réussi le coup:
lui, il avait été abattu durant l'assaut de l'aéroport. Juana
ne songeait guère au plaisir. Tous ses efforts visaient à
affaiblir l'armée et la police, ces piliers du gouvernement.
Elle était belle, passionnée et efficace. Je me disais pourtant que si elle avait eu le cœur un peu plus païen, nous
aurions été certainement plus heureux dans le mouvement.

Cachés près d'une porte, on avait attendu l'arrivée
du peloton de garde. Ici aussi, la partie avait été facile: on
ne discute pas devant des mitraillettes dirigées sur vous.

— À une heure vingt, vous aviez maîtrisé dix soldats
et deux sous-officiers.

— Parfaitement. Ignacio était des nôtres. Il ne manquait que le lieutenant et un autre soldat.

— Et vous avez commencé à brutaliser les prisonniers. Oui, on a un témoignage. Et c'est grave, pour vous.

Pourquoi répondre? Pourquoi se défendre? Pendant que j'attachais les mains d'un des soldats à terre, celui-ci avait tenu des propos obscènes à Juana. Celle-ci, irritée, lui avait flanqué un coup de pied sur la hanche en lui disant: «Si je le voulais, mon salaud, tu ne pourrais jamais plus faire l'amour.» Mais à quoi sert de dire la vérité? Nous sommes condamnés d'avance.

Nous n'en voulions pas aux conscrits. Plusieurs d'entre nous avaient fait leur service militaire. Les soldats aussi sont le peuple. Et je pense à Fernando, toujours débordant de cynisme et de vitalité. Dans le camion, il me disait: «C'est quand même drôle, la révolution. On finira peut-être par renverser les fascistes, mais le gouvernement populaire qui remplacera la dictature nous trahira. Parce que nous voulons changer le peuple, et nous ne réussirons jamais qu'à changer quelques personnes de place et peut-être à modifier les structures du pouvoir.» «À quoi ça sert, alors, ce que tu fais ce soir? Pourquoi n'es-tu pas au lit avec une fille, au lieu de risquer ta peau pour des actes qui te semblent désespérés?» Fernando m'avait répondu, avec un clin d'œil: «On fait la révolution parce qu'il est impossible de vivre comme les autres veulent qu'on vive. Nous sommes le rêve. Le rêve d'une société pourrie qui se fait accroire, à travers nous, qu'elle veut le changement. Mais ce n'est pas vrai.» «Mais toi? Toi?» avais-je insisté. «Je rêve aussi, mais je ne suis pas dupe de mon rêve.»

Je ne m'étais jamais vraiment interrogé sur les raisons qui m'avaient poussé dans le mouvement. En pensant à Fernando, je me dis aujourd'hui que si j'ai choisi le combat, c'est parce que je ne supportais plus, chez les autres, mes amis, mes parents, les filles que je désirais, mes professeurs, les dizaines et les centaines d'inconnus qui traversaient ma vie, cette absence désastreuse de tout goût pour la liberté. Je vivais parmi des hommes enchaînés, et leurs chaînes m'empêchaient de vivre. Et aujourd'hui qu'il est trop tard, je m'aperçois que je n'ai pas non plus rencontré chez mes camarades cet amour de la liberté sans lequel je me sens mourir.

Car je sens quelque chose d'atrocement désolé en moi, quelque chose qui ressemble à la mort. Je traverse la cour de la caserne. Nous sommes des fantômes qui rejouent un scénario pour le profit d'un juge d'instruction. Mais lorsque nous prenions le contrôle de la caserne, voici deux jours, n'étions-nous pas des fantoches qui refaisaient les gestes éternels des révoltés pour le profit du prochain dictateur qui se réclamera de notre mouvement pour s'approprier le pouvoir et ne rien changer à rien?

— Qui vous a conduits à la Salle d'Armes? Le conscrit Robledo?

— Ignacio, bien sûr. Il était le seul à connaître l'endroit de fond en comble.

— C'est là-bas que vous avez surpris le lieutenant Gomez et le soldat Maioli, n'est-ce pas?

— Quatre d'entre nous surveillaient les sentinelles et les conscrits aux différentes portes. Nous étions donc neuf à faire irruption dans la Salle d'Armes à la suite d'Ignacio. On a tout de suite donné l'ordre de se rendre, mais le lieutenant et le soldat nous ont tiré dessus. Nous avons riposté.

— Oui. Maioli est gravement blessé. S'il ne s'en sort pas, je tiendrai ceci pour un meurtre prémédité, ce qui s'ajoutera à l'entrée par effraction dans une caserne et tentative de vol avec violence.

— Et nous deviendrons donc des criminels de droit commun.

— Qu'espériez-vous? Qu'on vous traite en héros? Vous êtes la honte de votre génération. Alors que vous pourriez étudier ou travailler, vous... Mais ça suffit! Continuons.

Que notre aventure était donc loin! Je regarde mes camarades fatigués, tous un peu désemparés et pourtant calmes, voire goguenards. Tout aurait pu si bien marcher! «Si nous sommes pris, nous serons torturés, ou pour le moins brutalisés», avait dit Antonio. «Mais faisons attention aux détails, et tout ira bien.»

Deux jours plus tôt, nous ne pensions pas nous retrouver là à refaire les mêmes gestes devant un juge imperturbable et affable qui nous demanderait pourquoi, puisque nous aimions l'action, nous ne faisions pas de sport. Un policier avait pris la place du lieutenant, un autre celle du soldat Maioli. Nous faisions semblant d'entrer, de répondre aux coups de feu. Maioli tombait, le lieutenant jetait son revolver et levait les bras. «Ça y est», avait crié Antonio, violent de joie. «Marta est blessée», avais-je dit, troublé.

Je n'avais jamais vu le sang jaillir d'une blessure de balle. Ce n'était pourtant pas ma première expérience révolutionnaire. J'avais participé à un enlèvement. Le gars, un homme d'affaires, avait été tué alors qu'il essayait de s'évader, mais je ne me tenais déjà plus avec le groupe. Une autre fois, j'avais coordonné avec des amis le vol d'un camion-citerne qu'on voulait lancer, en flammes, contre la loge présidentielle lors du défilé du Jour de l'Indépendance. Ça avait échoué au dernier moment. Jamais je n'avais dû tirer sur quelqu'un. Jamais je n'avais vu des gens tomber. Et là, près de moi, je voyais Marta, une tache rouge sur le côté, près de la ceinture, et Jorge, qui se tenait le bras ensanglanté avec une grimace mal contenue.

«Ne perdons pas de temps», avait dit Ignacio. «La voiture du lieutenant est à la porte. Les clés sont toujours dedans. Roberto et Alfredo, vous prendrez les deux blessés et vous irez à l'ancienne Prison du Peuple. Là, on vous trouvera un médecin. Nous autres, au travail.» J'avais caressé Marta sur la joue avant de la voir disparaître, soutenue par les deux camarades. Marta aux yeux tristes, Marta qui ne voulait pas d'ami, Marta qui rêvait d'un monde où les enfants seraient heureux.

Marta disait, une fois: «Tu vois, Miguel, dès qu'ils sont petits, on empêche les enfants d'être heureux. Si on réussissait à les habituer au bonheur, peut-être qu'ils en réclameraient toute leur vie et arrangeraient le monde et les choses autrement que ce qu'on voit.» Je me souviens d'avoir répondu: «Mais nous-mêmes, Marta, nous ne sommes pas heureux.»

J'ai peine à suivre ce qu'on fait, les indications du commissaire, les questions du juge, la répétition de l'attaque à la caserne. Je me sens trop triste. Avant de m'engager dans le mouvement, je voyais ma vie, les gens, mon avenir, et je sentais que je ne serais jamais heureux à vivre comme on aurait voulu que je vive. Et les activistes, mes camarades? Eux non plus ne vivaient pas comme j'aurais voulu qu'on vive. Comment? Je ne le sais pas. J'aurai des mois pour y penser, ou des années, en prison. Ce qui est clair dans mon esprit, c'est qu'il faut que les choses changent, que les gens changent, et que je ne peux plus m'imaginer hors de l'action révolutionnaire.

Nous voici dehors. Un conscrit explique ce qui s'est passé:

— On avait entendu des coups de feu et on se demandait ce qui arrivait. On a vu approcher la voiture.

Celui qui conduisait a parlé un peu avec celui qui nous gardait. Moi, j'avais été mal attaché et j'avais réussi à me libérer les mains, mais je faisais semblant de rien. Je les ai entendus dire qu'ils avaient des blessés. Pendant que notre gardien ouvrait la porte, j'en ai profité pour couper avec mon canif les liens des pieds de deux de mes camarades, ainsi que les miens. Ensuite, on est restés tranquilles, en attendant un meilleur moment.

— Il devait être environ une heure et demie.

— Peut-être. Je n'ai pas pensé à regarder l'heure.

— Qui était de garde? demande le juge en se tournant vers nous.

— Moi, dit Julio. Alfredo, qui conduisait la voiture, m'a expliqué la situation. Juana surveillait le lieutenant et le soldat blessé. Nous étions aux quatre portes. Il ne restait donc, pour charger le camion, que deux gars et trois filles. Alfredo m'a suggéré de venir les aider, et c'est pour ça que j'ai quitté la porte. La prochaine fois, je vérifierai mieux les cordes des prisonniers.

— Il n'y aura pas de prochaine fois, décrète le commissaire, sèchement.

— Vous croyez? Tant qu'il y aura des fascistes au pouvoir, il y aura des militants pour les attaquer.

— N'aggravez pas votre cas, mon enfant, murmure le juge. Retournons à la Salle d'Armes.

Le lieutenant lui montre où se trouvaient les différents objets qu'on voulait emporter. On avait rempli le camion de cent cinquante fusils-mitrailleurs, vingt-deux boîtes de munitions, plusieurs caisses de médicaments. Pendant qu'on chargeait la marchandise, on gardait l'œil sur la porte. On y voyait très mal et on ne pouvait pas deviner que les trois conscrits se rouleraient jusqu'à un coin sombre pour ensuite sauter le mur et disparaître en direction du poste de police, à cinq cents mètres de la caserne.

— Combien de temps cela vous a-t-il pris?

— Peut-être une demi-heure. Il fallait identifier les caisses, les transporter dans la cour, les mettre dans le camion. Voulez-vous qu'on reconstitue cela aussi? Ça nous ferait un peu d'exercice.

— Moi, je peux conduire le camion.

— N'essayez pas ce genre de jeu, dit le commissaire, de sa voix lourde. Si vous tentez de vous enfuir, les soldats ont ordre de tirer sans pitié.

— J'étais à Tuquipa, monsieur le commissaire. Lors de l'évasion.

— À ta place, je ne le dirais pas tout haut.

Oui, Julio a été à Tuquipa. Une des prisons les plus dures de la république. Le climat est trop chaud en été, trop froid en hiver, et les cellules n'ont ni aération ni chauffage. Les gardes sont brutaux. La nourriture est volontairement maigre et infecte. «J'y ai passé quinze mois», disait Julio. «Quinze mois. Les conditions de détention sont épouvantables. C'est là-bas que tu comprends jusqu'à la moelle que les choses ne peuvent pas continuer comme ça, qu'il faut faire sauter le système. Et tu comprends aussi que bien des fascistes ne sont pas récupérables et doivent être éliminés.»

Je pensais à Julio et je regardais le commissaire. Il avait survécu à trois régimes militaires et deux dictatures civiles. Son métier, c'était la répression. Il ne haïssait aucun groupe en particulier. N'importe quel régime pouvait l'utiliser. Avec un certain malaise, je me disais que nous aussi, si jamais nous prenions le pouvoir, nous nous servirions de ce technicien pour détruire les derniers fascistes.

— Un peu après deux heures, le camion était déjà chargé. Vous auriez pu partir tout de suite. Pourquoi avez-vous attendu?

— Nous étions en train de descendre le drapeau pour le remplacer par le nôtre. On voulait que les gens, le matin, voient l'emblème noir avec l'étoile rouge flotter sur la caserne. Mais comme on allait le hisser, Julio nous a fait remarquer qu'il lui manquait trois prisonniers.

— Ceux qui restaient, on leur a détaché les pieds et on les a fait venir derrière le camion. On les a comptés. Ils n'étaient vraiment plus que douze, avec le lieutenant et le soldat blessé.

Le commissaire allume une pipe. Je sens la bonne odeur du tabac et un avenir de nostalgie me fait presque tourner la tête. Julio est à côté de moi. Je lui dis:

— Aussi bien s'habituer. En prison, nous ne fumerons plus. Nous ne ferons plus l'amour. Nous n'irons plus prendre un verre au Café de la Paix, à la sortie du cinéma.

— N'y pense pas, et tu n'en seras pas plus malheureux. Réfléchis-y, et tu verras que ce qu'on peut avoir en dehors de la prison n'est pas suffisant pour nous rendre heureux.

Tiens? Lui aussi, il pensait au bonheur?

— La seule chose qui compte, mon vieux, c'est le combat. Et en prison, on lutte. On revoit notre stratégie, on évalue le passé, on prépare les prochaines opérations.

— Comment es-tu sorti de Tuquipa? demande Antonio.

— On était vingt-trois camarades. Avec les mois et de la patience, on avait réussi à obtenir sept couteaux et deux revolvers. Après quinze mois là-dedans, tu ne te sens pas le cœur charitable. La justice et la vengeance, c'est la même chose. On n'a pas menacé les gardes: on en a tué cinq. Deux voitures et une camionnette nous attendaient dehors. Ce fut la plus belle évasion de Tuquipa. Quand tu es dedans, n'oublie pas que tu n'es pas seul, et que les copains travaillent déjà à la façon de te sortir de là.

— Silence! ordonne le juge. On ne vous a pas amenés ici pour vous amuser.

On nous a amenés ici pour établir des degrés de responsabilité. Nous sommes tous coupables, bien sûr. Mais ceux qui gardaient les portes sont moins coupables qu'Ignacio, qui les a ouvertes, et ceux qui ont tiré sur Maioli et le lieutenant Gomez, et Juana, qui a frappé un prisonnier, souffrent de circonstances aggravantes. L'armée est sans doute intéressée à savoir comment l'assaut s'est déroulé, afin d'analyser les points les plus faibles de son organisation.

Nous aussi, on veut savoir comment les choses se sont passées. Pourquoi? De la même façon, quand un amour tombe à l'eau, on essaie de se souvenir de ce qu'on a fait, de ce qu'on aurait dû faire. Ça ne sert pas à grand-chose, mais on a toujours soif de clarté. Quand on ne cherche pas à savoir, on accepte la vie, on accepte les gens, on accepte le pouvoir, l'oppression, l'injustice, l'indifférence, le cancer installé dans les relations humaines. Est-ce par souci de voir clair, que je milite dans le mouvement? Le drame de la lucidité, c'est que, si le paysage n'est pas beau, mieux on le voit et moins on se sent bien.

Le commissaire donne la version de la police. Après le rapport des trois soldats qui s'étaient échappés, des agents avaient bloqué toutes les rues qui menaient à la caserne, de façon à l'isoler complètement. Entre-temps, on avait prévenu le général, qui avait aussitôt appelé la caserne. Je m'en souviens. Le téléphone avait sonné dans la Salle d'Armes. Je m'y étais rendu avec un sergent. Il sentait mon pistolet sur la tempe et répondait: «Oui, mon général», comme si tout allait bien.

Qu'il est étrange d'apprendre la vérité! «Comment ça va, là-bas?» avait demandé le général, que je ne pouvais pas entendre. «Oui, mon général», avait répondu le sergent. «Y a-t-il un problème?» «Oui, mon général.» «Ont-ils pris la caserne?» «Oui, mon général.»

— Une fois que le général eût confirmé la version des trois soldats, il a communiqué la nouvelle à ses supérieurs et il a pris les mesures nécessaires pour envoyer un colonel, le lieutenant-colonel Blanco et une colonne d'infanterie et d'artillerie qui a entouré la caserne avec des mortiers, des bazookas et des mitraillettes lourdes. Les fusiliers se sont placés en formation devant une porte, dont on a fait sauter les serrures. Le lieutenant-colonel et quarante hommes sont entrés et ont pris position derrière les deux camions militaires, le petit dépôt, la guérite et les caisses d'équipement.

Après la découverte de la fuite des trois soldats, nous savions que les choses allaient mal tourner et qu'il fallait se presser. Toutefois, même si ça ne nous avait pas surpris, ça nous a donné un petit choc de voir la porte s'ouvrir devant autant de soldats. «On est certainement entourés, les gars», avait dit Antonio. «Inutile d'essayer de s'en sortir par la force. Mais on a des otages. On pourra parlementer. On demandera l'intervention de juges, d'avocats, de députés, de sénateurs, de journalistes.» Julio s'était adressé aux soldats à terre: «Quant à vous, si on échoue, il va falloir vous achever.» C'est alors qu'on a commencé à entendre les mégaphones qui nous disaient de nous rendre.

Quelle nuit interminable! De deux heures du matin aux environs de sept heures, nous avons connu la plus grande tension de notre vie. Au début, nous étions très calmes. Mais les conscrits, eux, se sont mis à trembler de peur et de froid, et leur nervosité contagieuse nous atteignait.

— Pourquoi ne vous êtes-vous pas rendus tout de suite? demande le juge. Vous saviez que vous n'aviez aucune chance. Ça aurait évité la perte d'une vie, sans parler des blessés.

Comment lui expliquer? Même à l'agonie, on essaie de durer le plus longtemps possible. Si on était du genre qui capitule, on n'aurait jamais choisi l'action révolution-naire. Aujourd'hui, je regarde la parodie de l'assaut. Je nous revois, tous les dix, derrière le camion, cernés par quelques douzaines de soldats mieux armés, et je nous trouve admirables et naïfs. À vouloir résister encore, nous prenions place parmi les millions et les millions de per-sonnes qui tout au long de l'histoire ont mis leur révolte en action et n'ont abouti à rien, à presque rien.

Nous avons parlementé pendant quatre heures et demie. Antonio était notre porte-parole. Il demandait à parler au général en chef et non à un subalterne. Au bout de vingt minutes, on lui répondait que tous les pouvoirs avaient été délégués au colonel en charge de l'attaque. Antonio exigeait que des législateurs de l'oppo-sition soient présents durant les discussions. Le lieute-nant-colonel ripostait qu'il n'était pas question de discu-ter mais de se rendre sur-le-champ. Nous demandions des garanties. Au bout d'une demi-heure, on nous assu-rait que nous serions jugés par des civils et en public, à l'exception du conscrit Ignacio qui ferait face à une cour martiale. Nous voulions que des médecins étrangers, impartiaux, témoignent que nous nous rendions en bon état physique. On nous affirmait que nous serions bien traités et que si nous ne nous rendions pas dans dix minutes, on nous tirerait dessus. On répliquait que s'ils attaquaient, on abattrait les otages. Le lieutenant-colonel nous prévenait que si on tuait un seul soldat, on serait fusillés, et qu'il nous donnait dix autres minutes pour nous rendre. On demandait chaque fois vingt minutes, une demi-heure de réflexion.

Nous devions reculer l'échéance. Il s'agissait, bien sûr, de durer le plus longtemps possible par fierté, et aussi pour donner aux quatre camarades qui s'étaient enfuis dans la voiture du lieutenant le temps de se mettre à l'abri: il était entendu que si on ne les avait pas rejoints à cinq heures, ils devaient évacuer la Prison du Peuple sans laisser aucune trace, aucune indication. Ne pouvant plus les localiser, il nous serait impossible, même sous la torture, de les vendre à la police.

Et nous discutions. Antonio était persuadé que si nous insistions, si nous menacions d'achever les prisonniers, on nous accorderait une conférence de presse pour exposer les motifs de notre geste et les objectifs du mouvement. Juana soutenait que la population connaissait nos objectifs, que les camarades expliqueraient bien notre geste par affiches, graffiti sur les murs et lettres aux journaux, et qu'il fallait éviter de se mettre personnellement en évidence, afin de garder une marge d'anonymat pour nos actions futures. Julio voulait qu'on profite de la situation pour tuer tous les militaires possibles: «C'est en éliminant ces cochons un par un qu'on vaincra l'armée. Du moins, exécutons le lieutenant et les deux sous-officiers tandis qu'on les a sous la main. Il n'y a même pas besoin de procès: leur uniforme les condamne.» L'une voulait qu'on propose d'échanger nos prisonniers contre notre exil; un autre ripostait qu'on serait plus utiles comme détenus politiques que hors du pays. Quelqu'un suggérait qu'on se rende tout de suite puisque aucune résistance n'était vraiment possible; Lucina affirmait qu'il fallait attaquer et mourir en combattant, persuadée qu'un massacre émouvrait la population et rapprocherait l'heure du soulèvement général.

Avions-nous peur? Sans doute. Nous avions tous de dix-sept à vingt-cinq ans. Comment voir avec sérénité la perspective immédiate de la prison, de la brutalité policière, peut-être de la mort? Les heures passaient. Il faisait froid. Il fallait penser à l'action, aux pourparlers, à l'instant réel, afin de ne pas céder à la panique. Nous avions les traits tirés, nous tremblions parfois, nous voulions fermer les yeux et échapper à cette cour où nous devions perdre le peu de liberté qu'on nous avait laissé.

Trois heures. Quatre heures. Cinq heures. Six heures. Qu'avais-je aimé, dans la vie? Juana qui ne voulait pas faire l'amour et se ferait violer par des policiers sadiques. Julio qu'on avait offensé et humilié et qui ne songeait plus qu'à riposter et se faire détruire dans un geste désespéré. Antonio qui aimait tellement la vie et ne pouvait la voir que dans la protestation et le combat. Lucina prête à se sacrifier pour le rêve d'un monde où l'existence serait agréable. Ce que j'aimais, c'était aussi tout ce que je n'aimais pas. Voyager et voir mon pays et les autres pays saignés par l'oppression et l'injustice. Rencontrer des gens et souffrir de les voir aussi insensibles, laids et mauvais. La détresse de songer à l'espoir, à l'action révolutionnaire, et de voir nos gestes comme les appels futiles de fantoches dans le noir. Trente secondes de réflexion, une seconde de lucidité, et on découvre que vivre est épouvantable. Alors il s'agit de nourrir quelques illusions, afin que l'âme ne se dessèche pas.

Tranquillement, nous racontons au juge nos discussions, nos arguments, nos raisons de prolonger notre résistance. Il en prend note pour le procès-verbal, mais cela ne l'intéresse pas vraiment. Ce qu'il veut savoir, c'est pourquoi la nuit a pris fin aussi tragiquement.

— À six heures quarante, explique le colonel, j'ai décidé qu'il fallait en finir et j'ai donné l'ordre d'attaquer.

Les fusiliers tiraient sur le camion des terroristes et des rafales de mitraillettes balayaient systématiquement les coins d'où ils auraient pu contre-attaquer. Il s'agissait de leur montrer qu'ils ne pouvaient pas s'en sortir.

— Au tout début, nous n'avons pas réagi. Mais quand les soldats ont commencé à avancer, nous avons tiré, pour nous défendre.

— Justement, comme les terroristes ne ripostaient pas, le lieutenant-colonel Blanco a dit de tirer en l'air, de ne tuer personne. Et il a avancé. C'est alors que les séditieux ont tiré, et que le lieutenant-colonel est tombé, deux balles dans la tête. Et le combat a commencé.

— Qui a tiré sur le lieutenant-colonel?

— Nous tous. On ne voyait que les silhouettes qui avançaient dans l'ombre, et on entendait les balles, les rafales. José est tombé, frappé à la cuisse. Lucina se tenait le cou, d'où jaillissait le sang. Jorge, à terre, avait des soubresauts continuels. On a alors décidé de déposer nos armes et d'agiter nos mouchoirs.

On reconstitue les événements. Ignacio et Antonio avancent, les mains en l'air. Nous les suivons. On nous fait passer, encore une fois, par la porte. Que nous sommes donc peu nombreux! Et que je suis fier de faire partie de cette minorité impuissante! Sommes-nous vraiment la conscience de la société? On nous couche, comme l'autre nuit, à plat-ventre sur le trottoir.

Le commissaire, laconique, raconte la fin de l'histoire:

— On a placé le lieutenant-colonel Blanco, le soldat Maioli, les quatre conscrits et les trois terroristes blessés dans les ambulances. On leur a donné les premiers soins à l'hôpital général, et ils ont été transférés hier à l'hôpital militaire, où il est plus facile de les surveiller. Le lieutenant-colonel a été enterré ce matin, en présence du Président de la République. Quant à ceux qui n'étaient pas blessés, eh bien, on a emmené le conscrit Ignacio Robledo et Antonio Ditella, qui semblait être le chef, à la prison militaire, et les autres au poste de police. Les interrogatoires n'ont rien donné. On sait qu'ils sont environ cinquante dans ce groupe, mais ils sont organisés de telle façon qu'on ne peut pas attraper tous ceux qui sont impliqués dans le coup. La garde d'infanterie bloque toujours les alentours de la caserne dans un rayon de deux cents mètres, mais on ne peut plus trouver d'indice utile.

Je regarde le commissaire, le juge, mes camarades, les soldats, les policiers. Au fond, je suis content. Nous n'avons pas été torturés. Quelques gifles, des coups de poing, des coups de pied, de longues heures sur une chaise, les yeux bandés, puis l'éclat incroyable de la lumière, tout cela s'oublie. J'oublierai aussi le visage des camarades blessés. J'oublierai peut-être cette nuit, l'émotion de la victoire, la sensation pénétrante de la défaite. On a peut-être ébranlé un peu le pouvoir. Surtout, on a vécu quelque chose.

Bien sûr, la partie continue. Il ne s'agit pas de salaires plus élevés, d'élections libres, de droits civiques, de limitation de l'autorité. Il ne s'agit pas seulement d'éliminer le fascisme. Il s'agit de faire que la vie ne soit plus un poids, de remplacer la détresse et la solitude par un sentiment tout neuf. J'y penserai. J'y penserai, en prison.

Le camion est là, entouré de curieux et de journalistes. Avant de monter, chacun crie son nom, clairement, pour qu'on sache qui nous sommes, et combien nous sommes. Les journalistes notent nos noms et prennent des photos. Julio, qui monte le dernier, crie les noms des camarades blessés.

La répétition de l'opération s'enfonce dans le rêve à mesure que le camion s'éloigne, comme l'opération

elle-même me semblait une parodie de l'histoire de l'humanité, avec son arrière-goût d'échec. Cela aussi, j'y penserai. Et moi, et ma vie, cela aussi, j'y penserai. À moins que
je m'aperçoive que j'y ai déjà pensé.

Buenos Aires
2-5 mai 1974

Pierre Gérin

Échec et mat

Né à Lyon en 1919, Pierre Gérin a émigré au Canada en 1967.
Il est professeur (émérite) à l'Université Mount Saint-Vincent
de Halifax et collabore à plusieurs revues. Il a, de plus, publié
plusieurs articles sur le parler acadien, une fantaisie grammaticale,
une «farce grand-guignolesque», un recueil de contes, *Dans les
antichambres de Hadès* (1970) et un recueil de nouvelles, *De boue
et de sang* (1975). Le réalisme, le fantastique et la science-fiction
se côtoient dans ces deux recueils.

«Échec et mat» dans *De boue et de sang*,
Québec, Éditions Garneau, 1975.

Je me croyais bien habile. À force de répéter: «On ne la fait pas à Jean Lecoin», j'avais fini par me persuader de mon jugement. Cependant j'ai encore été dupé comme un bleu. Mais je vous jure bien que c'est la dernière fois que j'ai été pris.

Sur le bateau et aux escales, j'avais goûté à tous les plaisirs prévus au programme et à nombre de ceux que la décence interdit aux MESSAGERIES MARITIMES de proposer dans leurs dépliants. Nous avions débarqué à Marseille. J'avais pris l'express de Paris. Je m'étais installé dans un compartiment de seconde classe. Je m'apprêtais à somnoler: mon seul compagnon était un vieillard impotent et sourd, muni de deux cannes et d'un sonotone. Le train allait partir quand pénétra une jeune femme. Grande, mince, blonde, avec ses yeux bleus pleins de lumière, sa peau de lis et de rose, comme disent les romans pour demoiselles, dans sa robe blanche courte, sans manches, elle me paraissait le parfait symbole de notre race. Je me précipitai galamment, lui prit sa petite valise bleue et la déposai dans le filet, en face de ma place. Je profitai de l'occasion pour jeter un coup d'œil sur les étiquettes et j'appris ainsi que ma compagne de voyage avait visité Naples, Athènes, Stanbul, Chio, Candie. Ma complaisance fut en outre récompensée d'un sourire éblouissant. Je me dis alors qu'une aventure avec elle me changerait agréablement de nos Malaises et de nos Chinoises métissées: elle renouvellerait mon initiation aux charmes un peu oubliés de la vie européenne.

Aussitôt pensé, aussitôt décidé. Mais je n'avais qu'une dizaine d'heures pour mener à bien ma conquête et je me sentais fort intimidé devant une femme blanche, élégante, qui rentrait visiblement de croisière et avait l'habitude de descendre dans les meilleurs hôtels. Je craignais de ne point paraître assez distingué à ses yeux.

Cependant je me rassurai en considérant qu'elle était montée dans un compartiment de seconde classe, qu'elle souriait de toutes ses dents, que nous étions pratiquement seuls. J'entrepris de relever rapidement mon niveau social. Je regardai le paysage avec grand intérêt, m'étonnai des changements survenus depuis mon départ. Je suggérai que nous, les Français établis outre-mer, finissions par devenir étrangers à notre patrie. Ainsi j'avais de la peine à reconnaître ma monnaie. Lorsque j'avais pris mon billet de chemin de fer, je m'étais embrouillé dans mon compte; emprunté, j'avais craint d'indisposer l'employé en lui demandant de refaire son travail; d'ailleurs maintenant je ne regrettais rien. Pour me remercier de ma politesse, elle me révéla qu'agrégée de philosophie elle enseignait dans un lycée de Lille; elle rentrait d'une croisière en Méditerranée; elle adorait les voyages, aimait la foule, ne dédaignait pas la compagnie des petites gens; aussi prenait-elle volontiers des billets de seconde classe; elle devait rester quelques jours à Paris où elle serait retenue par un congrès. J'étais atterré: si la conversation s'élevait un peu, mon néant lui crèverait les yeux, je serais mis en état d'infériorité; je croyais deviner que, pour elle, se trouver quelques heures en compagnie d'ouvriers était délicieusement excitant, mais qu'elle ne voyait là qu'un jeu sans conséquence, car elle vivait dans un autre monde. Je risquais de me perdre en avouant que je n'étais qu'un simple conducteur de travaux, que je passais mes journées à houspiller vingt ouvriers malais, à surveiller le pied des hévéas pour en écarter les mauvaises herbes, à inciser les troncs, à récolter la gomme. Il aurait été aussi catastrophique de reconnaître que j'ignorais tout des grands sujets à la mode, que Sartre et Camus n'étaient pour moi que des noms, que je m'intéressais seulement aux belles histoires émouvantes, aux romans policiers, aux héros d'Alexandre Dumas et au «Saint». Je me promus donc ingénieur agronome. Et je constatai avec satisfaction que mon intellectuelle se montrait timide et admirative devant le technicien que j'étais devenu: ses joues rosirent, ses yeux se dilatèrent, ses lèvres s'entrouvrirent.

Il fallait battre le fer pendant qu'il était chaud. Je l'entraînai dans une chasse au tigre. Je la promenai en pirogue parmi les caïmans. Elle plongea au milieu des coraux, vit défiler au-dessus d'elle les grandes ombres des requins. Je ne lui fis pas grâce d'un typhon. Elle vécut huit jours d'angoisse dans une plantation assiégée par des indigènes en furie, drogués au chanvre. Elle buvait mes paroles. Elle m'avait abandonné sa main. Je me réjouissais de trouver tant de naïveté dans un professeur: c'était en quelque sorte la revanche du cancre que j'avais été. Elle me fuma force cigarettes orientales, anglaises, américaines. Je me permis enfin de l'inviter au wagon-restaurant: elle ne refusa ni l'apéritif ni les vins; elle apprécia particulièrement le champagne. Nous étions devenus grands amis. Je savais qu'elle s'appelait Ghislaine de Caunay, était divorcée sans enfants. Elle n'ignorait pas que j'étais célibataire, et croyait que je répondais au nom de Maurice Péron. Notre vieillard somnolait: sa présence la rassurait sans me gêner. Je pus obtenir ce que les romanciers distingués désignent par l'expression «menus suffrages».

Nous avions dépassé Lyon. Le temps pressait. Visiblement le petit matériel du parfait séducteur ne suffisait plus: briquet d'or, provision de cigarettes douces baguées, pralines, flacon de whisky semblaient avoir perdu leur prestige. Mes entreprises ne progressaient plus. Il fallait engager le grand jeu. Je descendis ma valise et en tirai quelques bijoux pour réveiller son admiration. Elle fit longuement tourner dans le creux de sa main un collier de perles qu'elle croyait naturelles. Elle voulut essayer sur mon bras la pointe d'un kriss à manche d'ivoire et d'argent. Elle se piqua le doigt à l'agrafe d'un papillon d'or. Je passai à son poignet un bracelet de jade. Elle était ravie. Ses mains tremblaient. Elle se laissa embrasser. Elle accepta de prolonger un peu son séjour à Paris. Elle n'avait pas retenu de chambre d'hôtel: elle descendrait bien volontiers comme moi au PRINCE DE GALLES.

Nous allions arriver: les maisons se pressaient le long de la voie ferrée. Le vieillard commençait à sortir de sa léthargie. Appuyée contre mon épaule, Ghislaine me parlait tendrement. Tout à coup, levant les yeux, je vis que quelqu'un dans le couloir nous regardait intensément. C'était une femme d'une soixantaine d'années, strictement habillée de gris foncé; l'œil bleu glacé, la lèvre ironique, la mâchoire forte dénonçaient la surveillante générale ou l'intendante de grande maison. Sans entrer dans le compartiment, s'adressant à mon amie, elle dit: «Excusez-moi de troubler de si doux entretiens. Mais Madame la Comtesse demande son sweater bleu. Louise, n'oubliez pas de retirer tous les bagages, onze valises. Baptiste reviendra vous chercher avec la voiture de service. Bonne fin de voyage!» Louise se leva, monta sur la banquette, entr'ouvrit la mallette, en tira un vêtement qu'elle tendit à la dame de compagnie.

J'étais gêné, fort confus. Je ne savais où jeter les yeux. Je m'étais un peu écarté d'elle. Je devinai qu'elle jouait avec le bracelet. Le train ralentissait. Je pris ma valise. J'allais quitter le compartiment. Je me ravisai. Je descendis du filet la valise de Madame la Comtesse. La jeune bonne me remercia d'un grand sourire lumineux. Je n'avais pas dit un mot. J'étais déjà dans le couloir quand elle me rappela: «Alors, tu ne me dis pas adieu, mon Jean?»

Marcel Godin

Le poisson rouge

«Le poisson rouge» dans *Confettis*,
Montréal, Éditions Alain Stanké, 1976.

La maison était immense, les pièces vastes et, dès le vestibule, une sorte de splendeur folle trahissait, sinon l'excentricité du propriétaire, son goût sûr, sa personnalité, son intelligence et son penchant pour le bizarre.

Dans l'entrée, une vitrine profonde occupait tout un pan de mur derrière laquelle se détachaient une mappemonde en bas-relief, une fleur de lys, le drapeau froissé des Patriotes, un chandelier en argent, un immense verre à cognac, quelques pièces de monnaie, le cache-sexe d'une ancienne maîtresse strip-teaseuse, la photo jaunie de saint Ignace de Loyola, un poisson rouge empaillé, un mouchoir de dentelle, une plume de paon et plusieurs autres objets aussi hétéroclites.

Un long ruban de satin blanc, fixé à l'aide de deux médaillons, l'un de Pie IX et l'autre de Maurice Le Noblet-Duplessis, traversait cette vitrine. On pouvait y lire en lettres dorées: «QUÉBÉCITÉ, QUELLES BÊTISES N'A-T-ON PAS COMMISES EN TON NOM!»

Le propriétaire de cette maison était un dénommé Godbout, écrivain de métier, homme plus que charmant et civilisé qui prétendait tenir son faste et son luxe de ses droits d'auteur; ce qui faisait sourire son entourage, tous sachant bien que, dans ce Québec inculte, on ne comptait pas assez de lecteurs pour assurer la santé de son homme, ses œuvres fussent-elles toutes, avec la collaboration de ses nombreux amis, inscrites au programme des collèges et facultés. Non, il avait eu l'instinct d'épouser une femme riche et d'être né dans une famille riche. Hélas, ses idées de gauche n'étant guère conformes à ses moyens, il préférait laisser croire que son nom, ses biens, sa maison, tout lui venait de ses droits d'auteur. Ce en quoi il n'avait pas tout à fait tort, un auteur ayant toujours eu des droits.

Aussitôt que les domestiques — qui n'étaient pas japonais comme ceux de feu le marquis B. de Valiquette — m'eurent introduit dans la maison, se chargeant de ma cape, de mon feutre, de ma canne et de mes gants, madame Godbout apparut, souriante, me prit par les épaules et m'embrassa sur le front en se penchant un peu. C'est qu'elle était aussi grande que lui et lui ressemblait comme un miroir d'autant plus qu'elle se vêtait exactement de la même manière. On ne les différenciait donc que par la coupe des cheveux et quelques détails évidents. Cette apparence de narcissisme me plaisait beaucoup et j'imaginais ce qu'il devait en résulter pour l'un et l'autre chaque fois qu'ils se regardaient et quel sommet devaient atteindre leur complicité et leur complaisance.

Elle m'introduisit dans le salon où Godbout, pareil à elle, m'ayant aperçu, mit fin aux propos qu'il tenait à d'autres invités et s'avança, élégant comme elle, imposant, déférent même, et mit sa main sur ma tête, me décoiffant comme on fait aux petits garçons qu'on affectionne et que les mœurs nous interdisent d'étreindre.

— C'est gentil à toi d'être venu, Calvin, me dit-il, avec sincérité.

Il ne m'appelait jamais par mon vrai nom, mais selon le nom qui lui passait à l'esprit: Voyou, Escroc, Crétin ou Génie. Cependant, quand il m'appelait Génie, il n'y croyait pas tellement ou avait tellement peur d'y croire qu'il ajoutait, après une courte pause, le qualificatif «raté». Et il se mettait à rire sans méchanceté, avec humour même.

Il en avait de l'humour pour m'avoir invité chez lui avec d'autres écrivains quand il savait que je les évitais le plus possible, surtout ceux que je venais de reconnaître, pour des raisons qui n'ont rien à voir avec la littérature — le temps la protège — et parce que je cherche, en général, à échanger des idées avec des gens qui n'écrivent pas, mais lisent.

Godbout m'entraîna vers une table chargée de bouteilles et, me faisant l'honneur de me servir sous les regards de tous, y compris de ses serviteurs, me tendit un verre en s'excusant: «Ne t'inquiète pas, ce n'est pas un piège, je sais que tu n'affectionnes pas la foule, mais je tenais à ce que tu fasses la connaissance d'un ami de passage.» Il murmura un nom qui sonna comme Sartre et, d'un signe, attira mon attention vers une petite pièce attenante au salon où, de fait, Jean-Paul Sartre était assis à une table, occupé à assembler les morceaux d'un puzzle géant.

Je restai coi, posai mon regard dans celui de Godbout, me demandant si je ne rêvais pas, retournai à Sartre et dus convenir qu'il s'agissait bien de lui, pour conclure aussitôt qu'il devait s'ennuyer beaucoup pour préférer un puzzle à la compagnie de tous ces écrivains qui discutaient de l'engagement de l'artiste et de son art en contexte aliéné et colonisé et qui utilisaient tous les mêmes termes de québessence, québécité, québécitude, québécécité. Je m'approchai de Sartre et l'observai un moment. Je compris alors la réplique d'une correspondante à qui, jadis, j'écrivais que les gens intelligents étaient tous beaux, et qui avait ajouté: «Sauf Sartre qui confirme la règle!»

Et je me suis mis à rire si fort que je créai un malaise parmi ce brave monde dont je n'avais rien à entendre. Et, selon mon habitude de dire à haute voix ce que je pense, je rapportai les propos de ma correspondante, croyant qu'on s'en délecterait. Seul Sartre s'esclaffa. Laissant là son puzzle, il vint vers moi, rieur, et posa sa main noueuse sur mon épaule. Tandis que tous nous observaient, ne sachant trop s'ils devaient rire, sauf Godbout dont le ventre «godinait», Sartre répliqua: «Voilà bien, monsieur, mon camarade, le seul engagement qui ait quelque sens. Vous irez loin, dit-il,, si vous cultivez le courage de dire ce que vous pensez, surtout de l'écrire.»

Il parut un peu hautain, docte, mais je n'en fus guère impressionné, car il était, contrairement à Godbout, un peu plus petit que moi. Mais il impressionna les autres, que dis-je, il suscita leur envie, car l'illustre personnage n'avait même pas daigné poser son œil sur eux.

Godbout nous présenta l'un à l'autre: «Rodin. Sartre.» Ce qui dérida toute l'assistance, sauf, bien entendu, ceux qui crurent que je me prenais vraiment pour le grand sculpteur. Sartre me salua et, comme s'il avait deviné que son hôte adorait falsifier les noms, ajouta sur un ton très moqueur: «Venez, Gauguin.»

Après l'éclat de rire général, les conversations reprirent et par respect pour l'âge de Sartre et le sachant atteint de cécité, je m'offris à l'aider à trouver des morceaux de puzzle.

Étrange! Sur le couvercle de la boîte du puzzle, il y avait l'illustration d'un poisson rouge identique à celui de la vitrine.

Je trouvai quelques morceaux, me disant que Godbout devait avoir un faible pour les poissons rouges, les tendis à Sartre qui les assembla avec minutie et profitai de son application pour lui fausser compagnie. Son silence ne m'était pas nécessaire et, d'ailleurs, je ne m'expliquais pas encore pourquoi cet homme illustre, si couru, avait traversé l'océan pour venir assembler un puzzle, ici au Canada, pardon, au Québec, à Montréal, chez Godbout.

Je me dirigeai vers les bouteilles en serrant une main moite ou molle, ici et là, et en retournant leur sourire à mes plus douteux ennemis, m'enfargeai dans les grands pieds d'un dénommé Belleau qui portait sur le revers de sa veste la rosace de l'Ordre des Commandeurs de Pizza et se berçait, me raccrochai de justesse au bras d'une autre berçante où Pilon, discourant de l'art des confitures de tomates, y allait allègrement, lui adressai la parole, mais en vain, car il se refusait à parler à celles de ses connaissances qu'il soupçonnait de fumer de la marijuana.

Après quelques efforts pour retrouver mon équilibre, j'enlignai les bouteilles et fonçai, non sans jouer un peu du coude, pour y arriver. Dieu! J'ai frôlé l'épaule du dramaturge Tremblay que je m'étonnai de voir en ces lieux ainsi vêtu d'une chemise indienne, d'un short trop petit pour lui, les pieds sales dans des sandales de moine contemplatif. Il me fit un sourire comme seuls les hétérosexuels sont habitués à en recevoir et se retourna vers quelques admirateurs à qui il signifia que j'étais une quantité négligeable. Comme je l'avais déjà entendu de la bouche de Victor-Lévy ou de Jasmin Claude, je fis semblant de ne rien entendre et trouvai dommage qu'un tel talent se soit logé dans un tel visage. Il avait raison, me dis-je, car face à ce gros et grand garçon, j'étais certes une quantité négligeable, mais de qualité et, heureusement, non négligé.

Mon verre rempli, je cherchai un endroit où me retirer sans attirer l'attention, car je ne pouvais pas partir aussitôt arrivé et je tenais Godbout en trop grande estime pour lui fausser compagnie de la sorte, d'autant plus que je le sentais m'observer de loin et s'amuser follement de ma présence parmi ses invités.

Je poussai une porte et dérangeai Fournier qui pelotait passionnément Mlle Goncourt, m'excusai et longeai le couloir étroit, dénudé, rencontrai Ribas qui monologuait avec ses mains, quand un Aquin, complètement ivre, cherchait Ducharme qui, sait-on, avait peut-être eu le goût soudain de se montrer en public. J'aboutis finalement dans la cuisine. Dubé remplaçait le cuisinier. Il me reçut avec chaleur et aménité. J'inspectai la cuisine d'un coup d'œil de connaisseur et fus particulièrement étonné de voir une tête de bison et des anguilles séchées suspendues au plafond et dont les yeux semblaient vivants. Je n'y portai pas plus attention et je m'approchai de Dubé pour voir quelle pièce il montait.

— Tu me donnes un coup de main? demanda-t-il.

— Si tu veux.

— Occupe-toi du poisson, dit-il, en me lançant un tablier.

Je m'approchai de la cuisinière où cuisait un poisson rouge à tête plate et bouche de femme. Dès qu'il m'eut aperçu, le poisson rouge souleva légèrement la tête et me dit: «Bonjour, camarade!» Devant ma surprise, il fit tout pour me rassurer, allant même, avec une gymnastique peu commune, jusqu'à se mettre la queue devant la bouche, aussi aisément qu'on le fait avec un doigt, pour imposer le silence. Jamais je n'avais entendu parler un poisson rouge. Jamais je n'en avais vu un assez vivant pour bouger, même en cuisant. Je n'avais bu que deux verres, je n'avais pas pris de pilules interdites et n'avais usé d'aucune drogue. J'étais normal. Tandis que je me faisais ces réflexions, le poisson rouge quitta soudain la poêle à frire, s'avança vers moi avec une telle affection que je saisis un linge à vaisselle, le fis claquer comme un fouet, avec une telle violence que le poisson rouge rebroussa chemin et se laissa cuire en se mettant à pleurer.

— Tu n'aurais jamais dû faire ça, dit Dubé. Il est très gentil. Il voulait simplement que tu l'embrasses avant de le manger!

En effet, sur le linge, il y avait l'empreinte de ses lèvres rouges. Je le lançai sur le comptoir, enlevai le tablier qui me ridiculisait, saluai Dubé et m'engageai vers une autre sortie qui donnait sur un immense escalier où

j'aperçus non sans sourire Grignon et Rumilly qui s'amu-
saient avec un boulier compteur quand, quelques marches plus bas, Thériault, solitaire, comptait sur ses doigts
les prix littéraires qui ne lui avaient pas été accordés. Ils
n'étaient pas seuls, l'escalier était bondé par d'autres
écrivains, de rares et jeunes poètes inconnus, des drama-
turges de la nouvelle mode étaient également assis dans
cet escalier, ne bougeaient pas, ni vers le haut, ni vers le
bas et jacassaient avec complaisance et tant d'irrespect
pour leur langue que j'en fus profondément gêné.

J'allais conclure que le nivellement par le bas ne
pouvait servir que la médiocrité. Madame Godbout con-
viait ses invités à table.

— Mais je m'en vais, madame, dis-je, prétextant
n'importe quoi, mais Godbout lui-même, qui venait derrière elle, insista fermement et m'entraîna dans une immense salle à manger où tous s'apprêtaient déjà à se
mettre à table. Godbout me fit asseoir à sa gauche et à
ma gauche, sa sœur qu'il me présenta. Elle était très
belle, aguichante et avait une taille si fine qu'avec mes
deux mains je pouvais en faire le tour.

On a mangé des brocolis et du steak. En silence. Par
respect pour Sartre et, surtout, par crainte que Jasmin,
selon son habitude, ne se mette à dire n'importe quoi de
méchant ou de bête et que je ne me mette alors en colère
vaine, comme c'est parfois mon impulsion. Il s'y hasarda
quelques fois, mais Godbout eut tôt fait de lui signifier de
se taire. Je profitai de la gourmandise des invités pour
détailler la pièce. Tout y était bleu, sauf ici et là, du blanc,
dont les couverts, les verres et les ustensiles. Sur un des
murs, il y avait un dessin érotique de Bertrand, une fille
comme Bardot qui mettait un doigt dans une autre fille
en plein orgasme. Alors que je regardais attentivement
cette reproduction, la sœur de Godbout s'en étant aperçue,

murmura la remarque suivante: «~~Elle mouille tellement que, parfois, je dois essuyer le mur.~~»

Sa remarque tomba à plat, mais, j'eus à peine le temps de me demander comment je devais la prendre que Godbout se leva de table, et porta un toast à son invité de marque.

Tous se levèrent pour l'imiter, mais à la surprise générale, dont la mienne, il m'invita à prendre la parole. Comme il sait que j'ai un trac fou de parler en public et qu'il dit lui-même, moqueur, à qui veut l'entendre: «Une chance qu'il écrit, sinon on ne saurait jamais ce qu'il veut dire!», je crus qu'il voulait me provoquer.

Tous se rassirent à l'unisson, sauf moi qui, intimidé, inquiet, surmontai mon trac pour dire de mémoire quelque chose que j'avais déjà écrit: «Mesdames et messieurs, la pauvreté morale et intellectuelle des Québécois tient peut-être au fait qu'ils n'ont pas eu d'aristocrates qui leur auraient servi de modèles et d'exemples. Ils ont eu des curés et des notables qui les ont exploités et trahis pour enfin les laisser à eux-mêmes. Depuis, ils ne font que se chercher et ne trouvent qu'eux-mêmes, c'est-à-dire la complaisance, la prétention, le chauvinisme et beaucoup de médiocrité. Cependant, ils s'imposent et se rachètent par leur générosité, leur naïveté, leur bonne foi et leur grand cœur. C'est beaucoup pour une nation qui n'a pas eu de princes.»

— Aristo, lança une voix que je crus reconnaître.

— Fasciste, répliqua une autre voix.

— Réacto, répéta une troisième.

— Farceur, se contenta de murmurer Godbout.

Je me rassis et demandai à Langevin une cigarette pour m'aider à retrouver ma contenance. Il ne fumait pas, mais n'écoutant que son bon cœur, il en demanda une à Andrée Maillet. J'en reçus tout un paquet et une invitation à poser ma candidature à l'Académie canadienne-française où je pourrais enfin, dit-elle, prononcer un vrai discours.

Tout le monde la trouva bien drôle et, tandis qu'on la riait, je regardai le paquet de cigarettes sur lequel il y avait l'illustration d'un poisson rouge.

Je feignis de ne rien remarquer, ouvris le paquet et retirai une cigarette que j'allumai en pensant qu'elles devaient appartenir à Godbout. Elle fit tellement de fumée que tous durent se lever de table et quitter la salle à manger.

— C'est simple, dit Godbout, ils n'aiment pas la fumée, elle présage le feu. Viens, ajouta-t-il, avec son calme légendaire, on va leur trouver un peu d'air frais...

— Ce ne sera pas facile, dis-je, la maison est immense.

— Immense? Tu fais erreur. Je l'habite depuis toujours, c'est tout petit.

— Tu n'en as jamais fait le tour, tranchai-je, me levant de table ainsi que lui et sa sœur, qui me prit par la main, embrassa son frère et m'entraîna vers un escalier en colimaçon où montait Ferron tenant un immense parapluie qui le protégeait de ses retombées verbales.

En bas de cet escalier, assises en cercle, toutes les *écrivaines* du Québec entouraient admirativement mesdames Hébert, Guèvremont, Roy qui discouraient entre elles de Virginia Woolf et de Marguerite Yourcenar.

— Il pleut beaucoup, remarqua Ferron, tout en continuant de gravir l'escalier, et vous descendez, Godin.

— Je ne descends pas, répondis-je, je vais vers les femmes. D'ailleurs, montez toujours, il pleut de plus en plus en haut et j'ignore où conduit l'escalier d'où je viens.

— Nous évitions la fumisterie, la fumée, veux-je dire, corrigea la sœur de Godbout.

L'escalier descendu, le groupe de femmes passé, nous nous retrouvâmes dans une immense salle qui ressemblait à un garage ou à un atelier de forgeron tant il s'y trouvait d'outils de toutes sortes, de pièces en fer, de grands fours et un tas de poulies accrochées au plafond.

Il fut convenu entre nous, sans que je me l'explique encore, qu'elle prendrait une direction et que j'en prendrais une autre, mais avant de nous séparer aussi froidement, je lui demandai où je pourrais trouver une salle de toilette.

Elle pointa du doigt un coin sombre, sans s'étonner de ma question.

— Là? Mais je ne pourrai pas, on pourrait venir!

— Quelle importance, dit-elle, tout le monde doit bien faire ça quelque part!

— Moi pas! Je vous jure! Je ne pourrais jamais.

— Tant pis pour vous, ajouta-t-elle avec lassitude, vous n'êtes même pas mon genre, débrouillez-vous, je ne suis pas votre guide.

Elle tourna le dos me laissant seul dans cette salle. Après en avoir fait le tour, je trouvai finalement, caché par des jalousies anciennes, un petit coin, mais, à ma grande surprise, Victor-Lévy trônait déjà, culotte à terre, tenant sur ses genoux une vieille Remington et écrivant à même le rouleau de papier de toilette.

Dès qu'il m'eut aperçu, il leva vers moi ses yeux d'érudit précoce, sourit avec acidité et, sans doute pour faire un jeu de mots, déclara: «Je torche mes mots!» Je compris du coup d'où il tenait son talent scatologique et son sens de la contradiction.

Je cherchai un autre endroit, en trouvai finalement un, d'un luxe total, tournai le verrou et soulageai ma pauvre petite vessie en songeant qu'on pisse avec un sentiment d'éternité (je l'ai déjà écrit) et à tout ce qui

m'était arrivé depuis mon entrée dans cette maison:
Sartre faisant un puzzle, Filiatrault réécrivant mes textes,
Thério, l'autre, juxtaposant son œuvre à celles des autres,
les jeunes écrivains qui refoulaient leurs borborygmes et
j'en passe. Et je revis, lettres dorées sur fond blanc, l'ins-
cription dans la vitrine de Godbout: «QUÉBÉCITÉ, QUEL-
LES BÊTISES N'A-T-ON PAS COMMISES EN TON NOM!»

Je me lavai les mains et sortis, mais n'avais certainement pas dû ouvrir la même porte, parce que je vis tous
les invités de Godbout, assis comme dans l'antichambre
d'un bureau de médecin, tenant une assiette blanche sur
leurs genoux, fourchette à la main, s'apprêtant à manger
un morceau de poisson rouge. Ils étaient tous tellement
occupés à manger que seul Godbout remarqua ma présence. Il vint vers moi et me dit à l'oreille: «Il leur en
manque tellement que, de temps à autre, je les invite et
leur en donne.»

— Du poisson rouge?

— Non, le symbole du poisson rouge!

— Je ne te comprends pas, dis-je.

— Quelle importance, fit-il, tu n'en as pas besoin.
Toi, tu es déjà posthume!

J'en éprouvai une grande tristesse et, obéissant alors
à mon vœu, Godbout accepta de me reconduire à sa
porte en me décoiffant encore une fois, très chaleureusement.

Je rentrai chez moi avec les fleurs séchées que me
remirent ses domestiques, mais sans pouvoir m'expliquer
pourquoi Sartre était venu faire le puzzle d'un poisson
rouge. Puis, de loin, j'entendis Godbout, pour une fois,
me saluer par mon vrai nom.

P.-S. Au fait, à ce moment précis, j'ignore encore pourquoi, comme une illumination, j'aperçus dans le ciel noir nos deux noms écrits en lettres dorées. Pourquoi le sien finissait-il par «out» et le mien par «in»?

Louis-Philippe Hébert

Le Manoir de la taupinière

Louis-Philippe Hébert est né à Montréal en 1946. Il est à la fois poète, nouvelliste et spécialiste en logiciels. Il a publié, entre autres choses, des récits et des nouvelles: *Le roi jaune* (1971), *Récits des temps ordinaires* (1972), *Le cinéma de Petite-Rivière* (1974), *Textes extraits de vanille* (1974), *Textes d'accompagnement* (1975), *La manu-facture de machines* (1976), *Manuscrit trouvé dans une valise* (1979). Minutieusement construits, difficiles d'accès, les textes de l'auteur illustrent de façon exemplaire la modernité des années 1970.

«Le Manoir de la taupinière» dans *La manufacture de machines*, Montréal, Éditions Quinze, 1976.

U n bureau. Muni de tiroirs dont le fond ne chevauche pas sur une glissière. Boîtes de bois dans des boîtes de bois; une fois tous retirés du meuble, les tiroirs laissent voir de multiples niches qui ne communiquent pas entre elles. À l'exception de deux tiroirs placés en parallèle, jumelés à une façade commune. Les espaces-tunnels que dégage le retrait toujours simultané de ces deux tiroirs, sont séparés par un bloc de bois deux fois plus large qu'un tiroir. En allongeant le bras dans l'un ou l'autre des espaces d'emboîtement ainsi libérés, il est possible par une poussée du bout des doigts, de faire bouger un troisième tiroir, logé à l'arrière, au fond du meuble, et glissant dans un sens perpendiculaire par rapport aux premiers. Son passage relie les passages parallèles réservés aux tiroirs du devant pour former une sorte de U aux coins carrés. Ce tiroir ne présente pas de poignée, ni de cavité qui permettrait de le ramener vers la main plutôt que de l'en éloigner. Ajusté très exactement aux murs des deux cages entre lesquelles il se situe, pour que ses côtés ne puissent intervenir dans le glissement des tiroirs jumeaux, on ne devine sa présence que parce que l'on sent le carré des interstices en y insérant un ongle. Seule une poussée de la main fait apparaître dans l'espace voisin le coffre de ce tiroir. La séparation entre les deux tiroirs complices étant égale à la profondeur de ces mêmes tiroirs (et le double de leur largeur), le tiroir du fond, de même format que ceux du devant, n'est jamais visible que de moitié et, contrairement aux autres, il ne peut être retiré complètement du meuble. Ce que la main droite a poussé de l'autre côté, la main gauche l'inspecte de son mieux. À ce moment-là, la personne connaissant le secret du tiroir a posé sa poitrine à plat contre le panneau séparant les tiroirs qui y conduisent. Les épaules enfoncées dans les espaces libres (on doit extraire au préalable les tiroirs jumeaux), le menton appuyé sur le dessus du bureau. Même si cette position s'avère la position idéale, il n'est pas loisible de glisser les doigts à l'intérieur du tiroir: sa hauteur, la même que celle des deux premiers, laisse entre la surface supérieure (qui fait plafond) et la surface inférieure (qui fait plancher) un intervalle suffisant pour qu'on le manœuvre en souplesse, mais trop étroit pour qu'on y fasse entrer une jointure, et encore moins le poignet. La seule manière d'en déterminer le contenu, c'est de le faire passer de gauche à droite, de le renvoyer d'une main à l'autre, et d'écouter le bruit créé par les entrechocs des objets à l'intérieur. Il s'agit donc, au sens plein du terme, d'un tiroir secret, d'une oubliette à la dimension du *manoir* — vu de loin le meuble a l'allure imposante d'une demeure seigneuriale avec quoi contrastent le frêle des décorations extérieures, les auvents de papier de soie, les volets de balsa, les corniches effilées, les trois étages légèrement inclinés avant de rejoindre un toit plat sur lequel on peut écrire et qui tranche, par son aspect pratique, sur les lucarnes de carton fort allant en rapetissant vers le haut (aux fins de l'écriture, encombrantes) et sur la façade, où il y a un balcon miniature sur lequel donnent de plain-pied les portes-fenêtres. Ces portes-fenêtres ouvrent et ferment sur des miroirs, et leurs pentures sont vissées à même le frontispice des tiroirs; mais, en ce qui concerne les tiroirs jumelés: leur façade commune où se trouve un attirail de quatre portes-fenêtres et leurs miroirs, cache une baie vitrée découpée à même le meuble; toute la fenêtre coulisse à la verticale; derrière cette fenêtre à guillotine, au miroir a été substituée une petite peinture à l'huile sur toile tendue, une miniature parfaitement à l'échelle de cette «maison», représentant une pièce que l'on a voulue la plus grande et la mieux dissimulée, une salle de réception où se donne un bal si l'on se fie aux costumes des personnages qui s'y trouvent. Ce bureau, par son mélange de volonté pratique et esthétique, remontera à quelque école kitsch du début du siècle, ou encore sera le grand œuvre d'un bricoleur naïf, d'un patenteux. Le contenu du tiroir secret a dû être décidé au moment de l'assemblage (ou longtemps auparavant), et par le bricoleur, à moins que ce ne soit une commande... Il doit y être demeuré inchangé depuis ce temps. Sauf si c'était un objet périssable, un fruit (une pomme, par exemple) qui, maintenant séché, peut avoir atteint un format des neuf dixièmes inférieur au format original. Si, comme un ancien propriétaire l'a supposé, il y avait là un petit instrument de métal (une pince à cheveux ou un coupe-ongle, ou encore les deux à la fois), en démontant le meuble, on le retrouverait identique (sauf la rouille) à celui qui y fut déposé. Dans son état originel. Mais il est hors de question de mettre en pièces ce patient travail d'ébénisterie par simple curiosité, et le contenu du tiroir devra rester indéterminé jusqu'à ce qu'un accident ou une personne animée par une exaspération qui pousse au sacrilège, crée une ouverture dans le dos du meuble, ou bien défonce en la forçant la partie accessible du tiroir. Comme ce meuble n'a pas la réputation d'avoir appartenu à un riche rentier, le tiroir caché ne risque pas de contenir un trésor, ou un objet d'une valeur autre que sentimentale. Un porte-bonheur? Un sachet d'herbes odoriférantes? On se demande quelle chose aurait pu y être enfermée, qui puisse justifier de le démolir pour se l'accaparer. De plus, l'abondance de tiroirs disponibles fait vite oublier ce tiroir inutile, dérobé de toutes matières, et surtout logé là où il ne pourrait être serviable. Ceci explique partiellement que, lors de la vente à l'encan de dimanche dernier, debout sur une table qui lui servait d'estrade, le crieur n'ait pas obtenu des enchères très élevées. N'avait-il pas assez insisté sur le tiroir secret (ou trop), je ne suis pas arrivé à temps pour le dire. L'encan avait lieu dans un sous-sol de restaurant, et j'avais eu de la difficulté à reconnaître l'endroit. Contrairement à ce que l'on m'avait annoncé, il s'agissait plus d'un marché aux puces que d'un encan traditionnel. Des objets, allant de la vaisselle à des moteurs récupérés dans des machines irréparables, soucoupes ébréchées, tasses sans anse et rien qui soit en état de fonctionner; les articles étaient présentés rapidement, mal décrits (moins, comme je le constatai par la suite, à cause de la duplicité de l'encanteur que de son ignorance et du dédain qu'il ne cachait pas), puis adjugés sans insistance. Les villageois rassemblés là pour le spectacle ne se montraient guère intéressés sauf lorsqu'un article s'élevait au-dessus du prix courant à l'état neuf; quand un voisin leur demandait l'usage qu'ils comptaient tirer de leur nouvelle acquisition, les acheteurs, pour la plupart obèses, confessaient sur un ton d'arrogance que *cela* irait rejoindre «leur dépotoir personnel». La présence d'une pièce de l'envergure du *manoir* détonnait par sa bizarrerie artisanale et son relatif état de conservation sur le reste des articles qu'on n'avait même pas pris la peine de nettoyer. L'encanteur, pour l'occasion, avait repoussé une mèche de cheveux, et il la collait en place en mouillant sa main de sueur et de salive. Il avait exceptionnellement modifié son débit à résonnance mi-incantatoire, mi-automatique, pour trouver à ce bureau des qualités superlatives mais peu applicables puisqu'il ne trouvait pas preneur au montant suggéré. Le public inculte entassé là, les yeux embrouillés par la fumée, plus préoccupé par le va-et-vient continuel des gobelets de café achetés là-haut et qu'il se passait de main à main, répugnait à mettre un

prix sur ce meuble dont il ne percevait même pas l'esthétique décadente. Je ne me donnai pas la peine de me
trouver un siège, et j'annonçai une mise raisonnable mais
qui parut exagérée à l'assistance à en juger par les murmures qui suivirent. Je n'eus pour me renvoyer la balle
qu'un grand homme chauve et maigre dont le crâne
luisant et les rabats de l'imperméable relevés jusqu'aux
oreilles donnaient à la tête trop petite un air de perle
sertie. Il souffrait de désordres nerveux (c'était clair, je
ne pouvais être le seul à m'en apercevoir), secoué par les
tics, très agressif un moment, puis sombrant dans une
léthargie de très courte durée, sans doute un de ces
malades à la folie légère que les psychiatres gouverne-
mentaux retournent trop facilement à la vie commune,
et qui, à la faveur du relâchement général, continuent de
fonctionner, tant bien que mal, sautant d'une fixation à
l'autre. Il avait, malgré le ridicule de son grand corps
instable, la sympathie de la salle. Sans doute un «poteau»
comme nous appelons populairement ces faux acheteurs
semés dans la foule pour faire mousser les mises. Certainement ni l'ancien ni le futur propriétaire de cette pièce.
On prend difficilement un collectionneur à ce petit jeu.
Après un moment de silence, sans la moindre hésitation,
qui laissait croire que j'étais prêt à le céder à plus offrant,
je distanciais mon seul concurrent en intervertissant les
chiffres de sa mise. De cinquante-sept dollars, je passai à
soixante-quinze. Je devins acquéreur pour cette somme
modeste, si l'on ne tient pas compte des problèmes de
transport qu'allait m'occasionner un objet aussi fragile. Il
est toujours agréable après un achat impulsif, ou fait «à
distance» (car je ne serai jamais prévoyant au point de
me prévaloir du droit d'inspecter la marchandise durant
la semaine qui précède la vente), et toujours un peu
excitant de passer à l'examen de la nouvelle pièce... Exa-

men, description, réflexion, c'est grâce à cette technique que je parviens à classer toutes les pièces de ma collection. Je me tiens loin de ces collectionneurs qui prennent un plaisir malsain à confronter leurs pièces, qui vous vantent une pièce plus récente pour mieux se retourner deux minutes plus tard, et la déprécier en faveur de telle autre. Non, chaque objet doit être vu pour lui-même, comme si on le surprenait au milieu d'un grand champ de neige. Sinon tout est toujours «moins rare que...», et l'on va de déception en déception. Pour une nature ordonnée et réceptive, classer n'est pas un fardeau mais un divertissement voluptueux, et je ne suis pas homme à me priver des petites délectations que la vie quotidienne offre avec parcimonie. J'ai tout mon temps, et je crois que la description que je vous fais lire témoigne de mon goût pour le méthodique et l'exhaustif. C'est à la suite d'une patiente analyse qu'au tiroir secret succéda (tout naturellement...) la découverte que les tiroirs jumelés étaient à double fond. Le premier était vide. Le second, par contre, contenait un livre noir, relié en peau de chagrin, une sorte de journal personnel tenu par l'ancien propriétaire. Je ne m'attendais pas à tant de ce qui m'avait paru, au loin, une énorme maison de poupée. Dans le coin supérieur droit de chaque page, la date a été inscrite d'une écriture soignée; sans doute cette pagination en calendrier a-t-elle été portée d'une seule traite, car la calligraphie (du jour, du mois et de l'année), de la première page à la dernière, présente le même raffinement soigneux. Ce qui n'est pas le cas en ce qui a trait aux observations consignées qui, elles, vont d'une plume disciplinée au début, très rectiligne, à un fouillis vers la fin, fouillis où se retrouvent, éparpillées dans la page, des notes laconiques, en diagonale, sans ponctuation, et, la plupart du temps, à l'orthographie défaillante, pour se terminer (bien avant d'avoir empli toutes les pages datées — la première page blanche tombe pile sur le jour de l'encan) par ce qui pourrait ressembler, si ce n'était là un cliché, à des dessins hiéroglyphiques. On y apprend que l'ancien propriétaire a, chaque soir, retiré les tiroirs jumelés, les a déposés sur une chaise, et a fait bouger le tiroir du fond. Chaque soir, il a ensuite consigné dans son carnet la nature spéculative de l'objet caché. Du coupe-ongle, il est passé à un couteau, un canif, puis une petite paire de ciseaux, mais la constante demeure qu'il y voyait un objet tranchant, un rasoir revenait à intervalles réguliers. À la relecture, le carnet révèle plus les préoccupations du moment (des activités de toilette, puisqu'il écrit avoir placé ce meuble à son chevet) que le contenu approximatif du tiroir. On se demande comment le propriétaire ne s'est pas rendu compte de sa méprise. Sans doute la fièvre l'en a-t-elle empêché, car il note une détérioration constante de sa santé, malaises que trahissent les lettres de plus en plus mal formées, et quelques taches de sang que l'on relie spontanément aux hémorragies dont il nous fait part. Leur fréquence serait due, d'après l'auteur, à une hémophilie héréditaire. Les nuits où il n'a pas eu le courage (c'est l'expression qu'il emploie naïvement) de faire jouer le tiroir, le malade s'est senti comme observé durant son sommeil. Observé n'est pas juste: plutôt «appelé» par une présence mystérieuse, recelée par le meuble. Il a cru, durant quelques pages, à un objet envoûté, mais plus loin, on déchiffre qu'il fut plus enclin vers la fin à y voir une machinerie quelconque qui, lors des glissements du tiroir, aurait été mise en marche par les mouvements imprimés. Comme ces montres-bracelets qui se remontent automatiquement, récupérant les gestes saccadés de qui les portent et les transformant en énergie mécanique utilisable. «C'est l'absence d'un tic-tac imperceptible qui crée la panique, notait-il en lettres moulées. Comme si, lorsqu'il n'est pas actionné chaque soir, le mécanisme "coronaire" s'arrêtait et le meuble plongeait dans un état comateux.» J'ai remis ce carnet où je l'ai trouvé. À la seule pensée de compléter la liste des objets contondants par ce que tout homme de qualité aurait la tentation d'ajouter: ce qu'il y a dans le tiroir secret, c'est un *style*, le double fond du tiroir parallèle se montre bien invitant — je ne sais si j'ai l'intention de continuer ces spéculations. Mais vous me connaissez, je suis de ceux qui aiment combattre l'oisiveté en entretenant une correspondance variée; de ceux qui s'amusent à deviner le contenu de la lettre avant de décacheter l'enveloppe. Quant à moi, et ce qui suit pourrait constituer ma première hypothèse, le bruit du tiroir en mouvement me fait plutôt penser à celui d'un liquide disons enfermé sous vide dans un ballon de verre. Hier, je me suis même plu à supposer que ces tremblements aquatiques appartenaient à un liquide un peu pâteux, d'une blancheur impeccable, très proche du lait au goût. La position agenouillée que l'on doit prendre pour atteindre le tiroir sans difficulté oblige à s'approcher lentement de la fenêtre centrale. À chaque reprise, on découvre un élément nouveau dans la toile qu'il y a derrière cette fenêtre, la seule fenêtre qui ne soit pas fixée à un tiroir sauf, si l'on veut, au tiroir secret situé plus loin derrière. Au début, le regard se perd en allant de l'un à l'autre dans cette grande salle où conversent des personnages richement vêtus. Mais à la longue, il prête attention à un tableau peint à même ce décor de théâtre. On croit voir un portrait (grandeur nature et, en comparaison avec les divans et le lustre factices, gigantesque); ce serait celui d'une taupe au museau étoilé; les invités y vont tour à tour de leurs commentaires, comme s'il s'agissait là d'un membre de la famille de nos hôtes, ils se prononcent avec déférence. À prime abord, on pense à une peinture abstraite à l'intérieur d'une peinture figurative très respectueuse des perspectives. L'animal se distingue progressivement du paysage vert et brun qui lui sert d'habitat. C'est son «étoile» qui le dénonce: elle semble coiffer le cylindre de son museau; cette étoile de chair est formée de vingt-deux branches rouges, articulées et sensibles. La taupe plie et déplie ces tentacules devant ses narines, sans interruption, avec le mouvement d'une fleur qui s'ouvre et se referme (ou d'une pieuvre nageant); sans interruption, du moins tant qu'on actionne le tiroir. À ce moment-là, le glissement de la fenêtre à guillotine est bloqué, et il est impossible de vérifier par le toucher ce qui ne pourrait être qu'une variation de la lumière, une vibration de la toile. Le reste du corps, le pelage ras, la queue que l'on ne voit pas puisque la taupe fait face, et les pattes griffues, le reste du corps n'a pas intéressé l'artiste, ou bien ce dernier a-t-il voulu insister sur ses aptitudes au camouflage. Cette taupe est la clé de l'énigme, mais à part l'allusion évidente à la présence d'un couloir souterrain, je n'ai pu lui déterminer de signification pratique. Je n'admettrais pas, de qui que ce soit, même d'un inspecteur dont le diplôme est reconnu par une université d'État, qu'il vienne chez moi avec l'intention ouverte de dénicher le fil conducteur de ma collection, et que cet individu se targue ensuite de le découvrir en choisissant une pièce au hasard pour en faire le lieu de toutes ses explications. Peut-être en est-il de même pour ce bureau qui, à en juger par nos affinités, collectionnerait ses propriétaires. Idée folle! Il y a malgré tout chez certains meubles un aspect hautain, une noblesse de fabrication comme on en retrouve chez certaines personnes: on ne doit les aborder qu'avec distinction, et ne pas trop chercher à en percer le mystère. Je sais maintenant que la place qui convient au *manoir* est le salon, ou mieux, par temps clair, dehors sur la pelouse près d'un arbre nain pour que les proportions soient respectées. Il lui faut aussi un public. On peut éprouver une gêne à y plonger les mains devant les invités, ou à procéder à la cérémonie du tiroir à la vue des passants, mais c'est la seule manière civilisée d'y faire son entrée, rasé de frais, en tenue de soirée, pour ne pas arriver là, dans la grande salle de bal, en chemise de nuit, l'air hagard, blême de terreur, comme cet homme, trop grand et tout à fait *déplacé*, qui me poursuit partout et, pendant que je détaille la patte de l'artiste qui nous a donné cette admirable taupe, qui me coupe effrontément en me réclamant des nouvelles d'*ailleurs*.

Madeleine Ferron

Ce sexe équivoque

«Ce sexe équivoque» dans *Le Chemin des dames*,
Montréal, Éditions La Presse, 1977.

Quand vous l'avez vue descendre du taxi, vous étiez appuyé à la spacieuse baie vitrée de votre salon funéraire dont vous avez refait la façade l'an dernier. Vous ne regrettez pas d'avoir dépensé beaucoup d'argent pour donner à votre établissement l'allure cossue d'une maison victorienne. Vous aviez constaté qu'une tendance nouvelle incitait les gens à se faire ensevelir somptueusement, un cran plus haut que leurs conditions sociales et leurs moyens pécuniaires. Vous pratiquez dans une petite ville minière de Canadiens français à revenus moyens.

Vous êtes appuyé à la fenêtre et fumez une cigarette au menthol, habitude prise depuis longtemps et toujours efficace. Quand vous sortez de votre laboratoire, dites-vous en appuyant sur ce dernier mot, la fumée aromatisée de cette cigarette vous débarrasse de cette persistante odeur de mort au formol.

Elle est descendue de l'autre côté de la rue et s'apprête à la traverser. Vous n'oubliez pas que vous venez d'ensevelir le mari de cette femme encore jeune. Vous ne l'oubliez pas, c'est évident, puisque vous êtes avant tout un homme d'affaires mais vous ne pouvez empêcher que s'ouvre derrière elle un éventail de souvenirs qui s'agite et frémit. Vous revoyez avec une précision qui s'accentue à son approche les deux mois durant lesquels elle fut à votre emploi.

Elle porte ces chaussures à semelles épaisses et rigides, conçues par un modéliste sadique qui inflige aux femmes libérées une démarche de Chinoise du temps des Ming. Vous vous êtes toujours étonné des difficultés gratuites que s'imposent les femmes en général et vous vous amusez du cas particulier qui se dirige vers vous. Elle éprouve, vous semble-t-il, les difficultés d'un acrobate en équilibre sur son fil. Elle a toujours ce visage de starlette qui avait attiré votre attention: une chevelure en mousse de savon, des lèvres au jus de fraise, une peau teintée à la cannelle. Vous aviez remarqué depuis longtemps l'allure étonnante de la jeune femme mais c'est son métier qui vous avait incité à l'engager. Vous vouliez donner une allure moderne à votre salon funéraire. Vous vous étiez enthousiasmé des avantages qui résulteraient du travail de cette coiffeuse et de la complicité de votre dynamisme et celle de son imagination. Malheureusement, elle n'a pas du tout saisi la subtilité de vos intentions. Au début, tout alla très bien. Il avait été convenu qu'elle viendrait exercer son métier et offrir ainsi à votre clientèle le luxe additionnel d'une dernière mise en plis. Il ne vous en coûtait rien de plus puisque ses services s'ajoutaient aux extras de la note finale. Vous avez toujours admiré l'astuce des marchands de savon; le truc de la serviette-prime dans les boîtes grand format, par exemple. Vous n'aviez pas prévu que votre nouvelle associée serait autoritaire et arrogante, comportement qu'elle avait acquis auprès de la clientèle snob qui fréquentait son propre salon de coiffure. Il ne convenait pas à votre établissement, le seul dans un rayon de quarante milles où se croisaient forcément toutes les classes de la société. Il fallait du doigté, de la psychologie, une façon discrète de persuader... surtout avec les pauvres. Vous vous souvenez très bien de l'incident malheureux qui vous a ouvert les yeux. Vous veniez de vendre enfin votre dernier cercueil de peluche en vous laissant, semblait-il, arracher un rabais. Vos pauvres clients allaient à la limite de leurs moyens financiers. Pour compléter la toilette de la défunte, vous n'aviez qu'à lisser ses cheveux blancs avec la paume de vos mains. Votre coiffeuse avait insisté auprès des parents pour faire une coiffure dernier cri, disait-elle, insisté jusqu'à la colère, jusqu'au mépris.

C'était une grossière erreur de jugement qui aurait pu avoir de néfastes conséquences. Elle ne faisait pas toujours des gaffes aussi manifestes mais toujours elle les frôlait d'une façon inquiétante qui vous énervait.

Plus elle approche, plus vous trouvez regrettable d'avoir été dans l'obligation de la congédier. Sous un prétexte fallacieux mais acceptable il va de soi, qui protège l'amour-propre et sauvegarde les relations ultérieures.

La voilà qui monte l'escalier. Elle porte le deuil en cuir noir, vous exclamez-vous, ravi de la retrouver telle que vous l'avez connue: merveilleuse de compromis. Vous allez lui ouvrir la porte. Elle entre, précédée d'un parfum capiteux, suivie du bruit presque inaudible mais saisissant d'une jupe en peau qui se tend et respire, semble-t-il, à chaque pas.

Vous voilà décontenancé, vous qui ordinairement gardez si bien votre assurance même dans les situations invraisemblables ou les circonstances difficiles. Vous savez toujours quel ton choisir, jusqu'où peut ou doit aller votre condescendance et votre sympathie. Devant elle, vous demeurez bouche bée, vous faites simplement un geste en direction de votre bureau. Elle y entre, s'assoit selon son habitude d'une façon inconfortable et compliquée. Vous avez l'impression que le cuir de la jupe va se fendre sous vos yeux. Les genoux sont pressés l'un près de l'autre mais trop penchés vers la gauche. Vous vous sentez obligé de précipiter la conversation mais dans votre distraction vous n'en avez pas prévu le premier mot. Pour la première fois, dans votre rôle de croque-mort, vous gaffez. Vous avez une bien charmante manière de porter le deuil, dites-vous. Elle vous regarde, outrée: vous auriez peut-être préféré que je le porte en rouge? Vous retrouvez intacte cette façon imprévue, ce détour imprévisible qu'elle prenait toujours pour avoir raison. Vous savez très bien que les condoléances seraient de rigueur mais vous êtes dans l'embarras. Vous connaissez trop la nature des relations maritales qui l'unissaient au défunt. Elle vous a tout raconté. Chaque fois que vous vous penchiez ensemble sur un cadavre, les confidences dégorgeaient devant vous. Vous en étiez ravi. Elle avait le souci du détail, un choix de mots qui transformait une histoire banale en un récit allusif, vif et transparent. Vous avez ainsi appris que dans la ferveur du début de leur vie conjugale, ils avaient adjoint leurs métiers respectifs. Association fort plausible puisque, lui, était barbier. Ils occupaient tout le rez-de-chaussée d'une grande maison, située sur la rue principale d'une petite ville voisine. Un poste de choix. La façade avait deux portes. Côté gauche, sous le tube giratoire traditionnel, pendait une affiche: *Razor cut.* La suggestion venait d'elle évidemment.

La deuxième porte ouvrait sur l'antichambre d'un salon de marquise. Des fausses colonnes de marbre, du papier peint avec appliqués de velours doré, des fauteuils Louis XV faits par l'ébéniste de la rue Saint-Alphonse, des miroirs immenses le long desquels descendaient des cordons jaunes en soie. Sur le mur blanc, face à la porte, s'étalait une photocopie agrandie d'un diplôme sibyllin. Il lui avait été décerné par un maître-coiffeur de Paris venu à Montréal pour y donner un cours intensif d'une semaine.

Il était évident que l'humble bâton giratoire rouge et blanc n'allait pas tarder à offenser l'ambition de la coiffeuse. La rupture de leur association précéda-t-elle ou suivit-elle celle de leur amour? C'était sans importance, laissait-elle tomber sèchement, puisque les deux résultaient d'un incroyable malentendu. Un bon jour, le barbier avait chargé son fauteuil aux accoudoirs chromés dans un camion de déménagement. Il l'avait suivi, au volant de la voiture sport dont il avait rêvé si longtemps et qu'il venait enfin de s'offrir. Le bris de leur société ajouté à la rupture conjugale le délivrait enfin de cette obligation où il était de contribuer à un compte d'épargne commun, qu'il fallait arrondir sans merci à chaque fin de mois quitte à se priver de nourriture, de sorties et de tabac. L'austérité n'est acceptable qu'étayée par l'ambition. La coiffeuse y puisait des levains de rêves, lui, des ferments de suicide.

Est-ce que vous lui avez ou non offert vos condoléances à la jeune veuve? Vous ne savez plus. Elle est devant vous, coincée dans sa jupe de cuir et vous observe perplexe, peut-être amusée. Il y a dans son regard cette lueur malicieuse qui signifie qu'elle est en position de force. Si vous offrez deux fois vos condoléances, vous êtes ridicule. Si vous les omettez, vous êtes pris en flagrant délit: les règlements de la maison doivent être observés rigoureusement, avez-vous toujours répété à vos employés. Alors pour couper court à vos hésitations, vous proposez avec déférence: «Il serait bien que nous nous rendions dans le salon d'exposition.»

Vous êtes sortis de votre bureau. Arrivée la première dans l'embrasure de la porte d'arche, elle a réprimé un mouvement de recul, vous a-t-il semblé, et puis elle s'est ressaisie.

— C'est à votre goût?

— C'est bien, dit-elle en plissant les yeux pour avoir une plus juste vue de l'ensemble. C'est parfait, ajoute-t-elle avec un ton de complicité qui vous gêne un peu. On ne dirait jamais que le cercueil est en faux acier... Personne ne s'en apercevra. On aurait eu plus de difficulté pour tricher avec le bois... sa parenté est de la Gaspésie...

— Mes cercueils de chêne sont en vrai chêne, vous le savez bien.

Vous êtes blessé mais elle ne se soucie nullement du ton aigre de votre voix.

— Je ne respecte pas moins mon mari avec du faux acier puisque tout le monde croira que c'est du vrai!

Ce genre de phrases invraisemblables vous déroute toujours. Vous êtes demeuré muet.

— Vous pouvez avancer la couronne et la coller un peu plus au prie-dieu?

Vous alliez satisfaire ce désir raisonnable: il était normal que l'offrande florale de l'épouse légitime soit en évidence.

Elle a élevé la voix.

— C'est combien pour l'ouvrage au complet?

Elle vous a posé la question comme elle vous aurait braqué un pistolet dans l'estomac. Ordinairement, tout un cérémonial accompagne le sujet si délicat des honoraires. Après quelques instants d'un désarroi bien excusable, vous avez retrouvé votre sang-froid.

— C'est deux mille dollars tout compris, les porteurs inclus, la couronne qui est à votre nom aussi.

Elle est demeurée dans l'embrasure de l'entrée. Vous vous approchiez d'elle afin de pouvoir parler plus discrètement.

— Rien ne presse, j'attendrai le temps que vous voudrez... Le premier paiement sera à votre convenance...

— Vous croyez que j'ai besoin de délai? riposte-t-elle arrogante.

Elle tourne le dos avec suffisance et se dirige vers votre bureau.

— Vous avez un chèque? demande-t-elle froidement.

Elle veut vous impressionner, c'est évident, mais vous n'arrivez pas à saisir si le jeu est gratuit ou intéressé.

— Les temps ont bien changé depuis notre association... Ma clientèle a doublé. Et la chance me sourit,
assure-t-elle triomphante.

— Moi, je maintiens difficilement la mienne, elle
aurait plutôt tendance à m'abandonner si je ne la surveillais pas sans arrêt.

Votre aveu si simple, votre inquiétude si franche
influence aussitôt sa stratégie. Il serait plus juste de dire
qu'elle décide de l'oublier momentanément.

— La chance est un animal capricieux qui réagit
surtout quand il est provoqué, vous murmure-t-elle se
penchant au-dessus de votre pupitre, appuyée sur les
paumes de ses mains. Elle cligne de l'œil et avec cette
impudence qui la caractérise:

— La mort d'Albert, c'est mon dernier coup de
veine!

Interloqué, vous n'avez pas répondu. Elle a tout de
suite enfilé:

— Albert, quand il était célibataire, raffolait de la
course automobile. J'avais remarqué qu'il en avait gardé
comme un tic dans le pied: devant un espace libre, aussitôt il accélérait, la palette au plancher.

Elle continue, volubile, excitée par cette confession
impromptue.

— J'ai eu l'intuition d'un accident possible, vous
explique-t-elle sans aucune pudeur. Après notre séparation, j'ai pris tout de suite une police d'assurance sur sa
vie. Une grosse. Double indemnité en cas de mort accidentelle!

— Pas bête, avez-vous répondu en sifflant d'une
façon cynique, pour garder contenance et contrôler ce
frisson qui vous hérissait le poil des bras. Elle a baissé la
tête modestement.

— Il y a des avantages matériels qui se perdent

bêtement dans notre système capitaliste, faute de réflexion et de connaissances, conclut-elle en retrouvant une gravité plus digne.

Les parents du défunt sont arrivés vers la fin de l'avant-midi, vêtus de noir, douloureux et fourbus. Vous êtes allé les recevoir avec un empressement ému. Ils vous rappelaient si bien votre propre famille, modeste et fière. Ils s'excusèrent gentiment d'arriver plus tard que prévu. Ils n'avaient pas calculé le temps qu'ils mettraient à trouver votre salon funéraire. La ville s'était tellement développée depuis cette dernière fois qu'ils y étaient venus... il y avait une quinzaine d'années, peut-être... Évidemment qu'ils avaient oublié l'adresse sur la table de la cuisine.

— Je l'avais justement placée là pour qu'on la remarque, ajoute la mère confondue.

Ils embrassèrent cette personne singulière, étrange, dont le rôle se résumait, pour eux, à avoir été la femme d'Albert. «C'est terrible de mourir dans un accident... Sois courageuse... Les épreuves, c'est pour les humains...» Vous écoutiez les voix multiples de ce chœur antique qui improvisait le chagrin de la veuve sans prévoir que cette dernière s'accaparerait du rôle de soliste. Elle laissa filer un premier sanglot, suivi d'un deuxième plus expressif, de plusieurs autres en crescendo continu. Enfin, la famille émue vit la femme d'Albert se jeter littéralement, les bras en croix, sur le couvercle du cercueil en gémissant des «Albert» répétés qui mirent l'assistance en émoi. Vous êtes allé quérir la double dose de Valium, presque réglementaire maintenant, qui maintient le calme dans votre salon en annulant les crises de larmes et de désespoir, inévitables autrefois. La femme d'Albert a pu ainsi se replier dans un rôle silencieux, s'installer, impassible et distante, dans le fauteuil prévu et ne plus bouger. Situation dont elle profita indûment. Le premier jour passé, ce mutisme de la femme d'Albert s'avéra frustrant pour les parents du défunt. «Comment était arrivé l'accident?» «Quelle heure était-il?» «Est-ce vrai qu'il était méconnaissable? À moitié décapité? Le crâne d'Albert était peut-être vide?» «On ne sait jamais... les temps ont changé...» C'est ainsi qu'au bout de la deuxième journée, devant le silence entêté de la veuve, vous avez cru bon de satisfaire les membres de la famille. À peine aviez-vous donné quelques réponses que vous vous êtes vu cerné de questions additionnelles et vous en êtes venu à donner des détails qu'ordinairement vous gardez secrets, comme l'arrivée tardive du médecin sur les lieux de l'accident, longtemps après vous. Vous vous êtes lancé dans des descriptions macabres: l'oreille de l'accidenté qui pendait au bout d'un filament de peau ensanglantée, les dents qui jonchaient le plancher de la voiture, le morceau de cervelle qui reposait sur l'épaule droite du macchabée. Vous en étiez rendu à ces phrases honteuses et vous vous interrogiez secrètement, vous demandant comment vous en étiez arrivé à faire à l'assistance tant de concessions. Des parents touchants qui venaient de la Gaspésie... c'était votre excuse, la seule que vous pouviez vous avouer alors que votre motif véritable était d'attirer l'attention de la parenté sur l'habileté de votre travail même si le résultat était discutable, le succès relatif. Vous aviez réussi à modeler un beau visage, les traits étaient fidèlement reproduits, c'étaient bien les traits du visage d'Albert mais ce n'était pas Albert.

— Pour embaumer un accidenté, on est assuré du résultat quand on a tous les morceaux... avez-vous laissé tomber comme à regret. C'était l'ultime excuse que vous aviez trouvée pour expliquer que votre œuvre n'était pas parfaite.

Au moment précis où expirait votre phrase, la femme d'Albert, subitement se mit à pétiller. Un bouchon venait de sauter.

— Comment! On n'a pas retrouvé tous les morceaux?

— Il ne manquait que quelques détails, avez-vous répondu, subitement inquiet des conséquences possibles de vos propos indiscrets qui péchaient sûrement contre l'éthique professionnelle.

— Alors? On les a jetés aux poissons, dans la rivière ou à la poubelle?

Elle se leva tragiquement: elle était outragée.

— C'est une profanation, un sacrilège! On verra bien si on peut traiter un mort de cette façon! Je vais en parler à mon avocat... ça peut leur coûter cher, les misérables! Je saurai bien trouver le coupable.

Elle brandissait le poing. Vous avez craint un moment qu'elle ne vous pointe du doigt. Les parents, au début stupéfaits, un instant ébranlés, avaient retrouvé leur sens commun et observaient la femme d'Albert avec circonspection. Ce qui vous a rendu votre quiétude et la faculté de vous scandaliser à votre tour du comportement de cette femme redoutable qui monnayait son défunt à la pièce, aux morceaux, avec un cynisme qui vous étonna, même vous, exploiteur de la mort.

Heureusement les trois jours réglementaires de pleurs, d'épuisement, de chagrin et d'ennui eurent une fin convenable, c'est-à-dire que les coutumes furent respectées et qu'aucun incident regrettable ne risqua de ternir la bonne réputation de votre maison. Le lendemain, vous n'aviez pas fini l'inventaire des impressions multiples que vous aviez éprouvées devant les comportements excessifs de votre ancienne collaboratrice. Vous étiez encore indigné par certaines de ses attitudes mais, tout en spéculant sur l'état probable de sa fortune, vous n'étiez pas sans ressentir à son égard une admiration, mitigée peut-être mais réelle. Vous étiez perplexe et n'aviez pas encore décidé du jugement que vous deviez porter. Vous étiez appuyé à la baie vitrée de votre salon, fumiez votre cigarette au menthol (un autre mort était entré du matin) quand vous l'avez aperçue qui traversait la rue et venait dans votre direction. Elle avait remplacé son tailleur de cuir noir par un ensemble où prédominait un jaune provocant et se déplaçait, vous a-t-il semblé, comme le centre d'un cyclone, incontrôlable et dévastateur. Elle est entrée avec l'aplomb d'un propriétaire, vous a ausculté d'un regard froid. Vous vous êtes senti tout à coup envahi par la détresse de l'être inférieur.

— Vous allez bien? a-t-elle demandé.

Le style clinique qui accompagnait ces mots mettait à vif votre vulnérabilité. Vous rappeliez en vain votre orgueil en déroute.

Elle vous a commandé de vous asseoir pour qu'elle vous étale son projet. Elle avait tout prévu, tout calculé. Elle apportait le capital nécessaire à la nouvelle modernisation de votre salon funéraire. Ce serait extraordinaire: de l'ambiance, des décors, des services additionnels. Et sans aucun doute, très payant, assura-t-elle avec autorité. Et pourquoi pas agréable, minauda-t-elle ensuite en clignant de l'œil.

À ce moment, vous êtes devenu une espèce de chose molle que vous avez laissé tomber dans votre fauteuil et que vous entendiez répéter d'une voix étranglée: «Non, je ne veux pas, non, merci, ce n'est pas possible.»

— Ce que les hommes manquent d'envergure! Alors restez dans votre folklore!

Elle est aussitôt repartie et vous êtes demeuré assis

dans votre fauteuil en pleine crise d'hilarité. Le sexe faible! répétiez-vous en riant, tout en étant conscient que vous n'alliez pas toujours si facilement échapper au danger.

Lise Lacasse

Le sang coule vers l'amont

Lise Lacasse est née à Lachine en 1938. Elle a écrit des textes dramatiques pour Radio-Canada et a publié deux romans et deux recueils de nouvelles: *Au défaut de la cuirasse* (1977) et *Instants de vérité* (Éditions Trois, 1991). Une langue élégante et une finesse d'esprit donnent son importance à cette œuvre brève.

«Le sang coule vers l'amont» dans *Au défaut de la cuirasse*, Montréal, Éditions Quinze, 1977.

Ne reste pas dans l'embrasure de la porte. Entre! Si j'ai dit à Suzanne que tu pouvais venir, c'est que je désirais te parler. Approche ce fauteuil! Il ne te semble pas que ça fait des siècles que nous n'avons pas été assises face à face? Tu n'enlèves pas ton manteau? Qu'est-ce que tu as? On dirait que ça ne te réjouit pas tellement de me voir. Je suppose qu'il ne fallait pas que je croie Suzanne? Tu t'es plainte que je te délaissais mais seulement pour que la famille ait pitié de toi! Qu'est-ce qui ne va pas alors? Tu me reproches de ne pas t'avoir attendue avec Maryse dans les bras? Mais que crois-tu au juste? Que j'ai oublié le passé et que désormais je retournerai à la maison aussi souvent qu'avant? Le temps ne réparera jamais les dégâts causés par la vie que nous avons menée ensemble. S'il y a cinq ans, j'ai subitement cessé de te donner signe de vie, ce n'était pas pour jouer l'indépendante. Mais parce que la haine que j'avais accumulée envers toi me sortait par tous les pores de la peau. Allons, rassure-toi...! Je ne t'ai pas convoquée pour t'injurier mais pour te parler de Maryse et de moi.

Je ne dors pas depuis trois jours. Ce matin on m'a enlevé Maryse et je t'avoue que je me sens soulagée. Je ne pouvais pas continuer à me pencher constamment sur son berceau pour m'assurer qu'elle respirait. Dans quatre heures, on me l'apportera pour que je la fasse boire. Rien qu'à y penser, j'en tremble. À chaque fois que je la prends dans mes bras, j'ai peur de la briser. Quand je songe que dans peu de temps je me retrouverai à la maison, seule avec elle, j'ai envie de disparaître. Pourtant si tu savais à quel point j'ai désiré cet enfant. Je ne croyais jamais être obligée de m'habituer à sa présence. Maintenant qu'elle est née, on dirait que j'ai oublié qu'elle a d'abord habité en moi.

Pourtant j'avais espéré que Maryse me transformerait. Il me semblait que près d'un être innocent et fragile qui m'appartiendrait, je deviendrais forte et sereine. Tout s'est passé d'une façon si différente de ce que j'avais imaginé. À commencer par l'accouchement. De ce moment tant attendu, tout ce qui me revient c'est la certitude d'avoir été amputée lorsque Maryse s'est échappée de moi. Comme si en lui concédant le droit de respirer, je me condamnais de nouveau à l'incomplétude. Depuis que Maryse a commencé sa vie, j'ai peur de ne plus pouvoir supporter la mienne. Pourtant je ne veux pas que la page d'histoire que nous écrirons, Maryse et moi, puisse se comparer à celle que nous avons écrite ensemble.

Durant les mois que j'ai mis à préparer sa chambre, je n'étais préoccupée que par un seul désir: l'entourer d'êtres vivants pour qu'elle ne doute jamais de son appartenance au monde. Je ne voulais pas que Maryse gaspille son enfance au milieu d'un univers miniaturisé en bois ou en plastique. Les meubles et les objets dont on se sert dans la maison lui appartiendront. Elle ne les découvrira pas sous forme de jouets fragiles et bien rangés. Elle dormira dans la pièce la plus spacieuse de la maison pour ne même jamais avoir l'impression de manquer d'air. Malheureusement, tu serais dépaysée dans ce décor que j'ai conçu pour elle. Je pense que tu n'aurais même pas envie de regarder ailleurs qu'à tes pieds car tous tes fantômes s'y trouvent.

Imagine trois murs tapissés de dessins d'enfants où les lichens, les rennes et les phoques regardent les cactus, les lézards et les chacals. Où les orangers, les girafes et les panthères voisinent les hêtres, les lapins et les écureuils. Imagine une immense fenêtre en face de laquelle se balance une cage peuplée d'oiseaux, entourée d'un lierre et d'un philodendron. Tout au milieu de cette chambre, le lit de Maryse. En face du lit, une commode sur laquelle j'ai placé un aquarium rempli de poissons rouges. Mais pour se sentir à l'aise parmi tant d'inconnus, Maryse aura besoin que je lui parle et la serre dans mes bras. Tu comprends pourquoi il m'importe tant de retrouver une certaine quiétude?

Quand je suis née, tu as dû te sentir démunie toi aussi. Mais quels efforts t'es-tu imposés pour m'aimer et m'apprendre à vivre? Ça ne t'attristait pas que je finisse par te ressembler? Moi, je n'admettrais jamais que Maryse sorte de son enfance infirme. Mais toi, comme une somnambule, tu ne t'inquiétais de rien. Tu n'as même jamais cherché à retenir ce que la vie t'apportait. Ta seule ambition était de dormir. Aucune pensée ne t'effleurait. Même pas celle que, sans toi, tes enfants puissent se sentir perdus. Mais regarde-nous aujourd'hui. Tu es fière? En chacun, tu ne retrouves que tes peurs.

Jamais Maryse n'entendra parler de toi ou de mon enfance. Entre nous, le temps a été tellement vide qu'on dirait que ma jeunesse a duré une éternité. Je ne me rappelle pas t'avoir vue assise sur la galerie en robe jaune ou bleue, la figure tendue vers le soleil. Pas plus que je ne t'ai entendue rire lorsque les premiers flocons de neige tombaient. Devant chaque fenêtre de la maison, tu avais suspendu des rideaux épais et ternes. Les portes et les fenêtres étaient verrouillées en toute saison. Le mouvement et les bruits de la rue ne nous atteignaient pas. Tout au long de l'année, la maison sentait le camphre, le lait de magnésie ou l'alcool à friction.

Comment as-tu pu ne chercher qu'à étouffer la vie qui explosait en moi? Si au moins tu m'avais laissée jouer pendant que tu languissais entre les draps. Mais non, il fallait que, blottie contre toi, je m'oblige à replonger dans le sommeil. Même si je prenais bien garde de ne pas bouger, ça t'éveillait quand je tendais l'oreille pour écouter les enfants s'amuser. Tu n'endurais même pas que je regarde les taches de soleil au plafond. Ma respiration d'enfant éveillé t'angoissait. Tu aurais souhaité que je sois, comme toi, minée par la faiblesse et la maladie? D'année en année, j'ai vécu sous la menace de ta mort. Et tu respires encore. Ton visage et ton corps n'ont pas changé. Toujours cette infinie tristesse et cette pitoyable maigreur. La vie se cramponne à toi comme si elle voulait nous venger. J'en suis venue à croire que tu vivras éternellement. La mort passe à côté de toi sans te voir parce que tu lui ressembles trop. Regarde-toi. Tu es encore assise sur le bord du fauteuil. Ton corps est tendu comme un arc. À aucun moment, tu n'as posé les yeux sur moi. La porte est fermée et tu sais que personne ne viendra. De quoi as-tu peur? Tu ne m'écoutes pas. Depuis tout à l'heure, je parle à une statue. Comme quand j'étais enfant.

Je suis quand même satisfaite de t'avoir revue. Ça m'a permis de constater que je ne te ressemblais pas autant que je le croyais. Du moins, plus aujourd'hui. Mais ce que j'ai été obligée de me débattre! Je n'ai que trente ans et je regarde les années qu'il me reste à vivre avec appréhension parce que pour me maintenir en vie, c'est une bataille de chaque jour que je dois mener. Et maintenant que je sais qu'il ne suffisait pas que Maryse apparaisse pour que la vie s'installe définitivement en moi, je me sens épuisée. S'il y a quelque chose, Maryse a accentué le vide qui existe en moi. Elle m'a fait réaliser que je n'ai peut-être pas assez de souffle pour respirer pour deux. Quoi de surprenant, je n'ai appris que depuis un an.

Si Benoît se doutait que Maryse éveille en moi tant d'angoisses, il ne me le pardonnerait jamais. Je ne sais plus s'il s'accroche à moi par amour ou par pitié. Quand je l'ai connu, je te ressemblais tellement. Longtemps j'ai compté sur lui pour me changer. Mais à vingt-cinq ans la vie ne se communique plus par osmose. Il n'était donné à personne de te remplacer. Sauf à moi.

J'ai commencé par observer comment Benoît s'y prenait pour vivre. D'abord, il ne tremblait jamais. Quand il entrait dans les magasins ou les cinémas, il avait l'air chez lui. Utiliser le métro et l'ascenseur lui était aussi naturel que de manger avec des ustensiles. Quand il se trouvait au milieu d'une foule, il en épousait le mouvement sans répugnance. Il avait peur, mais de mourir avant d'avoir assez vu et assez appris. À force d'enfermer ma main dans la sienne, j'ai fini par apprivoiser les endroits et les gens que nous fréquentions. Mon cœur battait toujours plus vite que le sien, souvent j'étouffais mais je serrais les dents et je le suivais. Quelquefois je pensais: «Si seulement je pouvais respirer par la bouche de Benoît. Ne fût-ce qu'une minute. Il me semble que je rajeunirais de dix ans.»

Au début de notre mariage, quand je me retrouvais seule à la maison, je te sentais constamment derrière moi. Pour te chasser, j'ouvrais portes et fenêtres et j'écoutais la rumeur de la rue. Quand j'entendais des pas se diriger vers chez moi, je me précipitais à la fenêtre pour ne pas céder à la tentation de me tapir contre le mur comme je t'avais vue le faire tant de fois. Si ma voisine sortait sur le balcon, je sortais aussi. Je m'obligeais à lui parler. Qu'importe ce que je disais. L'essentiel, c'était de conserver ma voix et les mots que j'avais appris.

Par ailleurs, certains jours, tu triomphais. Je ne sortais du lit que quelques heures avant que Benoît ne revienne du travail. Toujours à l'affût du moindre bruit, la gorge dans un étau, je comptais les heures qui me séparaient de la nuit. Malheureusement, d'année en année, ces jours se sont multipliés. Il y a cinq ans, je me regardais dans le miroir et je te voyais. Tu comprends maintenant pourquoi j'ai cessé d'aller à la maison? Regarde-moi. M'entends-tu? Je t'effraie! Il va pourtant falloir que tu m'écoutes jusqu'à la fin. Demain tu te souviendras bien de quelques mots. Et j'espère qu'ils t'obséderont jusqu'à la fin de tes jours. Qu'ils t'empêcheront de dormir.

Il y a cinq ans, j'étais redevenue l'enfant à qui tu n'as jamais souri ni parlé. Tout me faisait peur. Même mon propre regard. Personne ne pouvait me sortir de ce trou dans lequel je m'étais enfoncée. Je n'étais plus capable ni d'aimer ni de haïr. La peur et l'angoisse comblaient tout l'espace qu'il y avait en moi. Quand Benoît entrait dans la maison, j'aurais voulu aller me cacher sous un lit. La vie qu'il traînait avec lui me faisait mal. Comme les arbres, le soleil ou l'air, il représentait une menace. Il m'arrivait de plus en plus souvent de souhaiter que Benoît trouve le courage de me faire enfermer. Je rêvais d'une chambre aux murs blancs avec un lit et une berceuse. Une chambre sans fenêtre où je ne verrais ni n'entendrais personne. Une chambre où je me laisserais mourir.

~~Je ne me~~ lavais plus. Je ne m'habillais plus. Je ne mangeais plus. Mais à chaque soir Benoît revenait. Il attendait l'été pour me donner ma dernière chance. Au bord de la mer. Dans une maison qui s'avançait sur les rochers. Le matin, je m'éveillais avec le bruit et le goût des vagues. J'ai appris à marcher et à jouer dans le sable chaud, à courir dans l'eau glacée, à m'appuyer sur un arbre à la tombée de la nuit et à apprivoiser tous les bruits et les silences du paysage. J'ai appris à désirer vivre. Pendant deux mois.

Quand je suis revenue à la maison, j'avais le goût de la terre dans la bouche. Mes mains et ma tête ne tremblaient plus. Mes yeux avaient la même dimension que ceux que je croisais. Je n'avais plus l'air d'une vieille femme. Quand je suis revenue à la maison, je possédais l'aptitude à vivre d'un enfant de cinq ans que l'on a aimé. Mais j'en avais vingt de plus. Personne ne m'initierait aux gestes quotidiens d'une femme. Si je voulais soutenir cette poussée de vie qui avait pris naissance en moi, il fallait que je me débatte. Seule. Absolument seule. Tout d'abord, j'ai réappris à longer les rues sans crainte de me perdre puis à parler aux gens sans m'imaginer qu'ils m'assailleraient. J'ai appris à m'asseoir dans un restaurant sans me sentir épiée et à répondre au téléphone sans que mon cœur palpite. J'ai appris tout ce qu'il sera nécessaire d'apprendre à Maryse.

Mais chaque jour, je dois empêcher ta peur de dissoudre tout ce que je viens d'acquérir. Tu n'as qu'à regarder cette chambre pour comprendre. Rien ne te frappe? Évidemment! Qu'y a-t-il de singulier à ce que cette chambre n'ait qu'un lit? Tu sais qu'il n'y en a que deux comme celle-ci sur l'étage. J'ai dû la réserver des mois à l'avance. Tu trouves cela normal que j'aie été terrorisée à la pensée de partager une chambre avec quelqu'un d'autre? Hier, pendant que Maryse dormait, je me suis forcée à aller marcher dans le corridor et à regarder autour de moi. Partout les portes des chambres étaient ouvertes ou entrebâillées. Des bribes de conversations, des éclats de rire me parvenaient de toutes parts. J'enviais ces femmes épanouies qui feuilletaient la même revue, jouaient aux cartes ou se coiffaient l'une l'autre. J'aurais voulu les saluer, me joindre à elles. J'avais des mots plein la bouche à leur faire entendre. Mais comme d'habitude, la peur d'affronter, ne fût-ce qu'un instant, mon silence ou le leur, a pris le dessus. Partout où je passe, l'univers de mort dans lequel tu m'as enfermée menace de ressusciter. Quand je suis revenue à ma chambre, j'ai refermé la porte derrière moi, automatiquement.

Essaie un instant de t'imaginer que je partage ma chambre avec quelqu'un d'autre. Le lit est derrière ton dos. La dame y est assise et se polit les ongles. Dès que tu es entrée, elle a ouvert sa radio pour que nous conversions plus à l'aise. À plusieurs reprises elle s'est penchée sur son bébé. Son gazouillis et la douceur de son rire nous ont empêchées de parler pendant quelques minutes parce que nous la devinions trop heureuse. Tu vois! Ta main s'est portée instinctivement autour de ta gorge. Tes yeux te font mal tellement ils sont agrandis. Tu te demandes même si cette femme n'existe pas. Comment le saurais-tu, puisque quand tu es arrivée, tu t'es dirigée vers moi sans regarder ailleurs?

Hier, j'ai aussi vécu la même panique en tentant d'imaginer la présence de cette femme. À chaque fois que je bougeais, elle tournait la tête vers moi. Je me sentais à ce point épiée que les gestes les plus naturels et les plus automatiques requéraient toute ma concentration. En prenant soin de Maryse, j'étais encore plus maladroite qu'avec mes poupées.

Et ce matin, on m'a condamnée à être privée de Maryse. À te parler, je m'aperçois que, sans elle, je risquerais de perdre le goût de lutter. Quand je pense à l'assurance de l'infirmière face à Maryse, j'ai honte de moi. Comparée à cette femme, j'ai l'air d'un être dépourvu d'instinct. Vais-je la fuir lorsqu'elle s'accrochera à moi en pleurant parce qu'elle a brisé un jouet ou qu'elle s'est blessée? J'ai pourtant en mémoire trop de poupées aux yeux enfoncés dont on m'a enlevé la compagnie et trop d'écorchures dont on n'a jamais épongé le sang pour ne pas trouver le courage de consoler Maryse. À travers elle, je voudrais tellement me redonner une enfance.

Nous n'avons jamais respiré l'air du dehors ensemble. Même à ma première journée de classe, tu as refusé de sortir pour me regarder partir. Quand je suis revenue, tu m'as laissée manger seule parce que tu voulais éviter de croiser mon regard. Te doutais-tu que j'étais complètement affolée simplement à l'idée de traverser une rue et de m'engager dans une autre? Tu n'entendais pas mon cœur battre, matin et soir. Il me sortait par les oreilles, le nez et la bouche. Dans la cour de récréation, j'étais obligée de me cacher dans les coins pour ne pas qu'il explose. Je tremblais devant tous les enfants. Dans leurs courses et leurs cris, je ne reconnaissais qu'un effort concerté pour me piétiner. J'ai passé mon année à ouvrir les mauvaises portes et à longer les mauvais couloirs. J'ai passé mon année à tenter de me remémorer les visages qui m'entouraient jour après jour. Robot ou martien, j'ai su dès ma première journée de classe que je n'appartenais pas à leur monde. Il me manquait un certain poids, une certaine quantité d'air, pour toucher le sol avec la même assurance qu'eux.

Pourquoi te recroquevilles-tu ainsi tout à coup? Ne tremble pas comme ça, ce ne peut être que l'infirmière. Tu voulais voir Maryse? Eh bien, regarde-la. Tu peux toucher sa main, si tu veux. Non? Je ne t'ai jamais vue aussi pâle. Tu n'as rien à craindre, je n'ai aucune envie de la déposer dans tes bras. As-tu remarqué comment elle s'est appuyé la tête contre mon sein? Mon corps dégage suffisamment de chaleur pour la rassurer. Tu entends? J'ai gagné. C'est du sang épais qui coulera dans les veines de Maryse. Un sang chaud comme le soleil et riche comme la vie. Celui de Benoît et de ses semblables. Non, ne pars pas tout de suite. Laisse-moi te contempler encore quelques instants. Je veux effacer toutes les images que j'ai conservées de toi pour ne retenir que celle-ci.

Quand je craindrai d'être submergée par la peur et l'angoisse, j'évoquerai cette image de mes trente ans où, repliée sur toi-même, tu ne pensais qu'à fuir. Je me rappellerai qu'en te parlant, j'ai réalisé que j'avais réussi à enchaîner mes fantômes de manière à ce qu'ils n'assaillent jamais Maryse. Je te remercie d'être venue. Il fallait que je te voie pour être certaine que, de nous deux, je serai celle qui n'a pas perdu son enfance pour rien.

Jean Daunais

Chaud comme le marbre.
Une aventure d'Arlène Supin

Jean Daunais est né à Montréal en 1933. Il est architecte de métier et a, par ailleurs, publié un guide touristique: *Le guide de l'Europe en auto* (1988) et six recueils de nouvelles: *Les 12 coups de mes nuits* (1979), *La rose et le noir* (1980), *Le Nippon du soupir* (1982), *Gorges chaudes* (1983), *Le short en est jeté* (1990), et *Mignonne, allons voir si la Rolls...* (1991). Pastiches pour une bonne part du genre policier, les nouvelles de l'auteur sont à l'image des titres des recueils: fantaisistes et humoristiques, où les jeux de langage sont mis à contribution, parfois massivement.

«Chaud comme le marbre. Une aventure d'Arlène Supin» dans *Les 12 coups de mes nuits*, Montréal, Éditions Héritage, 1979.

L'esprit est prompt mais la chair est faible.

Nouveau Testament

La Mercedes rouge Vosne-Romanée arrêta devant le portail dans un crissement de gravier. Un laquais en livrée ouvrit la portière et aida Arlène à descendre. Le perron de pierre était éclairé par des lanternes en fer forgé fixées aux vieux murs du château.

Le capitaine Haddock lui-même ouvrit à Arlène.

— D'Haypargne, cher ami, fit Arlène enjouée.

— Zut, vous m'avez reconnu! fit le capitaine Haddock.

— Le flair, cher Théobald, le flair.

Arlène ne manquait jamais le bal annuel du vicomte d'Haypargne, qu'il donnait à la fin de chaque mois de mai dans son château, à quelques kilomètres de Salzbourg.

Elle aimait l'élégance de ces fêtes où tout le gratin européen et américain se retrouvait pour danser au son de l'orchestre de Fernand Eno et ses «Borborythmes».

Cette année, le vicomte d'Haypargne avait voulu faire différent et avait organisé un bal masqué, sûr de l'imagination de ses prestigieux invités.

— Vous êtes superbe, Arlène, fit d'Haypargne, flatteur. Venez, on danse déjà dans le grand salon.

Arlène aimait se retrouver dans ce vieux château d'Haypargne ou plutôt de ce qui en restait. Il n'y avait plus en effet que le corps principal et deux ailes. La dernière aile, construite en gothique flamboyant, avait effectivement flambé. La première partie, féodale, avait résisté à l'incendie allumé par un feu d'artifice qu'avait offert le huitième comte d'Haypargne pour fêter, en 1795, son mariage à une cousine vaguement Hohenzollern.

Le vicomte Théobald, qui consacrait sa vie à restaurer le vieux château familial, avait fait installer le chauffage central au gaz propane et muni les fenêtres de vitraux thermopanes. Les escaliers en colimaçon des tours avaient été réparés et éclairés au fluorescent. Théobald engloutissait sa vaste fortune qu'il tenait de son grand-père, fondateur de la célèbre Sukursalbank d'Haypargne.

Arlène fit une entrée fort remarquée dans la grande salle de bal où des laquais en costume s'affairaient à servir des coupes de champagne Reims le Dalleau et à dresser des tables débordant d'un buffet somptueux. Elle s'était en effet costumée en Vénus de Milo, c'est-à-dire avec un drapé qui lui arrivait bien au-dessous du nombril, et avait revêtu de longs gants noirs qui contrastaient avec le blanc d'albâtre de sa peau et donnaient l'impression qu'elle avait les bras coupés. Poitrine nue, elle était une vision saisissante de la célèbre statue.

L'assemblée poussa des oh! et des ah! admiratifs, et Louis XIV se précipita pour lui serrer la main, si l'on peut dire. Il y avait là du beau monde. Arlène aperçut Raspoutine qui dansait avec Cléopâtre pendant qu'Hitler causait avec Henri VIII et saint Jean Chrysostome. Frontenac, avec force gestes, discutait du prochain tour de France avec Montaigne qui dans la vie faisait des essais pour Citroën. Au bar, Jean XXIII baratinait Charlotte Corday, pendant que Landru admirait un magnifique philodendron près d'un canapé où Marguerite d'Youville faisait des grâces à Cambronne.

Le vicomte d'Haypargne avait magnifiquement décoré le grand salon où était accrochée sa collection de tableaux. Arlène apprécia un «Déjeuner sur l'autoroute» d'Angalbert Renoir, un «Christ» de Bauchard, et une «Galette de mon moulin» du peintre naïf Gémima. Pour ajouter une note artistique, il avait installé çà et là des reproductions de sculptures célèbres. Arlène admira un

Penseur de Rodin saisissant, une Victoire de Samothrace hallucinante de vérité, et un buste de Michel Chartrand tellement réussi qu'on aurait cru l'entendre crier des invectives.

La vicomtesse d'Haypargne, déguisée en Catherine de Médicis, s'identifia auprès d'Arlène et fit signe à un laquais. Elle saisit une coupe de champagne qu'elle offrit à Arlène. Mais Victor Hugo, qui passait, la bouscula et projeta le champagne sur Arlène qui s'épongea le sein gauche avec un pan de son drapé.

La soirée fut brillante. Fernand Eno interpréta un pot-pourri de rocks endiablé au clavecin d'époque sur lequel, dit-on, Mozart avait joué. Arlène, grisée par le champagne et un cocktail Vodka-Kik-Cola ne refusait pas une danse. Elle valsa avec Fontenelle et Chateaubriand. Un Paul Jones, interprété avec une rare perfection, lui permit d'être enlacée par Vauvenargues et Clémenceau. Henri IV lui fit du genou, au grand déplaisir de Madame de Maintenon, un peu jalouse. Mao Tsé-Toung nageait en pleine euphorie, et le duc de Guise fit s'esclaffer tout le monde en glissant sur du champagne répandu et s'étendant de tout son long. Arlène n'avait jamais cru qu'il pouvait être si grand. Jules César le releva.

Un moment Vercingétorix s'empara du micro et se mit à chanter «Granada» d'une voix mal assurée. Un laquais, peu après, annonça que Marat était demandé au téléphone. Déjà l'ambiance changeait, des couples se formaient, allaient respirer au jardin. Sherlock Holmes invita Arlène mais elle lui préféra Arsène Lupin en qui elle avait reconnu le commissaire Mondeau, furieux d'ailleurs d'avoir été découvert.

À minuit juste, le vicomte d'Haypargne, battant des mains, réclama l'attention:

— Mes amis, dit-il d'une voix forte, pour imiter mon

aïeul Xavier Angalbert d'Haypargne, j'ai fait préparer un spectacle pyrotechnique pour votre plaisir. Mais, ajouta-t-il en riant, pour ne pas risquer d'incendier mon château, je vous prierais de sortir dans le parc où sont montées les pièces.

Chacun se précipita et bientôt de merveilleux jaillissements multicolores bigarraient le ciel et l'étang de nénuphars où se reflétaient les mille feux du spectacle, éclairant de lueurs polychromes les personnages de 30 siècles d'histoire.

Napoléon, qui digérait mal, se tenait l'estomac, estomaqué, et Confucius admirait, confus.

Arsène Lupin profita de la pénombre pour se rapprocher d'Arlène Supin. Il eut même un geste osé vers sa croupe drapée mais elle l'éloigna, imaginant Cyprien Nadir en Égypte, aux prises avec un Ramsès récalcitrant. Le spectacle terminé, la Vénus de Milo, devant son air dépité, lui offrit son bras, si l'on peut dire! Tous étaient heureux de rentrer à cause de la fraîcheur et se précipitèrent vers le grand salon où un horrible spectacle les attendait. En effet, étendu sur les froides dalles, éclairé par des torches vacillantes, gisait le corps de Marat, avec un couteau planté dans le dos.

Abel Mondeau se précipita, tâta le pouls en vain, retourna la victime, retira son masque. Il se releva lentement, livide!

— C'est Jean-Claude Courcheval, le skieur.

L'assemblée poussa des cris d'horreur et de stupeur. Madame Bovary s'évanouit. Roy Rodgers lui apporta des sels.

— Que personne ne sorte! cria Arsène Lupin. Je suis le commissaire Abel Mondeau, ajouta-t-il en enlevant son masque.

Arlène s'approcha de lui.

— Puis-je vous aider, cher Abel? offrit-elle.

— Évidemment chère Arlène. La tâche ne sera pas facile.

— Où est Charlotte Corday? demanda la détective libérée. On ne sait jamais.

— La voilà, fit Mondeau, et il se précipita vers une timide jeune fille.

— Mademoiselle, où étiez-vous pendant le feu d'artifice?

— Avec moi, fit Cromwell. Près du bassin.

C'était vrai. Arlène se souvenait de sa silhouette qui se découpait sous l'éclair des feux.

Cet assassinat jeta une douche froide sur la fête. Chacun gardait le silence, les femmes immobiles sur des canapés, les hommes n'osant se regarder, chacun imaginant son voisin comme étant l'assassin.

Arlène se mit à déambuler lentement à travers la salle, scrutant chaque visage qui se démasquait l'un après l'autre. Elle reconnut des acteurs célèbres, des milliardaires, des généraux, quelques cardinaux. Parmi tout ce beau monde se cachait un tueur.

Elle regardait chaque détail, inspectait chaque mètre carré de l'immense pièce, s'arrêtait, revenait sur ses pas.

Elle était superbe en Vénus dramatique qui se promenait, majestueuse, le sein agressif, parmi ces personnages historiques qui formaient de silencieux tableaux vivants.

Elle revint au centre de la pièce, imperturbable, et déclara d'une voix dénuée de toute émotion:

— Je connais l'assassin!

Abel Mondeau accourut:

— Déjà, chère Arlène! Mais qui, pourquoi, comment?

— Cher Abel, fit Arlène, en tendant un index vengeur, voilà le coupable. Et elle indiquait le Penseur de Rodin.

— Quoi! se surprit Mondeau, arrêter cette statue! Vous avez perdu la tête en plus des bras, chère Vénus?

— Trêve de plaisanterie douteuse, commissaire. Cette statue est un homme vivant, admirable mannequin d'ailleurs, mais bien un homme.

Mondeau, un peu ridicule, s'approcha de la statue, y apposa l'index. Il frémit. Il saisit la statue par l'épaule. Le penseur de Rodin se redressa, puis se leva.

— Vous gagnez, Vénus, je suis un homme et bien vivant, fit la fausse statue.

Le vicomte d'Haypargne bégaya...

— Mais... mais Arlène... Je vous jure que cette statue était bien là. J'ai veillé à son installation.

— Je vous crois, cher Vicomte, mais pendant le feu d'artifice ce monsieur a pu déplacer la statue, la dissimuler dans une de vos nombreuses pièces vides et, admirable mime, prendre sa place. Dans la noirceur, il a pu assassiner Marat, je veux dire Jean-Claude Courcheval, qui avait dû s'attarder au téléphone. Téléphone d'un complice du meurtrier évidemment.

— Mais l'arme? demanda Mondeau, avec son éternelle curiosité de commissaire.

— Sûrement dissimulée dans la terre de ce philodendron, c'est enfantin.

— C'est exact, fit le Penseur de Rodin, vaincu. Je suis Wolfgang Amadeus Biteauvent, de l'équipe autrichienne de ski. Voilà cinq ans que j'arrive toujours second derrière Jean-Claude Courcheval. D'un critérium à l'autre, il me battait toujours. Je voulais m'assurer des prochaines olympiades.

Les spectateurs restèrent béats d'admiration devant la perspicacité de Vénus. Ravaillac émit un timide «Bravo» suivi d'applaudissements nourris.

— Mais comment avez-vous pu deviner, chère Arlène? demanda Mondeau, interloqué.

— Facile, fit Arlène. La nature, mon cher, m'a fait tout découvrir. J'admets avoir un costume ravissant mais impudique, et je me vanterai en admettant que mon corps superbe est séduisant, voire excitant!...

Les murmures des hommes de l'assistance lui donnèrent raison. Même le pape Pie VII siffla d'admiration.

— Or, continua Arlène, le Penseur de Rodin, ou plutôt Wolfgang Amadeus Biteauvent, se devait, pour imiter la célèbre statue, non seulement d'être nu mais de ne pas bouger une seule partie de son corps. Il y réussit à merveille d'ailleurs, sauf lorsque je me présentai près de lui. Quand il m'a vu, il ne put empêcher le mouvement de la seule partie incontrôlable de son anatomie... Et Arlène se mit à rougir!

— J'aurais fait la même chose, chère Arlène, ajouta Mondeau, galant.

— Moi aussi, ajoutèrent en chœur plusieurs voix, dont saint Augustin, de Gaulle et Ronsard.

Arlène sourit et revêtit un cardigan en laine, don du P.-D.G. de Bee Hive*.

Le capitaine Haddock la remercia avec effusion et la reconduisit à sa Mercedes dont l'arrivée avait fait crisser le gravier. Avant de la quitter, il lui remit un exemplaire du «Trésor de Rackham le Rouge», signé par l'auteur.

Arlène roula, pensive, dans la nuit, conduite par son chauffeur muet, qui respectait son silence. Elle regretta un instant d'imaginer que ce beau Penseur de Rodin finirait sa vie en prison. Elle se fit conduire à son hôtel, retira ses longs gants noirs et se fit monter un club-sandwich

---

* Lire: *L'Essaim à l'air*, une aventure d'Arlène Supin.

qu'elle dégusta avec une tasse brûlante de Salada. Puis, après un bain chaud à l'algemarin, elle s'endormit en rêvant à Cyprien Nadir qui, déguisé en don Juan, valsait avec elle au bal du vicomte d'Haypargne en lui susurrant:

— Quel beau monde, Vénus!

Suzanne Jacob

Le réveillon

Suzanne Jacob est née à Amos en 1943. Elle est, tour à tour, professeur de français, auteur-compositeur, interprète et éditeur. Elle a publié cinq romans, un recueil de poèmes et un recueil de nouvelles: *La survie* (1979). Minutieuse, précise, c'est l'écriture que privilégie l'auteur autant dans ses œuvres en prose que dans ses poèmes.

«Le réveillon» dans *La survie*,
Montréal, Éditions Le Biocreux, 1979.

« Tu dis que les magasins avaient fermé leurs portes et que les rues se vidaient. Tu dis que tu avais tout ton temps parce que nous n'avions pas rendez-vous avant minuit et que tu as flâné devant les vitrines. Puis tu as eu froid. Tu es entrée au terminus pour te réchauffer. Tu t'es assise au comptoir et tu as commandé un café. Bon. Ensuite. Tu dis qu'ensuite tu as vu l'homme en face de toi de l'autre côté du comptoir. Il avait la tête couchée sur le comptoir près de sa tasse de café. C'est ça? J'imagine que tu t'es aussitôt inquiétée pour lui. Je n'imagine pas, je pourrais le jurer. Donc, tu t'es inquiétée. Et après?

— ...

— Donc, il s'est redressé et il s'est mis en quête d'un sucrier. Il n'en trouvait pas. Et la serveuse alors? Il n'y avait pas de serveuse?

— ...

— Tu dis que la serveuse ne trouvait pas le temps de lui en donner un. Et alors? Quoi? Qu'est-ce qu'il a fait?

— ...

— Tu dis qu'il s'est emparé de la salière et qu'il a tout salé: café, comptoir, plancher, paletot, pantalon, intérieurs des poches, et avec de grands gestes de générosité. Bon. Pourquoi pleures-tu? Il était ivre. Bon. Et alors?

— ...

— Écoute! Tu renifles tellement que je ne comprends rien. Tu dis que tu ne veux pas que ça soit Noël parce que quand il a sorti un mégot de sa poche et qu'il l'a allumé, ta gorge s'est serrée. C'est ça?

— Tu me dis de cesser de hurler comme ça dans le téléphone. C'est ça?

— Oui, c'est ça, je te prie de cesser de hurler et de répéter mot pour mot tout ce que je te dis, gémit Bea. Alors, il s'est levé. Il a promené son regard autour de lui, un pauvre regard cherchant à prendre contact avec la réalité des formes et n'y parvenant pas.

— Ah!... je vois la scène. Comment tu t'es apitoyée. Comment ton âme s'est déchirée quand tes yeux ont croisé ses yeux. Tu y as lu l'appel désespéré des grands noyés de l'histoire du monde. Tu as voulu voler à son secours, le cajoler, l'aimer, le COMPRENDRE, n'est-ce pas?

— Il s'est excusé à la ronde. Il a dit qu'il devait s'absenter un moment et qu'il reviendrait. Il nous a promis qu'il reviendrait. De ne pas nous inquiéter. Il a ajusté son foulard de soie taché, il a fait quelques pas à travers les valises, oh!... chéri, de grands pas qui ne voulaient pas tituber. Tu sais, de grands pas comme dans le noir quand on craint de rater la marche ou quand on croit qu'il y a la chatte.

— Bea, te rends-tu compte de la patience qu'il me faut pour écouter cette histoire invraisemblable au téléphone alors que tu devrais être ici avec moi et que j'entends les bouchons de champagne taper le plafond?

— Je suis désolée. Va les rejoindre, chéri.

— Tu dis «va les rejoindre chéri»! Alors que je suis en train de comprendre pourquoi toi tu ne viens pas me rejoindre. Continue.

— Mais je ne veux pas gâcher ton plaisir...

— ...

— Bon. Alors l'homme s'est arrêté, il a repris son souffle, il a obliqué et il est parvenu au téléphone sans trébucher, très dignement. Tu entends? Très dignement. Il a sorti un vieux carton d'allumettes de la poche de sa chemise, et un dix sous de la poche de son paletot.

— Un vieux dix sous sans doute.

— Oui, un vieux dix sous tout usé.

— Tu ne pouvais plus voir le bateau sur ce dix sous.

— C'est ça, et il a déposé le dix sous dans la fente

des vingt-cinq sous et il essayait de composer le numéro qu'il n'arrivait pas à déchiffrer. C'était horrible.

— Et tu restais figée sur ton tabouret, et tu n'es pas allée l'aider, et tu l'as regardé tourner désespérément son bout de carton dans tous les sens, je vois la scène, je la vois.

— J'avais peur, chéri, j'avais peur.

— Bea, la nuit de Noël, tous les hommes sont frères! De quoi avais-tu peur?

— ...

— Eh bien, je vais te le dire, moi, ce qui te faisait si peur. Tu craignais sa reconnaissance. Tu craignais que de gratitude il ne te relève la jupe ou qu'il ne te tâte les seins. Tu craignais de voir s'évanouir ton enivrante pitié en respirant l'haleine de ce beau soûlon. Dis-moi que je me trompe maintenant, dis-moi que je fais fausse route.

— ...

— Bea... tu es là?

— Il a haussé les épaules, plusieurs fois, il n'a pas récupéré sa monnaie. Il a fait un tour sur lui-même et il est revenu au comptoir avec cette même démarche que je t'ai dit tout à l'heure, en obliquant à travers les valises. Il ne s'est pas rassis. Avec une politesse extraordinaire, tu sais, il s'est excusé de devoir partir. Il a dit qu'il ne pouvait malheureusement pas passer Noël avec nous. Il a dit à voix haute et sans bafouiller que tout cela était imprévisible et qu'il était désolé de n'avoir pas prévu. Il nous a souhaité une bonne et sainte année. Et le pire, oh chéri, le pire, c'est qu'il nous a bénis. Tu entends? Il nous a bénis.

— ...

— Chéri? Tu es toujours là?

— Et tu aurais voulu l'adopter, l'emmener, l'embrasser. Tu trouvais, comme Jésus sans doute, qu'il le méritait bien. N'est-ce pas Bea?

— Oh, chéri, mais je ne POUVAIS pas. C'est horrible.

— Et alors, continue.

— Mais c'est tout, c'est tout. Je n'ai plus la force de fêter. C'est trop horrible.

— C'est tout? BEA!... Tu es ridicule. Ce n'est pas pour une histoire comme celle-là que tu vas gâcher toute ma nuit de Noël, mon réveillon et tout mon plaisir?!

— Écoute mon chéri, je vais raccrocher, je suis ridicule et j'ai trop de peine et je m'en veux trop. Je suis sûre que tu peux t'amuser sans moi. Si tu veux hurler, tu hurleras demain quand tu viendras, chéri, pardonne-moi.

Bea raccrocha. Elle s'enfouit sous les couvertures et elle chuchota en réprimant un fou rire:

— Joyeux Noël, vieux soûlon!

Madeleine Ouellette-Michalska

Pays perdu

❧❧

Madeleine Ouellette-Michalska est née à Rivière-du-Loup en 1930.
Elle a enseigné la littérature et la création littéraire à l'Université
de Montréal. Elle a été journaliste à *Perspectives, L'Actualité,
Châtelaine* et Radio-Canada. Elle a publié des nouvelles et fictions
(*Le dôme, La femme de sable, La danse de l'amante, La tentation de
dire*), plusieurs romans (*Le jeu des saisons, La termitière, Le plat de
lentilles, La maison Trestler ou le 8ᵉ jour d'Amérique, La fête du désir,
L'été de l'Île de Grâce*) et des essais (*L'échappée des discours de l'Œil,
L'amour de la carte postale: impérialisme culturel et différence*). Elle est
membre de l'Académie canadienne-française et son œuvre a été
couronnée par le choix des libraires (1982), le prix du
Gouverneur général (1982), et le prix Molson de l'Académie
canadienne-française (1984).

«Pays perdu» dans *La femme de sable*,
Sherbrooke, Éditions Naaman, 1979. Ce recueil a été
réédité aux Éditions de L'Hexagone, coll. «Typo», 1989.

M on pays est une légende rocailleuse et glacée qui donne froid aux os. Le soleil s'y brise en éclats durs.

Zaïna ramasse les glaçons un à un et les lèche goulûment. Il ne lui reste jamais d'argent de poche pour se payer des glaces. Elle fait des économies pour acheter les sept gandouras du mariage, des robes de couleurs différentes célébrant chacun des sept premiers jours après la noce. Elle ne peut pas me dire pourquoi le blanc, le vert, le noir ou le rose. On n'explique pas la coutume. Son geste se rétrécit. Elle a oublié. Personne ne sait.

— Le facteur est venu et a donné un autre courrier pour toi.

— C'est vrai?

— Je le jure. Regarde. Ça vient de là-bas.

Là-bas, c'est mon pays. Zaïna le voit tout blanc, allongé comme une dune immobile entre des arbres couleur de bête fauve sur lesquels se déchaîne le vent. C'est tout ce qu'elle peut imaginer. Le reste lui échappe et se perd dans une étendue vague située de l'autre côté d'un cours d'eau géant que l'avion met six heures à traverser.

— Il n'y a pas d'orangers?

— Non.

— Alors avec quoi tu parfumes les gâteaux?

Elle me le demande pour la centième fois. Je ne me donne plus la peine de répondre. Zaïna aime entendre parler de mon pays. C'est une histoire dont elle ne se fatigue pas. Elle m'écoute, accroupie par terre, les genoux repliés sous le menton et les deux pieds posés bien à plat sur les dalles. Elle sait que là-bas il n'y a ni dromadaires, ni scorpions, ni beaucoup de chèvres et d'agneaux. Elle se souvient que la vigne et le palmier y sont absents. Elle procède par élimination, à partir d'arbres, de bêtes ou de plantes qu'elle connaît et, lorsqu'il ne reste plus rien qu'un sol couvert de neige, elle frissonne et cesse de poser des questions. C'est le moment où elle place sa phrase inévitable: «Tu vois, c'est bien mieux ici. Il y a du soleil et du jasmin.»

Zaïna apporte de grands ciseaux. Elle découpera la photo de la reine d'Angleterre quand j'aurai lu la lettre. Toutes les jeunes filles de la Kouba en ont une dans leur porte-monnaie. Elles porteront un diadème comme le sien le jour de leurs fiançailles. Elle s'inquiète. «Pourquoi tu n'aimes pas ta reine?» Elle ne comprend pas que je puisse refuser une reine. Je reçois cinq ou six timbres frappés à son effigie chaque semaine, et elle se scandalise de me les voir jeter à la corbeille à papier. Elle les récupère en même temps qu'elle fait l'inventaire des bas démaillés et des bouts de fil qui s'y trouvent. Avec elle, rien ne se perd. Elle trafiquerait volontiers mon soutien-gorge contre un chameau si l'occasion lui en était donnée.

— Tu vivais avec elle?
— Non.
— Tu la connaissais beaucoup?
— Assez.

Zaïna a lu par-dessus mon épaule. Dans une heure, tous les locataires de l'immeuble sauront que tante Régina est morte et, ce soir, la ville entière aura été mise au courant. Cette forme de téléphone est courante ici. Le moindre secret de cuisine ou d'alcôve se répand avec une rapidité foudroyante. En un rien de temps, la salive s'accumule, s'épaissit, faisant mûrir la tragédie qui tombe au bord des lèvres comme un plat qu'on s'arrache. Il faut bien s'approvisionner où l'on peut. Le prix du beurre et des légumes est devenu inabordable. Si Zaïna était reine, elle distribuerait de l'huile gratuitement une fois par semaine. De cette façon, on n'en manquerait jamais. Les reines, assure-t-elle, sont différentes des autres femmes.

Elles peuvent faire tout ce qu'elles veulent. Elles portent de beaux bijoux et ne sont jamais battues par les hommes. Zaïna aimerait bien en être une.

Aujourd'hui, vingt-six janvier, il fait soixante degrés à l'ombre. Le soleil entre par la fenêtre ouverte et me chauffe les épaules. La baie est si grande que les deux rives du Rummel — ce mince filet d'eau boueuse que l'on appelle un fleuve — logent dans le salon, une pièce blanche et bruyante qui tient lieu de bibliothèque, de salle à manger, de salle de séjour, de chambre, et même de cuisine les jours où l'électricité fait défaut. J'entends descendre le locataire du cinquième, comme chaque jour, à deux heures. Une meute d'enfants crient et se bousculent au rez-de-chaussée. On sonne à la porte. Un garçon en loques m'offre des tasses de porcelaine japonaise. Zaïna traduit. Il demande des vieux vêtements. Il les reçoit et me souhaite le paradis. On me le promet au moins trois ou quatre fois par semaine. La pauvreté des autres finira par me sauver.

Zaïna me regarde avaler mon *Kebir* rosé d'un œil réprobateur. Je devrai laver le verre, car elle refusera d'y toucher. L'imam a menacé son frère de l'enfer parce que celui-ci commence à boire du vin en cachette. J'ai hâte de mourir, dit Zaïna. Au paradis on ne fait rien. On s'assoit et on sent les arbres, les fruits, les fleurs. Tout le monde, on devient pareil. Il n'y a pas de laids et de beaux comme maintenant. On a tous le même visage. D'abord on devient de la poussière. Ensuite on pousse un tout petit peu, la tête à l'envers, comme des champignons, et on allonge jusqu'à ce qu'on devienne un homme ou une femme.

C'est simple. Il suffisait d'y penser. La mort est la chose la plus simple qui soit si on évite de philosopher à son sujet. Quand il fait soleil, on respire l'odeur de

l'herbe et des fleurs. Quand il pleut, on regarde tomber
la pluie qui fera pousser le blé et nourrira les bêtes. On
mange le blé, et lorsqu'on devient trop vieux pour continuer à vivre, on meurt et on retourne à la terre. Zaïna
se tait, accablée par ces pensées lugubres. Pour elle,
comme pour la plupart de nous tous, la vie est rattachée
à deux mottes de terre.

— C'est triste, la mort.

— Tu trouves?

— Si on est pauvre, on ne peut aller à la Mecque, et
le paradis est perdu. Je ne pourrai jamais aller là-bas.
L'année dernière, grand-père est parti pour la Mecque
avec sa gandoura toute blanche, ses souliers et ses beaux
habits blancs. Le matin, il court dans la montagne et prie
Dieu pour tous les autres. Il demande aussi pardon pour
ses péchés. Mais il se dépêche de se relever, car le diable
pourrait l'attirer dans l'enfer. Quand il revient à la maison, on ne voit pas son visage. Il entre et s'agenouille sur
un grand tapis. Il ne parle à personne. Le lendemain, on
l'embrasse et on égorge le mouton. Il nous remet alors
les cadeaux qu'il rapporte, des bracelets en or, des boucles d'oreille où on voit la Mecque, aussi de l'eau verte
capable de guérir la maladie et d'empêcher la mort.

L'eau du Rummel est presque noire. Il ne pleut pas
assez souvent. La terre devient sèche. Elle craque de
partout. Des fissures lézardent les deux rives du pont
minuscule qui nous relie à la ville. Si elles se prolongeaient jusqu'au fragile tablier que des ouvriers ne cessent de rapiécer jour et nuit, nous nous trouverions complètement isolés, incapables même de nous approvisionner. L'enfer n'est pas toujours de feu. Certains jours, la
boue est si épaisse qu'elle recouvre tout. Zaïna verse alors
de grands seaux d'eau pour la faire refluer vers l'extérieur. Elle exulte de la voir dégouliner l'escalier et des-

cendre se figer au rez-de-chaussée. Le vent, promet-elle, finira par la sécher.

Dès qu'il fait soleil, on oublie la boue comme on oublie la mort. Devant la fenêtre ouverte, je ne pense qu'à mon corps paresseusement allongé dans la chaise de jardin apportée de là-bas. Ici, il n'y a ni jardin ni balcon, mais c'est tout de même commode d'avoir la chaise. On y est plus à l'aise que sur le divan bricolé à même le bois des caisses d'emballage. En fait, il est faux de dire que je pense à mon corps. C'est plutôt lui qui avale ma pensée. Il se détend les bras, les chevilles, les articulations. Il ronronne comme un chat tiède, les yeux à demi fermés, à peine distrait par les propos que l'on raconte à ses oreilles.

Ceux qui ont fait du bien vont au paradis, ceux qui ont fait du mal vont en enfer. Quand on entre, le prophète se tient dans un grand fauteuil et lève le bras une fois à droite pour dire aux bons d'entrer au paradis, deux fois à gauche pour dire aux méchants d'aller en enfer. Zaïna fait un grand geste pour couper l'air en deux. Elle ne détesterait pas rendre la justice. Moi, ça me gênerait plutôt. Je ne saurais vraiment pas de quel côté faire pencher la balance. Je pense que j'enverrais tous ces gens au paradis afin de m'éviter la peine de régler leurs problèmes de conscience ou leurs querelles de famille. D'ailleurs, je ne me sentirais pas très fière d'avoir à leur demander des comptes. Après tout, ils n'ont jamais demandé à vivre. Ni à mourir. Et ça leur arrive tout de même.

Je me demande quel âge pouvait avoir tante Régina. Elle avait sûrement dépassé la soixantaine. Soixante ans, c'est deux fois mon âge, mais c'est tout de même peu si je regarde à quoi ça m'a servi jusqu'à maintenant. Je n'ai rien accompli d'essentiel et n'ai prononcé aucune parole

irrévocable. Ce que j'ai fait, n'importe qui d'autre aurait
pu le faire à ma place. Tout le monde, ou presque, est
capable de mettre des enfants au monde et de gagner sa
vie. À vingt ans, on rêve d'aventure unique, mais on
aboutit tous à la motte de terre. C'est ridicule.

Le prophète, il s'en fiche si on est malade. Ce sont
les marabouts qui commandent les choses. On va chez lui
quand on veut guérir, préparer un diplôme ou chercher
un mari. On lui dit si tu guéris ma sœur, j'achèterai un
grand tapis. Il donne quelque chose à brûler ou à sentir,
et il guérit. Ma cousine n'a pas eu d'enfants pendant dix
ans, alors elle est allée en voir un. Quand le garçon est
né, ils ont fait une grande fête et invité tous les voisins.
Ils ont acheté un mouton, et elle a fait beaucoup de
couscous et de makrouts. Le marabout peut tout changer.

— Dans ton pays, il n'y a pas de marabouts?

— Non.

— Si elle avait pu voir le marabout, elle serait encore vivante.

Pour Zaïna, la vie tient à un miracle. Pour moi, elle
tient de l'absurde. C'est presque la même chose. Les
deux sont aussi injustifiables l'un que l'autre. La vie me
paraît supportable seulement quand je suis amoureuse.
Or, en ce moment, je ne le suis pas. Je ne dispose donc
d'aucune monnaie de rechange. Il m'est impossible de
masquer l'absurdité première par une folie accidentelle.
Je ne peux m'empanacher d'orgueil ou d'assurance. Ma
gorge, mes seins et mon ventre ne sont indispensables à
personne. Ils absorbent le soleil mieux que les dalles qui
restent froides même quand la chaleur devient intenable.
C'est une supériorité dérisoire.

Je ferme les yeux. Le soleil roule sur mes paupières
et lance ses feux d'artifice sous mes cils. Les derniers que
j'ai vu éclater, c'était à la Saint-Jean. Les lumières du port

clignotaient toutes ensemble, et l'île de Montréal était heureuse. Elle se racontait une belle histoire, une épopée en bleu et blanc célébrant un héros imaginaire. L'anticipation de l'histoire pétaradait dans tous les sens. On buvait comme des marins et on dansait en chantant le folklore. On avait le pays au bout du bras, solidement amarré à nos poignets.

— Pourquoi tu ris?

Zaïna ne comprend pas que je puisse rire le jour où j'apprends la mort d'une tante. Je la convaincrais de mon chagrin si j'arrivais à m'arracher les cheveux, à m'ensanglanter le visage ou à déchirer ma robe. Ai-je seulement du chagrin? Mourir paraît une chose si naturelle quand ça arrive aux autres. Je pourrais me sentir menacée si on avait frappé quelqu'un de mon âge. Mais un malheur qui touche la génération précédente me concerne, malgré tout, assez peu. Trois décades me donnent une sérieuse avance. J'ai encore beaucoup de temps devant moi, je peux donc continuer de flâner au soleil. À quatre heures, quand il faudra fermer la fenêtre, je repenserai sérieusement à la mort de tante Régina.

Je suis chaude et molle de la tête aux pieds. Les bruits se heurtent si doucement derrière le mur que je m'assoupis presque. C'est à peine si j'entends les portes claquer d'un étage à l'autre. Autour de l'immeuble, les chiens jappent sans arrêt, mais cela m'est indifférent. Les cris des femmes et des enfants m'enveloppent comme un inoffensif bourdonnement d'insectes. Des rigoles de sueur se creusent le long de mon cou. Je demande à Zaïna de m'apporter un verre d'eau glacée. Elle se dirige vers la cuisine en laissant traîner ses sandales de caoutchouc sur les dalles. Elle ne saura jamais aller vite.

Cette eau m'éveille progressivement. J'applique le verre lentement sur chacune de mes tempes et je regarde dehors. Une luminosité aveuglante me frappe au visage. Comment pourrait-il neiger en ce moment dans mon pays? Est-il déjà tombé de la neige là-bas, et ai-je seulement déjà eu un pays? J'ai pu rêver. Je n'ai peut-être jamais connu d'autre terre que celle-ci. Mes yeux ont dû imaginer ces champs blancs et gelés, à perte de vue, d'une rivière à l'autre. La voiture ne s'est jamais enlisée dans la tempête, et ce n'est peut-être pas moi qui ai dérapé sur la glace vive un soir de février. Cela se passait sans doute ailleurs, sur une planète étrangère où je n'ai jamais mis les pieds.

Zaïna me demande quelle robe je prendrai pour le voyage. J'en indique une, au hasard. Cela n'a pas beaucoup d'importance puisque, dans ma mémoire, je n'arrive plus à retrouver le pays. Je descendrai n'importe où, dès que l'avion fera escale. Je me promènerai sur le trottoir et chercherai le cercueil de tante Régina parmi d'autres. Il sera fait en chêne ou en érable. De toute manière, ce sera du bois dur, et mes doigts sauront le reconnaître au toucher.

Elle me fait remarquer que ce vêtement ne sera pas assez chaud pour la neige. J'éclate de rire et lui montre ma peau couverte de sueur. Comment pourrais-je avoir froid? Elle me regarde, et sa main laisse tomber le cintre qui retenait la robe. Lentement, elle recule vers la porte, puis se retourne et court vers l'escalier. Je l'entends dégringoler les marches à toute vitesse.

Elle est dehors en train de raconter aux femmes qu'une tante de la patronne est morte et que celle-ci est devenue folle.

Marilú Mallet

How are you?

⚜

Née à Santiago (Chili) en 1945, Marilú Mallet a émigré au Canada
en 1973. Cinéaste et romancière, elle a collaboré à plusieurs
revues. Entre 1981 et 1986, elle a publié deux recueils de nouvelles: *Les compagnons de l'horloge-pointeuse* et *Miami Trip*. L'humour,
l'ironie, le sens de l'absurde donnent du relief à ces textes où dans
le quotidien surgit parfois le tragique.

«How are you?» dans *Les compagnons de l'horloge-pointeuse*,
Montréal, Québec/Amérique, 1981.

Tous les deux réfugiés. Tous les deux sans passeport. Avec des manteaux trouvés dans la poubelle. À essayer de nous adapter. Casimir a été pris en charge par une association de Juifs qui s'évitent des impôts; moi, par un comité d'anciens curés en Amérique latine. Lui, on lui a donné une télévision et des vêtements noirs; à moi, seulement un vieux matelas plein de punaises. Lui, il parle de synagogue; moi, de curés; tous les deux avec un certain scepticisme, un arrière-goût d'amertume au bord des lèvres.

Nous nous sommes rencontrés à l'école de langues. Un regard en passant et la classique conversation sur la météo: la neige pendant sept mois, le vent glacé qui transperce...

— Et le monde d'ici, tellement simple... Ils ne s'intéressent à rien ni à personne pour ne pas se compliquer la vie.

Lui, grand blond, les yeux bleus, le nez busqué: un visage de cinéma mais avec quelque chose de plus, quelque chose d'un peu dur, qui attire. Moi, petite, mince et pâle avec des cheveux noirs frisés. Ça donne un couple assez frappant...

Le métro n'arrivait pas...

— Qu'est-ce qui se passe?

Un indifférent en imperméable gris m'a répondu qu'ils nettoyaient le sang.

Peut-être bien que tout a commencé avec cette phrase affolante, quand nous avons compris en même temps que c'était un suicide de plus...

— Ah, février! s'est exclamé Casimir.

Station Berri puis direction Longueuil, ensuite un autobus plein de Grecs, d'Arabes, de Portugais, de Pakistanais, etc. tous bleus de froid. Un vrai rêve! Quarante-cinq dollars par semaine pour apprendre l'anglais. Il était de Lodz; moi, de Valparaiso. Il était parti de Pologne parce qu'il était juif; moi, c'était les militaires.

La méthode des cours est simple mais efficace. Le professeur dit: «How are you?» et chacun notre tour, nous, les écoliers trop grands, barbus, empâtés, l'air déprimé, nous répétons: «How are you?» Le premier jour, la tête me tournait après ma centaine de «How are you?» sans compter ceux des autres. Casimir me faisait signe qu'il devenait fou. Je lui ai souri. Vingt semaines de loyer payées, voyons!

Trente minutes de repos pour dîner, loin de «How are you?» mais avec le bruit étourdissant des machines à soupe et des machines à Coke de la grande cafétéria. Nous nous sommes assis ensemble parmi les cinq mille immigrés de l'école de langues. Tous avec de petits plats de chez eux, riz, shishkebab, goulash ou empanadas, pâtes ou massepain, enveloppés dans du papier d'aluminium ou des sachets de plastique. Nous n'avions encore jamais goûté la soupe de machine ou le café au pétrole.

— Je pense que j'ai de la fièvre.

— Ce sont les cours, a-t-il affirmé. C'est comme s'ils effaçaient le pouvoir de raisonner, comme s'ils enregistraient par-dessus...

Pourquoi donc une phrase bien tournée par une personne qui a de l'allure semble-t-elle plus convaincante! Dans une autre langue, on a l'impression que les mots retrouvent leur véritable signification. On s'est regardé comme deux solitaires qui trouvent enfin quelqu'un. Il m'a demandé si j'avais de la famille; j'ai une sœur, et mon père. Lui, il est fils unique et sa mère est restée toute seule en Pologne.

À la fin du repas, une sonnerie électrique stridente a vidé la cafétéria. Les poubelles débordaient de restes et de papiers. Les tables étaient couvertes de miettes et de cendres. Et l'après-midi a passé comme la matinée: «How are you?»

Nous sommes revenus par le même métro. Il habite près de Waldman's, rue Saint-Laurent, à côté du Portugais qui plume des poulets vivants devant le client. Les cous et les pattes de poulet de sa soupe juive à l'orge viennent de là. Tout près, il y a les Quatre Frères, Warshaw, une fromagerie et toutes ces boutiques de produits étrangers à bon marché.

Moi, je demeure rue Van Horne, près de la poste, du supermarché, de la pharmacie, de la banque et de l'arrêt d'autobus. Le quartier n'est pas si mal; c'est ce que je me dis de temps en temps pour me remonter le moral.

La chambre de Casimir est au-dessus d'un restaurant de *bagels* et de viandes fumées. Quant à moi, je vis au-dessus d'une pizzeria. Qui infeste d'ailleurs l'immeuble de cafards. Quand je vais à la toilette la nuit, il y en a dans le lavabo, dans le bain, dans tous les coins. Des cafards pâles, longs, dorés, au contraire des chiliens, noirs et tout ronds.

— Et les Polonais? Ils ont quelque chose de spécial?

— Peut-être bien, répond Casimir.

Lui, sa cuisine en est pleine à faire peur. L'exterminateur qui y est allé il y a quinze jours, lui a dit que chaque cafard pond quatre-vingts œufs qui mettent vingt-huit jours à se transformer en adulte qui pond quatre-vingts œufs qui, etc., etc. Son propriétaire, Juif polonais lui aussi, est un gros aux cheveux gras qui économise l'huile à chauffage. Moi, j'ai de la chance, je ne gèle pas; en fait, j'étouffe la plupart du temps. J'habite un quatrième, avec ascenseur, mon cher! Un ascenseur qui se ferme à clé, une par étage. La propriétaire, une couturière grecque qui porte une perruque blonde, habite l'appartement en face du mien. Quelquefois, irritée, je frappe chez elle et j'essaie de lui faire comprendre par gestes qu'une de ses clientes a oublié de refermer la maudite grille de l'ascenseur et que je viens de me payer les cent trente-deux marches de l'escalier. Autre bizarrerie au sujet de cet ascenseur: le lundi, un locataire désœuvré y dessine un gigantesque sexe masculin à la craie de couleur et chaque lundi, quand le fils de la Grecque, saoul et furieux, découvre le dessin, il vient frapper dans les portes à grands coups de pied en réclamant le coupable...

— Pas facile de dormir, Casimir!

De Berri à Longueuil, Longueuil à Laprairie. Tous les jours. Tous les cours à côté de Casimir. Les autres élèves? Une danseuse bulgare qui s'est échappée d'un avion à l'escale de Gander; Mahmala, un industriel libanais méprisant; trois Haïtiens qui se sont sauvés de la dictature de Duvallier; un ouvrier grec; une jeune Portugaise silencieuse qui travaille de nuit; Carlos, un instituteur colombien et le professeur, un grand Indien courtois, tout à fait Great Britain mais en plus brun. Onze personnes en tout, assises dans une salle surchauffée avec l'horizon tout blanc de la neige derrière les fenêtres. L'un à côté de l'autre. Je le regarde ou il me regarde. Il soupire souvent, impatiemment, en levant les yeux au plafond.

Le lundi, on commence presque toujours par «What did you do during the week-end?» Nous apprenons comme ça, dans un anglais très limité, que la femme de Mahmala le lave tous les jours, que Nikolas, le Grec, est gardien de nuit à la Canadian Railroad, que la Portugaise s'appelle Ilda et vit avec sa mère et sept sœurs, que le Colombien est venu avec famille et bonne ramasser de l'argent pour s'acheter une maison. Moi, je ne dis pas grand-chose et Casimir, lui, déclare qu'il est le seul Juif qui mange du hareng fumé toute la semaine.

J'oubliais Félix, un ex-curé espagnol, dernier arrivé au cours. Il veut à tout prix rattraper ses années d'abstinence. Il s'approche des filles sous n'importe quel prétexte, sans aucun résultat semble-t-il. Mais ça ne le dérange pas; les yeux dans le vague, il se met à imaginer ce qui n'arrive pas.

Pendant les récréations, on bavarde... Il y a presque toujours quelque chose qui se passe dans un de nos pays: des morts, un coup d'État militaire, des escarmouches, une nouvelle crise économique ou une quelconque calamité exotique, un tremblement de terre, une inondation, un cyclone ou une sécheresse.

À midi, Casimir et moi, nous allons marcher dehors. Il raconte qu'il fait plus froid à Montréal qu'en Sibérie. Moi, je n'avais jamais vu de neige et je ne me suis pas encore habituée à voir les stalactites dans la moustache des enrhumés. Lui, il connaît les grands froids de Pologne. Il m'explique comment mettre mon écharpe, mon bonnet, mes gants; et qu'il ne faut pas s'écraser le nez sur le métal car il peut rester collé là et on se retrouve alors sans narines, avec une vraie tête de mort. Casimir soutient que l'anesthésie et la congélation, c'est pareil: on ne sent absolument pas que les cartilages durcissent, que les oreilles se détachent et s'enfoncent silencieusement dans la neige. Pour moi, tout est nouveau et je marche bien attentivement sur les trottoirs glissants, surtout avec un manteau si pesant et des bottes si grandes. Ici, tout est prévu, me rassure-t-il. Si quelqu'un glisse et se casse une jambe, il peut poursuivre la municipalité qui n'a pas fait son travail à temps. Ça peut toujours réconforter... Il y en a qui reçoivent une pension pour s'être retrouvés, du jour au lendemain, infirmes à vie. Les camions aspirateurs déneigent jour et nuit, en avalant un passant de temps en temps...

— Il faut faire très attention aux enfants, s'exclame Casimir.

Les autres élèves ne m'intéressent pas beaucoup. Ils sont timides, renfermés, et répètent platement n'importe quoi. Leurs activités de fin de semaine ne sont pas trop palpitantes non plus: courses, lavage, cuisine et télévision (pour ceux qui en ont). Y compris la description de leur appartement, du parc près de chez eux, du magasin où ils achètent et de l'autobus qu'ils prennent pour venir au cours.

Nous mangeons à toute vitesse le sandwich, toujours aux œufs, que nous apportons de la maison et nous sortons patiner durant le peu de temps qu'il reste. Pour cinquante sous, je me suis achetée des patins d'occasion chez un cordonnier juif de la rue Saint-Laurent. C'est Casimir qui m'a donné son adresse. Lui, il était champion sur les lacs polonais. Moi, je me tiens à peine debout. Il me prend le bras pour m'aider et de temps en temps, sa main pèse un peu et il me regarde, yeux bleus et buée blanche autour de la bouche. Nous ne parlons pas. Le silence est confortable, presque familier. Quelquefois, il arrange mon foulard, je le laisse faire. Je les attends, ces petits gestes ordinaires. Sans rien dire, je le regarde, belle tête, comme si quelque chose passait doucement entre nous.

Après les cours, le métro. Nous prenons un café au restaurant de l'une des stations. Il me raconte ses mille façons de dépenser peu. Acheter des restes de poissons et de légumes, du vieux fromage. Fouiller les poubelles des magasins d'alimentation. Se bricoler une installation pour voler l'électricité de la rue (parce que l'association juive lui a aussi donné un poêle). On se quitte en s'embrassant. Il m'a retenue juste un peu trop longtemps. Juste assez pour que je le remarque, moi, et personne d'autre.

Maintenant que j'essaie de trouver les raisons de notre rapprochement, je me dis que c'est peut-être l'éducation; lui, il a fait Économie et moi, Sciences sociales: les savants de la classe... Ceux qui parlent le mieux anglais, la langue du succès, du travail, la langue de la chance que tout le monde vient tenter. Beaucoup d'élèves nous approchent pour pratiquer et améliorer le peu qu'ils savent. Ce qui vaut un certain prestige dans une école d'immigrants. Parfois, les textes à répéter commencent par «Try me» ou «Give me that chance». Pour stimuler nos projets d'avenir, je suppose. On doit aussi écrire des dialogues. Comme on nous a groupés par niveau, je suis toujours avec Casimir et nous nous amusons à écrire du théâtre. Il aime Strindberg; moi, Ibsen. Il parle de Grotowski; moi, de Polanski. D'ailleurs, il a un air de Polanski! Je ne sais pas quoi... un air... Dernièrement, c'était une parodie de Roméo et Juliette. On la répétait dans un café, c'était le temps de partir, et, comme on se quittait, il m'a embrassée sur la bouche. Je l'aurais bien évité, sachant ce qui suivrait mais ça m'a prise au dépourvu. Lui aussi. Ce soir-là, il m'a téléphoné et a essayé de me donner des explications. J'ai dormi tranquille: il a une figure d'enfant sage.

De cours en cours, de récréation en récréation, de regard en regard, le cours va se terminer. La vie au Canada exalte toujours autant le professeur qui nous passe des films sur la vie d'un bûcheron, l'histoire d'un conducteur de tracteur, la fin de semaine d'un ouvrier déneigeur, enfin, une série de films optimistes sur les joies du travail productif. Il nous apprend aussi des chansons du genre «Jingle Bells» que nous chantons en chœur, souriants et discordants de tous nos accents. Mais surtout, il nous apprend à parler au téléphone et à remplir des demandes d'emploi car, après tout, on est là pour ça... alors, au travail! Plissez les visages et froncez les sourcils!

— Marcia, on s'en va ensemble aujourd'hui, m'a proposé Casimir à la récréation.

Nous avons donc pris l'autobus de l'école jusqu'à la station Longueuil. Comme nous passions au milieu des boutiques, à côté du kiosque de loterie, j'ai sorti un billet. Il m'a dit:

— Non, non, c'est moi qui paye!

Mais nous ne sommes pas allés plus loin, nous restions plantés là, à attendre, à regarder les gens passer dans les tourniquets. Soudain, il s'est écrié:

— Voilà!

Deux billets que les machines avaient rejetés.

— J'attends toujours mais je passe toujours gratis!

Les petites économies, l'argent, gagner par-ci, gagner par-là, ça me gênait. C'était juif jusqu'aux tripes.

Dans le métro, il m'a invitée chez lui:

— Il y a tellement longtemps que je veux t'inviter. J'ai une très bonne soupe, tu vas voir! Les restes, c'est ma spécialité!

J'ai hésité un peu puis je me suis mise à rire. Ma première invitation dans cette ville et j'allais la refuser?

Chez lui, c'était tout petit, juste une chambre. Il partageait la salle de bain avec le propriétaire. Nous avons mangé la soupe et des harengs fumés. Frais ou pas, c'était pas mauvais. On a bu du vin et je me sentais un peu éméchée. La pièce était blanche et vide, aucune décoration, pas même une chaise, seulement le bord du lit. Il m'a demandé de lui parler du coup d'État. Il n'arrivait pas à comprendre ce qui s'était passé. Un pays modèle! Unique en son genre! Moi, comme d'habitude, je répondais: les multinationales, l'impérialisme... Un petit pays pauvre n'a pas de droit de décision. Il me parlait de la Pologne, l'occupée, la divisée, la démembrée durant des siècles. Elle a même été effacée de la carte à un moment donné. Je l'écoutais qui m'attaquait en disant que le socialisme, c'était se battre pour la paranoïa quotidienne,

pour le pouvoir des fonctionnaires. J'en ai par-dessus la
tête de ces discussions. Je ne répondais pas, il ajoutait:

— ... d'un côté, les multinationales, mais de l'autre...
Dans le fond, vous avez copié nos erreurs.

Il s'est arrêté, s'est approché de moi et m'a longuement embrassé la main.

La tête ailleurs, je m'écartais un peu.

— Je n'ai eu personne près de moi depuis des mois.
Allonge-toi un peu!

J'ai reculé, effrayée.

— Pourquoi ne pas s'accorder un peu de tendresse?
disait-il, avec ses beaux yeux transparents. Il appuyait sa
tête sur mon épaule.

— Il neige.

Et prenant mon visage entre ses mains, il a dit lentement:

— Tu es tellement belle...

Je ne disais rien. Je me laissais aller au moment; la
neige et le vent glacé dehors alors que nous étions tous
les deux réfugiés bien au chaud sur le bord du lit, mais
pour des raisons peut-être contraires. Je me serais enfuie
mais nous nous sommes embrassés à n'en plus finir de
désespoir et de solitude. Je tremblais.

— Qu'est-ce que tu as? m'a demandé Casimir qui
me caressait les cheveux.

Je pleurais doucement. Il a répété:

— Viens donc...

C'était presque convaincant mais j'étais infiniment
triste. J'ai fait un effort, j'ai murmuré:

— Casimir... Je ne suis pas capable...

Il a éteint la lumière. Peu à peu, nous nous sommes
déshabillés, nous nous sommes enlacés maladroitement.
Et tout à coup, j'étais à côté et je lui racontais mon arres-
tation:

— C'était dans un poste de police... deux qui me tenaient, l'autre frappait...

Il a rallumé. À travers mes larmes, je l'ai vu, nu, avec d'énormes cicatrices sur une épaule et un bras. Lui découvrait les marques sur ma poitrine et mon dos.

— Ça aussi? Il indiquait les brûlures sur un de mes seins.

J'ai fermé les yeux, je ne voulais plus parler, je ne voulais plus me souvenir de rien. Quand je l'ai regardé de nouveau, il était grave. Dur et tragique. Ses cheveux blonds tout mêlés.

— Je vais te dire un secret, a-t-il dit à voix basse, comme s'il avait peur d'être entendu:

— Je ne suis pas juif...

Il jouait avec mes doigts tout en continuant de murmurer:

— Il a fallu que j'apprenne le yiddish, que j'aille à la synagogue... Ça (il me montrait son bras), je me le suis fait en essayant de m'échapper de prison. Depuis des années, j'essayais de sortir de Pologne; finalement, j'ai trouvé une organisation qui aidait les Juifs à sortir... Sept ans à prouver des mensonges, à dire que j'étais le fils d'un amant juif que ma mère aurait eu du temps des nazis. Je marchais avec une pastille de cyanure sur moi, au cas où...

Il devenait mélancolique. Moi aussi. Il plissait le front et ses grands yeux rétrécissaient. Il a pris ma main et l'a serrée nerveusement. M'a passé un doigt sur le visage, faiblement, timidement. M'a embrassée sur la joue. Nous nous sommes enlacés, nous cherchions sur nos corps d'autres traces de douleur et de violence.

Il a éteint et l'obscurité nous a poussés sous les draps. Nous nous embrassions en pleurant, tous les deux solitaires, chacun dans son passé, dans son avenir et nous

nous sommes endormis ensemble, l'un à côté de l'autre, tout seuls dans le même piège.

Le lendemain, c'était un samedi. Nous nous sommes levés tôt. Casimir a préparé du café et m'a dit de sa voix habituelle:

— Qu'est-ce que tu penses faire la semaine prochaine? Le cours est fini. Comment vas-tu payer ton loyer?

— Je ne sais pas... Je travaillerai à l'usine ou dans un restaurant.

— Tu es jeune, tu es belle. Laisse donc tomber le socialisme! Je connais des industriels dans la cinquantaine qui se feraient un plaisir de t'épouser. Ville Mont-Royal, c'est un beau quartier, de l'argent, des Cadillac, de grandes maisons. L'argent ne fait pas le bonheur mais ça aide, c'est sûr... Viens à la synagogue aujourd'hui, je t'en présenterai quelques-uns...

Je souriais mais c'était plutôt grimaçant, affligé.

— Tu es fou!

— Fou? J'en ai assez d'être sur la liste d'attente, d'être pauvre, de fréquenter des insignifiants, des quelconques... Je veux de l'argent. Et j'en aurai!

Je l'observais qui s'excitait.

— Je pars pour Toronto. Ici, il n'y a pas d'avenir. La situation politique est instable. Le Québec, c'est un problème pour bientôt...

Il est allé vers le lit, a sorti une boîte à chaussures cachée dessous. Il m'a montré ce qu'elle contenait. La photo d'une femme affreuse. Il a pris le temps de voir ma réaction, puis il a dit:

— Je vais me marier!... Son père a une usine.

J'étais ahurie.

— Mais tu ne m'en avais jamais parlé!

— C'est par la synagogue...

Il m'offrait une tasse de café, il continuait:

— Tu sais, le romantisme, je voudrais bien y croire, mais c'est bien fini...

Non, je ne voulais pas de café. J'ai mis mon manteau, mes bottes, mon écharpe et mon bonnet.

— On va patiner lundi? a-t-il demandé avec son sourire de cinéma et l'accent yiddish plein d'enthousiasme.

J'ai fait signe que oui. Sur le seuil, il y avait de gros cafards dorés comme ceux de chez moi. Oui, tous les deux, nous avions des cafards, c'était tout. Il neigeait. Les autobus salissaient les trottoirs avec leurs gaz d'échappement. Neige grise ou brune. Gens recroquevillés contre le vent glacé.

Le lundi, Casimir n'est pas venu à l'école. Je lui ai téléphoné. Pas de réponse.

Le cours s'est terminé.

Un mois plus tard, je recevais une carte postale de Toronto:

> *Marié et gérant.*
>
> *Quand j'aurai ma citoyenneté, je changerai encore mon nom, il y a de l'antisémitisme par ici... Casimir Davis, ou même, Henry Davis. Je pourrai aller voir ma mère en Pologne et un de ces jours, je vais faire des affaires à Wall Street.*
>
> *HOW ARE YOU?*

Sans adresse de retour.

Anne Dandurand

Esquisses inachevées

Née en 1953 à Montréal, Anne Dandurand a publié un roman:
Un cœur qui craque (1990), traduit en anglais: *The Cracks* (1992),
et quatre recueils de nouvelles: *La louve-garou* (coauteure
Claire Dé) (1982), *Voilà c'est moi: c'est rien j'angoisse* (1987),
L'assassin de l'intérieur / Diables d'espoir (1988), traduit en anglais:
Deathly Delights (1992), *Petites âmes sous ultimatum* (1991).
Ses nouvelles ont de plus été publiées dans une quinzaine
d'anthologies et de collectifs au Québec, en Ontario, aux États-
Unis, en France, en Allemagne et en Suisse. En 1989, elle rempor-
tait le Grand Prix de la nouvelle pour la jeunesse, à Paris.

«Esquisses inachevées» dans *La louve-garou* (de Claire Dé et Anne
Dandurand), Montréal, Éditions de la Pleine Lune, 1982.

Elle regarda comme pour la première fois ce qui l'avait troublée durant tout un hiver: quelques pages noircies sur son désir inassouvi. Tristesse. L'homme s'était usé dans le champ des illusions. Tout un hiver à forger le morbide du désir jugulé entre les mots. Je me meurs, je me masque encore, je dévie, je me dévide, je vis détournée.

Elle écrivait pour se délivrer et l'homme dépossédé s'était éteint. Puis un autre avait ouvert un nouveau chemin en elle, quotidien d'économies ménagères, rôti sentant bon le lait et la graisse, soirées rouges de rire. L'ancienne urgence d'exorciser s'était muée en soif de marquer ces jours d'amour. Elle écrit soif, et doute. Sa vie exige, elle, le combat. Puis-je jouir? Puis-je songer? Je lutte, j'éradique à petites bouchées. Trop de misères. Trop d'iniquités. L'écriture, douce imposture: courir alors se capturer, ombre parmi les ombres de son imaginaire. S'enfuir, poursuivre la ligne du paysage. Écrire: dernière solitude inexpugnable, même par l'amour.

PREMIÈRE HISTOIRE SUR L'HOMME AIMÉ

Lorsqu'elle atteignit quatre-vingt-neuf ans, et lui quatre-vingt-douze, ils absorbèrent tous deux trois mille neuf cent soixante-treize somnifères et moururent, mains dans les mains, un matin de petite neige.

Elle s'arrêta. Son écriture d'araignée dépouillera-t-elle l'homme qu'elle aime, comme celui d'avant? Acceptera-t-il son alter ego de papier, peut-être tordu et grimaçant?

DEUXIÈME HISTOIRE SUR L'HOMME AIMÉ

Elle, dans un certain équilibre, elle sur la pointe d'un pied, dans l'œil d'un cyclone. Elle qui s'enroulait de son réel, de ses petits combats, de sa solitude. Mais son imaginaire bourbeux, enlisant, tari. Et le soir hâtif la surprenait à gratter ses marais à la plume, si lente, si opiniâtre. Et l'aube avide la saisissait entre ses herbes, et ses encres, à écrire la cabalistique du désir, tranquille, si doucement assassine. Elle, si libre, grande voile-chair claquant à la face du ciel. Sans amour et avec, sur le papier, l'objet de son désir, cet homme, racorni, racortillé, fragilisé.

Ce quinze mars-là, les poétesses et les poètes étaient lancés sur l'agora. Cent cinquante-sept lâchés aux Chrétiens. Nuit d'orviétans et de loups, violences et sang, où, numéro cent cinquante-six, elle errait, mi-imposture, mi-souffrance.

Tout fut si surprenant. Dans le corridor de l'attente, elle s'était détournée vers sa gauche. Deux yeux d'aquarium la considéraient. Déroutée, elle s'était souvenue avoir travaillé avec l'homme derrière ce regard, quelques années auparavant. Mais quelle importance? Elle devait attendre et cet homme, près d'elle, l'appelait de toute sa nuit. Elle avait parlé avec lui jusqu'à ce que, à l'aurore, elle soit abandonnée à son sort dans la place vide, à la férocité des caméras.

Ils s'étaient quittés un peu plus tard, dans le silence d'un métro. Puis elle avait rêvé d'une grappe de raisins-pupilles, bleu-ecchymose, comme les yeux de cet homme. Les avait-elle gobés ou avaient-ils roulé sur elle, dans l'eau de leurs larmes? Le rêve lui glissa entre les dents. Le lendemain, affolée, elle consulta son amie en amande. Celle-ci lui organisa un rendez-vous avec l'homme, pour le Vendredi des Morts suivant.

Elle se prépara lentement à cette rencontre, en prêtresse hésitante. Parfums de Chypre et d'ambre en glacis sur le corps, jaune sentier des caresses à peut-être venir. «Où se cèlent mes sorts chéris? Je tremble, je me trouble encore, je rougis, je m'assombris, vais-je sombrer?»

L'homme accompagnait, dans un bar de la basse-
ville, mi-canaille, mi-rouge, une chanteuse étrange à la
voix de tôle et à la grâce ophidienne. Elle rencontra, comme
prévu, son amie en amande sous le porche du club. Celle-
ci portait ses colliers sauvages, et l'on respirait sur elle une
odeur phosphorescente. Elles prirent place vis-à-vis l'homme,
dans un trou de pénombre. La salle bruissait, toutes griffes
dehors, gorges sèches. L'alcool avait un goût de soupir.
L'homme entra en scène, la repéra immédiatement. Était-il
clairvoyant, nyctalope? Le spectacle s'enclencha, éprou-
vant. Elle écoutait. Elle comprenait la pure évidence de la
foudre sur elle. Chaque note jouée par l'homme la fouillait,
nuées de doigts chavirant sa chair. Éperdue, elle avait pris
la main de l'amie. Celle-ci proféra quelques imprécations
contre l'homme. En vain. Nulle incantation n'est possible
contre les coups d'amour.

Après le spectacle, elle aurait couru aux coulisses, mais
un reste de sort ancien et douloureux avait ralenti ses pas.
Elle s'était ainsi seulement glissée derrière lui, humant
l'obscure odeur de sa nuque. Il s'était tourné vers sa gauche
et, gémissant, l'avait saisie dans ses bras. Elle l'avait con-
taminé de la langue.

— Pourquoi as-tu tant tardé, Lamia ma sœur,
augure de ma nuit? Tu as senti ma musique sur ton corps,
tu me reconnais, tu renais?

Ces mots qui lui coulèrent dans la crinière la paraly-
sèrent. Mais qui était-il donc? Un sorcier d'une chambre
voisine? Son réseau d'amies n'aurait point remarqué le
piège, l'attente? Malgré leur vigilance? Était-ce possible?
Qu'il la nomma de son nom de sorcière, nom secret qui ne
se prononçait qu'entre femmes, lors des sabbats, la fit trem-
bler au plus creux des reins.

Elle devait tout oublier de sa première nuit avec
l'homme, sauf cette impression tenace d'avoir chevauché

une cataracte. *Le doux des cuisses un peu endolori, elle
avait regagné son refuge au crépuscule suivant. «Je vibre,
je m'enlumine, je luis, est-ce lui ma nuit pour qui je me
suis tant languie?»*

*Elle le rejoignit à minuit, à peine calmée. Elle flairait
maintenant sur lui, comme en sous-entendu, son parfum à
elle, acide et mordoré. Il l'ensorcelait olfactivement, là où
précisément elle se montrait si vulnérable. Elle dut choisir.
Disparaître au plus loin, au plus vite, ou jouer avec lui à la
Fusion, jeu sulfureux et volcanique, mais qui rapporte aux
audacieux de nouveaux pouvoirs magiques. Elle l'embrassa,
scellant leur pacte. Elle le sentit bander contre son ventre.*

*Ailleurs, plus tard, après s'être entre-dévorés trois fois,
et que tous leurs contours eurent fondu dans l'orgasme, elle
lui chuchota:*

— *Ne bouge pas. Ferme les yeux. Tu dors au fond
d'une claire rivière. Le courant seulement t'a mis ainsi,
nu, sur le flanc. Sens sur toi ce qui te semble une chevelure
sinueuse qui glisse et te caresse au long du corps. Ce doux
plaisir t'enveloppe mais t'irrite aussi un peu, car les pointes
de cheveux insistent trop dans certains de tes creux. Ne
bouge pas et maintenant n'aie pas peur, une méduse ou
une algue se pose là, entre tes jambes, couvrant ton sexe à
peine, comme l'ombre même de l'eau. Ne bouge pas, laisse
l'étrange animal se resserrer doucement. Dans ton sommeil
feint, tu devines un peu sa forme palmée, si déroutante. Tu
bandes maintenant presque mauve. Et l'animal précise ses
pressions, de l'arrière délicat des couilles au gonflement
entêté du gland. Et d'un coup l'animal s'étend sur toute ta
peau, tendre haleine, mais brouillard cachant bien ses
angles. Tu gémis, et la bête gagne du poids sur toi et de la
poigne autour de ta joie. Arc-boute, corps de mon désir,
entre au fond de la créature marine et livre lui enfin ton
visage qui s'exorbite infiniment.*

L'histoire à peine née agonise déjà. La peur des maléfices l'empêche d'en écrire la fin. Elle craint la mort de l'homme de papier, mais sait que, pour sa joie d'écrire, il ne peut en être autrement. Histoire qui se détricote. Vie morcelée par l'amour. Enchevêtrements au quotidien. Peau à portée du désir. Mais tout écrire, même la dissociation entre elle et moi, mon corps et celle qui court, qui court en moi.

SANS TITRE

Elle fit un rêve. J'invente un plastique révolutionnaire, tirant de l'eau de mer nourriture, oxygène, énergie motrice. Je me construis un bathyscaphe transparent que je nomme «Ue». Je commence mon exploration au nord du pays, dans ce curieux lac salé, parfaitement rond, et entouré de falaises rigoureusement droites.

Nulle végétation sous l'eau, nulle vie. Plus je descends, plus la «Ue» irradie. Au fond, un sol régulier de noire rocaille. Un courant sous-marin m'entraîne dans une grotte, puis dans un couloir où je me perds bientôt, tant les détours et les coudes se multiplient. Partout s'étirent de voluptueuses rupestres, mi-humaines mi-pisciformes. Le courant me tire pendant des heures, et le mouvement crée à la longue une hallucination où les figures s'animent, ballet orgiaque. Est-ce que je m'endors?

Puis le paysage se modifie. Ouateuse infinie des grands fonds noirs, fugitif troupeau de la mer, monstrueux poissons des bas-fonds, luisant à peine autour de moi. Soudain j'aperçois au loin une lueur au sol. J'approche. Une perle énorme, de la taille d'un ballon de plage, dodeline un peu, vaguement chaude. À. quelques pieds, une autre et encore une autre. Je suis le faible pointillé. Une piste, puis une route de perles énormes qui respirent ensemble. Au bout de la voie lumineuse, une faille géologique, au fond de l'abîme, une ville.

Je descends encore. Je me plais à entrer par l'une des portes, même si je peux atteindre le centre du labyrinthe par le haut. Murs de marbre titanesques, sculptures-buildings asexuées, au regard tourné vers le centre. Là, un autel cyclopéen. Au-dessus bée une déchirure, au gré des courants sous-marins. Illusion absurde, déchirure entre quoi et quoi, mais qui m'attire inéluctablement. J'y dirige la «Ue» et me faufile entre les bords effrangés.

Angoisse, j'ai traversé ailleurs. Monde gris et plat à perte de vue, morne éclairage filtrant d'une croûte uniforme de nuages. Je hurle, tente inutilement de retrouver la béance et mes fonds marins.

Tout à coup apparaît dans la «Ue» un être de la taille d'un enfant, aux yeux d'insecte, aux mains palmées. La bouche n'est qu'un pâle trait dans son visage exsangue. Je m'étonne. Un autre surgit du néant, à côté du premier, puis d'autres encore. Ils jaillissent et se serrent les uns sur les autres, en m'observant sans animosité. Je ferme les yeux, craignant l'éclatement du bathyscaphe. Avec un déchirement assourdissant la «Ue» fend. Une lumière extrême me taraude. Je garde les yeux clos, ou dans ma naissance, ou dans ma mort.

Et en effet, elle prend une brutale descente dans sa vie, d'où nul ne peut la tirer, même lui. Elle se noie dans son lit, suffoque et grelotte sous ses châles malgré la touffeur de l'été précoce. Son existence lui semble si vide alors, que le désir de mourir l'étreint et danse avec elle une sarabande d'où elle ne peut s'échapper. À quoi bon les fêtes, la gaîté de vivre, l'amour même, si elle n'inscrit rien de plus au futur que ces minuscules éphémères contre les vitres.

Elle pourrait toujours s'engrosser de l'homme qu'elle aime, mais elle sent qu'elle ne repousserait ses insatisfactions que de quelques années. Il ne lui reste alors qu'à ciseler ses pauvres mots, humblement, pour se sauver elle-même, et peut-être, un jour, en sauver d'autres.

Je m'embrouille, m'émiette, me dissémine. Mais l'écriture à côté du sang, puis-je choisir? Mes dents, si longtemps serrées par l'angoisse, m'ont mise maigre, mais vorace, si vorace.

A.

Jean-Marc Cormier

La symphonie déconcertante

Jean-Marc Cormier est né à Saint-René de Beauce en 1948.
Il est à la fois agent d'information, conteur, dramaturge
et auteur-interprète. Il collabore à plusieurs revues,
et a publié des recueils de poèmes, de chansons, de contes, et
deux recueils de nouvelles. Polymorphe, l'œuvre de l'auteur
connaît malgré cela une étonnante unité d'inspiration qui
s'apparente à la tradition du chansonnier.

«La symphonie déconcertante»
dans *La symphonie déconcertante*, Rimouski,
Les Éditions coopératives de l'Est du Québec (Éditeq), 1984.

Je suis télépathe. Je venais de découvrir que j'étais télépathe. Et cela me faisait horriblement mal. Plus j'en étais conscient et plus se densifiait ce flot de pensées continu qui me pénétrait malgré moi. Être télépathe, n'est-ce pas tout simplement avoir atteint un très haut degré, un degré ultime, peut-être même dangereux, de perméabilité? Je doutais très fortement de mes capacités d'exercer sur ce phénomène un contrôle quelconque, ne serait-ce qu'à moyen terme. J'étais terriblement anxieux. J'avais peur pour ma vie.

Après avoir dormi un peu, à peine, harcelé que j'étais jusque dans mes rêves, je suis sorti avec ma femme, qui se montrait docile à mes caprices et toujours compatissante. Nous allions à la pharmacie. Je me souviens. J'avais besoin de médicaments. C'était vital.

Ce fut d'abord une vague impression, puis une certitude dérangeante. La rue avait changé, elle n'était plus la même. Plus pauvre, mais plus grouillante. Excessivement grouillante même, compte tenu de l'heure tardive. Et l'air était fétide. C'était une nuit de juillet, si je me rappelle bien.

Je ne parlerai pas de la chambre bleue, des espaces sans frontière qui se dessinent dans ma tête ni des ciels de lits nouveaux que j'imagine.

— Qui es-tu?

Est-il seulement nécessaire que des barreaux de bois équarris au couteau viennent me couper la vue de tout? Heureusement, je peux déjà me tourner sur le dos et palper de la main (dans ma tête) les petits anges charnus sculptés dans le lointain plafond blanc.

Nous marchons côte à côte vers le boulevard. Elle garde le silence, inquiète sans doute elle aussi de mon état mental. Et moi je suis plus que jamais envahi dans ma tête. Je dois avoir l'allure extérieure d'un zombi. J'ai la croissante conviction que je fais peur aux gens. J'en vois qui changent de trottoir pour ne pas nous rencontrer de près. Je marche de plus en plus vite, remorquant la comique qui s'accroche à mon bras. Et plus la comique pleure à chaudes larmes et multiplie les petits pas rapides pour demeurer à ma hauteur, plus je me durcis à l'intérieur. Et plus je suis Pier Paolo Di... dont la baguette vient de frapper dans le mille. Le triangle des boules multicolores éclate avec fracas et ça roule d'une poche à l'autre. Je vais presque vider le tapis vert avant que mon adversaire puisse s'offrir un coup. Je suis très fier de moi. Ce sacré Petit Rat!

Je me parle italien dans ma tête. Je me dis que ce gros porc de Pier Paolo Di... peut bien m'avoir au billard, que je l'attends dans le détour et que mes deux comparses ne vont pas tarder à lui trouer la peau à cette espèce de Seigneur mal dégrossi qui voudrait nous voir tous ramper devant lui. T'as beau m'avoir baisé de force à Napoli quand j'avais dix ans et toi quatorze, je finirai bien par avoir ta peau à mon tour, mon colosse. Et je l'aurai de façon définitive.

Et puis me voici qui écris frénétiquement quelque part. Mes longs cheveux tombants me chatouillent la figure. Je les recule vivement de la paume. J'écris avec des larmes dans les yeux une espèce de délire intérieur qui parle de moi à la troisième personne.

Elle ne pouvait plus produire un seul dessin d'enfant. C'était la fin finale de toute une joyeuse période, la

fin d'un style qui lui était propre et qu'elle avait bâti sur
des années et des années d'un minutieux labeur. Mais
voilà que ç'eût été malhonnête. Voilà qu'elle avait le sentiment que ç'avait été tout ce temps une manière d'usur-
per quelque chose à quelqu'un d'autre. Voilà qu'elle
venait, dans une réelle fureur destructrice, de démolir la
majeure partie de sa production récente. Voilà que s'em-
pilaient autour d'elle les débris déprimants de tant d'années d'ouvrage.

Elle n'eût plus, pour tout l'or du monde, ébauché
un nu malgré sa hantise des corps. Non! Il lui semblait
nécessaire désormais de construire toute une œuvre de
triangles et de cercles. C'était comme si quelqu'un d'autre
avait pris possession de sa personne et guidait sa main
lorsqu'elle tenait un pinceau. L'orgasme de produire
était devenu fade mais demeurait paradoxalement nécessaire. Et tout son esprit ne lui parlait plus que d'angles,
de courbes et de droites parallèles.

Nous avons pénétré dans un commerce. J'étais à
plusieurs endroits à la fois. Cela n'était pas douloureux
physiquement mais provoquait chez moi une angoisse
palpable.

J'étais assise à ma table de travail et j'écrivais avec
fureur. J'étais couché sur le dos et me chatouillais les
orteils en jargonnant et en regardant fixement le très
lointain plafond immaculé. J'occupais deux corps adultes
dans une salle de billard. Deux corps pleins de tensions,
se livrant symboliquement un combat qui durait, me semblait-il, depuis toujours. Et j'étais également traversé par
une multitude d'autres sensations qui, bien que moins
fortes, n'en étaient pas moins présentes au point de casser la perspective tout partout autour de moi.

C'était une pharmacie, soit, mais avec une table de
pool au beau milieu de la place, avec un restaurant, un

rayon de dessous féminins, un département de chaussures et un appartement translucide intercalé dans la première moitié supérieure de l'établissement. Tout cela comme si plusieurs décors, plusieurs édifices même, étaient enchevêtrés les uns aux autres. J'avais même remarqué un jeune prostitué qui cherchait une passe, adossé mou au mur, tout à côté de l'entrée.

Il y avait aussi des jouets. Un rayon de jouets excessivement chargé. Je m'en souviens très bien. Ma femme s'était perdue en conjectures quant à ce qu'elle aurait dû choisir pour l'anniversaire de notre fils Pierre-Luc.

Un troisième individu s'était approché des deux joueurs. Je le sentis aux vibrations qui s'étaient modifiées dans cette section, si je puis dire, de mes pensées. Il y avait donc un intervenant majeur de plus dans mon aventure mentale. Il faudrait désormais que je compose avec cette présence.

— Qu'est-ce qu'il dirait le Pier Paolo Di... si je lui lâchais le morceau. Si je lui avouais carrément que le Petit Rat m'a approché pour que je le liquide. Je ne le connais pas assez pour être certain que j'arriverais à lui soutirer quelques dollars ou à monter en grade dans l'Organisation grâce à sa reconnaissance.

Sortir de mes songes anxieux! Me secouer! Je fus particulièrement troublé lorsque Mona se mit à familiariser avec une vendeuse au rayon de la fine lingerie érotique féminine. J'étais mal à l'aise. Je ne savais où me mettre. Il était très tard et la pharmacie-boutique aurait dû être sur le point de fermer ses portes. Ou bien était-ce ouvert au public vingt-quatre heures sur vingt-quatre? J'étais comme en pays étranger. J'avais des doutes sur tout. Jamais sûr de moi.

J'ai pissé. Je ressens maintenant comme une affreuse brûlure partout sur le derrière. J'ai le scrotum, l'anus et les fesses en feu. C'est contrariant. Je ne puis rien par moi-même. Rien pour moi-même. Je dois compter sur quelqu'un d'autre pour le moindre de mes besoins. Je suis sur le dos et je hurle, les yeux clos, en sueurs et en larmes, pour hurler plus fort encore.

— Tutt! Tutt! Tutt! Allons! Allons, mon bébé!

Et puis je suis soulevé par les pattes, comme un crabe. Mais uniquement du derrière. Mes épaules demeurent rivées au matelas. Quoi qu'il en soit, une douce fraîcheur soulage mon postérieur. Je hurle déjà moins fort. Et puis je me sens de nouveau abandonné. C'est désormais dans le ventre que ça se déchire. Je hurle de nouveau. Et puis on me donne à téter un liquide chaud et consistant.

J'ai la bienfaisante sensation de téter un sein généreux. Voici que je bande ferme en public. Il me semble que tous ces gens me regardent. Je panique. Je vais passer pour un maniaque car cela se voit affreusement à travers le pantalon de toile légère que je porte. Mais cette sensation domine pour l'heure très nettement toutes les autres et, malgré le malaise intérieur qui en résulte, j'ai plutôt goût de la cultiver. Je suce un sein blanc de toute ma conscience et mon corps ne peut que traduire l'irrépressible bien-être qui l'envahit. Je suis dur du membre comme un étalon de trois ans et les tabous terribles qui s'agitent en moi n'y peuvent rien. Si cela ne cesse pas bientôt, je vais devoir m'allonger par terre et me laisser jouir devant cette foule. Je suce un sein pesant et le lait chaud qui coule dans mon ventre qui se gonfle m'énergise tout entier. Et la vie qui m'est ainsi donnée veut aussitôt sortir de moi et se répandre par sa volonté propre. Mes yeux se ferment. Je vais sombrer.

La lune... Un cercle blanc très pur et très net dans l'angle supérieur droit de la toile. L'arc-en-ciel. Bizarre.

Des demi-cercles épais tracés avec netteté et tous de couleurs très vives, éclatantes. Un arc-en-ciel de nuit. Au bas,
à droite, l'esquisse pleine de raideur voulue d'un banc
public et deux cercles soudés l'un à l'autre faisant office
de têtes. Hum! Oui! Deux amoureux fous sur un banc, à la
pleine lune, contemplent un arc-en-ciel nocturne. Rareté
sur un fond violet. Et puisque le ridicule tue, regardez-
moi ça tomber. Une pluie de météorites, cercles de feu
minuscules superposés à cet arrière-plan très rigide dans
ses formes et dans ses couleurs. Autre chose. Tout petit
petit, dans le coin inférieur gauche, un coyote réaliste à
l'extrême, qui a entrepris de bouffer le décor. Le tout?
Un truc parfaitement insignifiant. Le vingt-troisième
d'une série de tableaux qui décide d'elle-même de sa
facture.

  L'embêtement fut que, dans cet imposant supermarché, je n'arrivai pas à trouver le médicament qui m'avait
été prescrit. Mona et moi avions eu soin, en entrant,
d'utiliser le système gratuit de cintres en perpétuel mouvement pour y accrocher nos manteaux. Nous nous y
dirigeâmes après avoir payé les quelques achats que
Mona avait faits. Elle se mit en quête de son manteau,
moi du mien. Je fis le tour des rayons, remontant la
chaîne à rebours et vérifiant les manteaux un à un.

  J'hallucinais sur le temps. Ou bien je recevais
d'ailleurs des informations qui modifiaient de plus en
plus la trame de la réalité. J'avais naturellement perdu
mon érection. Je transpirais abondamment. Nous étions
en juillet. Et je cherchais mon manteau dans une pharmacie aux multiples dimensions, sur un système de cintres
tournants qui n'existait pas. J'étais profondément oppressé.
Je devais faire un très mauvais rêve. Il s'était passé en moi
quelque chose de bizarre, d'indéfini, de suspect.

  Puis je me mis à chercher Mona. Il me semblait que

j'appelais: «Où donc es-tu?» Mais que le son de ma voix restait bloqué dans ma gorge.

— Il me faut sortir d'ici coûte que coûte.

«Enfin, mère!» fis-je, chuchotant. «Je vous retrouve! Vous avez ri si bruyamment tout à l'heure. Votre visage devenait pourpre par instants. Vous avez dû, encore une fois, prendre quelques cachets de trop. Je comprends et j'accepte que vous ayez la douleur en horreur. Mais les barbituriques vous tueront. Venez! Rentrons! Il faudra vous étendre un peu, respirer à l'aise, vous reposer quoi!»

Que je trouve d'abord mon fichu manteau. Zut! Celui-ci n'est pas le mien. Il doit appartenir à l'un de ces clochards qui campent ici pour la nuit. Comment ai-je pu mettre cette chiffe sur mes épaules? C'est tout de même chic d'accueillir ici ces pauvres mecs. Mais, merde, on devrait les obliger à traîner leurs guenilles avec eux. Pas de doute, d'ici une heure, je grouillerai de morpions.

Je n'arrive plus à demeurer moi-même dix secondes d'affilée. Je ne connais plus du tout la différence entre ce que je suis et ce à quoi je suis perméable. Je ne sais plus à quelle distance me tenir des autres pour éviter d'être envahi par leurs pensées. Je suis de plus en plus las de cette triste aventure. Je souhaite me voir dans un désert infini, dans la plus parfaite solitude que l'on puisse imaginer. Si je pouvais au moins identifier clairement les personnages qui m'habitent. Si je pouvais au moins organiser avec un tant soit peu de rationalité ce beau merdier mental.

Il y a ce gros bébé joufflu qui grandit extrêmement vite et qui va maintenant jouer dans l'herbe. Il n'est pas d'ici ni de maintenant puisqu'il tétait il n'y a pas cinq minutes et qu'il marche à présent, patauge dans une mare, tente d'attraper des têtards, écrase dans sa main potelée une chenille.

Quelles sont donc les limites spatio-temporelles de cet envahissement? Cet enfant n'est pas d'ici ni de maintenant et pourtant il s'inscrit comme un être entier bien actuel dans mon douloureux présent. S'agit-il uniquement d'une fabulation de mon esprit malade?

Elle vivait pourtant du jour où la main chercheuse pourrait enfin caresser des ventres palpitants, couler fiévreuse sur les hanches, flotter sur les cuisses frémissantes, courir par tout le corps tendu de l'autre, sans limite aucune à ces explorations intimes. Et elle se trouvait là, idiote, devant son délire géométrique, incapable de se l'interpréter pour elle-même. Mais verser de l'encens et de la myrrhe sur des reins nus. Mais embrasser, mais lécher des fesses blanches. Mais ouvrir des précipices vertigineux où ses doigts ardents fouilleraient la vie charnelle. Mais bâtir des ports interstellaires où les lèvres avides chercheraient têtues à se rassasier du goût tremblant des chairs du monde. Mais Le Sexe d'entre les sexes. Ces côtes ondoyantes mais fermes. L'auréole brune du sein. L'inventaire minutieux de chaque poil du pubis dressé avec la langue. La bouche. La bouche. Fruit charnu, corps liquide et solide en même temps. Le jus de la bouche. Le liquide tiède, l'eau essentielle, le long baiser. La bave. La bouche bavant des flots d'écume inépuisables. Le corps entier baigné dans les eaux saoules du baiser absolu. Déshabiller furieusement le corps aimé.

Être bandé mal à son aise dans un pantalon de toile trop légère, en pleine nuit, dans une hallucinante pharmacie, parce qu'un bébé dans sa tête tète un sein blanc et rond d'où coule un merveilleux miel tiède et abondant.

Une véritable tablée de sexe. Déshabiller furieusement le corps aimé. Le coucher douillettement en plein centre d'une table immense, avec les vins, les fruits frais, les légumes chauds, les viandes et puis les fleurs luxuriantes qui ornent le banquet des sens. Une vision démente qu'elle ne peindra jamais. La luxure la plus totale. La licence la plus complète. Lécher du sexe en société.

*

*   *

J'étais à ma table de travail, ce jour-là, lorsqu'il se produisit tout à coup un brouillage extraordinaire dans mon esprit. J'étais parasitée.

J'exerce le métier un peu fou d'artiste-peintre, soit. Je demeure attentive à chacune de mes fluctuations intérieures, soit. Je n'hésite jamais à les transposer dans mon art quelle que soit leur audace. Mais je me considère normalement intelligente et même plus rationnelle que la moyenne des ours. Les couleurs, les formes et même l'écriture me servant depuis toujours de soupape de sécurité, j'ai l'habitude mentale d'éviter relativement aisément de dramatiser le réel quotidien. Bref, je me débrouille avec moi-même sans trop de problèmes.

Cette fois, j'étais tendue au possible. Il se tramait quelque chose que je ne m'expliquais pas. Il sortait de ma plume des mots qui n'étaient pas les miens et, de ces assemblages de mots, des configurations mentales que je n'acceptais tout simplement pas. Mais j'étais incapable de mettre fin à cette activité fébrile. J'avalais une gorgée de café tiède, je relisais quelques paragraphes et je poussais plus loin l'exploration difficile de mon dépotoir.

Mégalopolice. Notre devise: «Sexe et meurtre à la Une». Elle aurait voulu, par le bas du ventre, mastiquer les mâles en elle, refermer sur eux sa gueule mystique et les laisser macérer longtemps en son sein comme en serre chaude. Leur imprimer sa vie dans les fibres en échange de la leur circulant dans ses artères. Et, sur la table, bien au centre, l'érection massive, le sac joliment resserré sur les couilles granuleuses. Pour musique de fond, une voix toute en basses, sortie du beau corps blanc, lançant des ordres de débauche: «À genoux! Debout! Sur le dos! En levrette! À plat vendre! Gauche! Droite! Jouir!... Vivre! Vivre! Vivre!»

La vraie vie non pensée à l'unique seconde d'ouvrir l'œil sur le monde, de sentir l'air frais sur sa peau nue encore mouillée du liquide amniotique, entre les cuisses généreusement ouvertes. Gazouiller librement sans les mots. N'avoir pas structuré sa pensée comme une prison. Délirer tendrement sans passé ni futur. L'être complet. L'être parfait. Un autre, toujours un autre. Une autre, sans cesse une autre.

Elle avait jadis porté un fils. Mais il avait bien fallu le laisser sortir. La douleur avait été trop grande, la pression trop forte. Pourquoi alors avoir eu si mal? Pourquoi donc avoir si longtemps porté ce poids? Elle se sentait légère à présent. Cette légèreté était horrible. Elle donnait la vague mais trop présente impression de ne plus peser parmi les choses. Elle engendrait cette certitude intérieure qu'il suffisait désormais d'un rien pour que tout se casse et se volatilise. Un souffle court mais combien cruel sur le monceau de confettis et tout était parti pour toujours, passé au laser du «jamais été».

Perdue mère. Reperdue. Chien de garde bien dressé, nez au sol, reniflant la poussière de la rue, je flaire sa piste et la retrouve bientôt. Elle dirige avec brio un dialogue fou raide à surpasser de trois hauteurs de trente étages les édifices les plus impressionnants. Elle reçoit des invitations si je ne m'abuse immédiates, semble accepter, accepte et part.

Quand même. J'aurai moi-même plaisir à faire plus ample connaissance avec le fils de l'interlocuteur de mère. Très jeune, très beau garçon ce gosse. Il me regarde en souriant de toutes ses dents blanches, assis sur une marche de l'escalier de métal qui descend au sous-sol psychédélique. Je lui souris aussi. Nous nous sommes vite compris. Je cause un brin de choses et d'autres avec le rosenfant, me jurant intérieurement de le revoir et je repars à la poursuite de mère.

Nous voici de nouveau dans le supermarché bizarre. Maman a conversé, tergiversé, clignoté, papilloté, touteté. Lui faut maintenant diversifier. Reine des emmerdes comme je la connais, elle n'hésitera pas à s'y mettre. Elle s'y met. Voici que, condescendante au possible, elle s'avise de s'occuper d'un grand noir et de sa petite amie à qui elle se propose d'offrir un colifichet moins que quel et plus que conque. Elle les trouve sympathiques. Offusquée avec raison, la négresse rabroue mère: «Nous ne sommes pas dans la misère, madame!» Le nègre nous sourit à pleines dents et ils s'en vont. Je rage intérieurement et je traîne mère, profondément humiliée, vers la sortie.

Je sirote un troisième café noir en poursuivant mes tentatives d'analyse. Tout ça me dépasse. Rien de tout ça ne m'appartient en propre. Tout ça n'est pas moi. Je ne suis pas tout ça. Je suis pareille à ça mais en même temps bien différente. Il y a bien de tout ça en moi, mais les dosages sont loin d'être justes. Je suis folle. Je suis folle ou bien je suis télépathe, ce qui risque, si cela se poursuit trop longtemps à cette allure, de revenir au même.

*
*   *

La partie finie entre Petit Rat et lui, Pier Paolo Di... m'a fait venir à son bureau pour me parler en privé. L'occasion était bonne et, puisqu'elle fait le larron, j'y suis entré la main droite dans la poche de ma veste serrant la crosse froide de mon revolver.

J'ai retrouvé mon manteau. Nous sommes sortis sur la rue où nous rencontrons bientôt Pierre-Luc, mon jeune frère, avec qui je discute un moment. Lorsque mon attention se tourne de nouveau vers mère, j'ai juste le temps de la voir disparaître au bout du plus vieil escalier de la rue, dans la maison la plus clocharde du quartier. Elle se rend sans doute à ses invitations. «Il faut que j'aille la chercher», dis-je à Pierre-Luc, «à ce train-là, un jour prochain elle va claquer». Je monte.

Il n'y a, au premier étage, que deux étroits appartements. De vrais réduits séparés par un couloir lépreux et un escalier chambranlant qui grimpe au deuxième. Deux vieillards aimables et souriants m'accueillent à l'entrée. On dirait qu'il leur manque les mêmes dents, qu'ils ont teint leurs chevelures clairsemées au même jaunasse pissat. Affreux de la même vieillesse, ils me font penser à quand je ne serai plus. Je leur vomirais bien sur les pieds mais, comme toujours, je me retiens. Ils habitent sans doute la moitié du premier. Ils sont sans doute propriétaires de la baraque. À leurs mines usées, on voit clairement qu'ils ont bossé toutes leurs vies durant pour de la galette de sarrasin. La chique salivée et morveuse de la trop dure besogne leur pend au bout du nez. Le jus geignant leur en coule à la commissure des lèvres. «Gravissons-nous, Seigneur-merde, le même maudit calvaire saignant, médium ou bah! bien cuit, comme tu veux, t'as qu'à choisir? Mais reste avisé de faire ton choix parmi les diverses variétés de calvaires. Ce bleu-ci, Seigneur-Dieu, c'est mon calvaire coloré favori. Je peux-t-y?»

— N'avez-vous pas vu monter une belle dame blonde à l'instant?

La vieille me fait, discrète: «Peut-être.» Ce qui n'a pas de bon sens. Pas moins discret, le vieux se révèle par contre plus affirmatif mais il me signifie qu'il ne faudrait pas brusquer leurs locataires occasionnels. Ce qui n'est pas moins insensé. Suis-je dans un Tourist Rooms? J'ai compris. Sans me presser, je grimpe l'escalier qui craque sous mes pas. Mon enquête progresse.

Il fallait du massif. Il fallait meubler, installer stable, camper sur le solide, amarrer fixe. S'accrocher surtout. S'accrocher désespérément. Mais à quoi? Se briser les doigts à des fils si fins que la prise demeure sans cesse incertaine. Tantôt liquide, tantôt tranchante. Aucune certitude. Pas de précision. Elle ne sentait plus sous elle le poids du corps qu'elle s'acharnait à maintenir au-dessus du gouffre. Le trop vague l'envahissait.

Voici que je lance, avant même d'avoir atteint le palier du second, la question qui me démange: «Une belle dame blonde est-elle montée à l'instant?»

On tarde un peu. Puis l'homme apparaît. Trop classique. Grand brun athlétique. Dérangé pendant la séance, mais poli. Sa cavalière, qui glisse la tête par-dessus son épaule, comme un petit serpent curieux, à ma grande surprise n'est pas mère. Mais je la reconnais dans l'entrebâillure de la porte. Une maîtresse ancienne que j'ai entretenue il y a longtemps. Elle n'est que plus vieille et plus laide qu'alors.

Sans doute ce n'est pas mère. Ils ne l'ont pas vue. Je sais bien qu'elle est là quelque part, mais je suis las, si déçu et si las que, sans un mot d'excuse, je descends mollasse l'escalier dorénavant en colimaçon, constatant avec indifférence, mais non sans une certaine surprise, que cette bicoque est construite sur un terrain magnifique. Tout se déforme. Troublant que je ne l'aie pas remarqué tantôt. Tout change, tout se métamorphose si vite. La cour est immense. La neige recouvre irrémédiablement ce qui a dû être un gazon rayonnant. Je niaise dix secondes sur le premier palier puis, refermant le col de mon manteau et disant au revoir à mes deux vieux, je sors et descends dans la rue.

Je marche devant moi et voici que la rue se révèle soudainement tout agitée, remuée comme par un carnaval. En dix minutes, tout a encore changé d'aspect. Des dizaines, des centaines de garçons autour de moi. Ils courent si joyeusement. Il s'en trouve de tous les âges. L'usuelle tempête de balles de neige pleut sur moi. Voici que les saisons s'emmêlent. Je n'arrive pas à me concentrer. Je n'ai nul point fixe où focaliser mon attention. Je suis seul. Simplement seul. Terriblement seul face à la nuit déjà tombée. Je remonte la rue, vague, ailleurs en esprit comme en corps. Ils rient de plus en plus fort. Je marche. Ils s'agitent de plus en plus. Ils écument. Je marche. Puis je me retourne et ils sont déjà tous tellement loin. Leurs voix rieuses me parviennent à peine, de plus en plus confuses. Parfois, un éclat de rire plus pointu, plus sonore, parvient jusqu'à mon oreille. Je m'y attarde et le cultive, comme momentanément amoureux de ce son net. Si je m'arrête pour écouter plus attentivement, tout se tait. Je repars et la lointaine clameur se redéclenche aussitôt, comme mise en marche par le rythme lourd de mes pas.

Et dans l'entrebâillure d'une porte, avec le grand-brun-classique-amant-de-mon-ancienne-maîtresse: «Mère! Enfin! Je vous ai si longtemps cherchée!»

— Nous nous rendons à une sauterie! Tu nous accompagnes? Allons, laisse-toi faire, détends-toi!

Je les suis. Mais voici que la meute de garçons

remarquée tout à l'heure s'est rapprochée de nous et nous taquine tous les trois. Je me dis intérieurement qu'ils sont beaux. Si beaux dans leurs quinze ans. Je me laisse pénétrer par le désir. Je revis.

La nuit, il faut ouvrir la fenêtre aux chauve-souris. Il faut couper à ras du sol les pattes de la table et du lit pour que les rats dodus se sentent chez eux dans la place. Ou bien se rendre en forêt pour écouter les loups entonnant le libera du monde. De jour, courir dans l'herbe folle où les couleuvres froides s'enroulent autour des chevilles est très bon. La peur précise la vie. La peur est donc bonne.

Je pressentais en entrant dans le bureau du boss que tout n'allait pas tourner aussi rondement que Petit Rat et moi l'avions souhaité. Et Carlo! Ce salaud de Carlo qui nous avait fait faux bond.

Voici que le cul-de-sac se transforme en bar en pleine orgie. Voici de la musique vive. «Voici des fruits, des fleurs, des feuilles et des branches...» On nous accueille à bras ouverts. Le vacarme du plaisir social enterre tout, rompt toutes les réserves. Le plaisir occupe toute la place. Le plaisir fou produit tous les sons. De longs baisers sucés furieux claquent la langue et s'éclatent en pleine face. Le verre tinte contre le verre. On trinque. On pète, on rote et on rit. On se tape la bidoune la bidoune dondaine et on giguelsimp. On danse. On danse effrénément, douloureusement, lourdement. On danse et on se tue. On se tue pour danser et on meurt parce que l'on danse. Leur plaisir n'est pas mon plaisir mais j'habite et je meuble moi aussi leur orgie.

Un très jeune garçon, plus audacieux que les autres, est entré dans le bar. Il a fait provision de boules de neige. Il s'attaque sympathiquement à moi, animé par le même rire sonore et chaud que produisait la meute des garçons dans la rue. Exécrable il est, mais charmant, d'un charme neuf, tout frais, tout plein d'authenticité, ne devant rien et ne voulant rien devoir à qui que ce soit. Je le désarme en riant moi aussi et me mets en frais d'établir, par je ne sais plus trop quelle alchimie verbale, un niveau de communication entre lui et moi. Je l'assois sur mes genoux et caresse distraitement son petit sexe du bout des doigts en lui murmurant des choses sucrées à l'oreille, mon nez plongé dans ses cheveux bouclés.

Je n'ai pas fait trois pas vers le large pupitre que quatre mains me saisissent par les bras et que le canon d'une arme s'enfonce à gauche de ma colonne vertébrale. J'échappe un juron. On me désarme.

— Nous allons faire un petit voyage mon ami. Petit Rat et toi vous allez gentiment nous accompagner au port. Je connais un endroit tranquille où je pourrai entendre vos confessions juste avant votre dernier départ.

C'est Pier Paolo Di.. qui parle et, ce soir, c'est Pier Paolo Di... qui tient le gros bout du bâton.

Ma mère, occupée aux travaux ménagers de tous les jours, m'a déposé sur le lit et laissé sous la surveillance de mon frère. Je suis particulièrement gai. Je babille, je ris, je m'éclate. Si bien que mon frère, séduit, cherche à m'épater davantage. Il monte debout sur le lit et, plaçant un pied de chaque côté de mon corps, se met à sauter frénétiquement. Je me dilate. Je ris à m'en étouffer bleu. Je pouffe. Et nous communions au plaisir pur de rire ensemble. Au plaisir simple d'être.

Mère surgit soudain et gronde sévèrement mon frère. Trop sévèrement. Il s'en va la larme à l'œil, la tête basse, et je reste seul et triste.

Nous discutons enfin sur la même longueur d'ondes, lorsque mère s'amène avec tous ses brillants éclats et compassions z'éhlàvousdonc. Elle sourit, rit, s'éclate, jase, vit et revit, prend pitié, se gêne, ne se gêne pas, dispose, dépose son verre et m'arrache l'enfant des bras pour l'asseoir sur ses propres genoux. Elle ose tout. Et ça continue. Bonasse, j'encaisse. Et, dans ce trip de n'importe quoi, dans cet insignifiant délire où les gueules marchent toutes seules, j'en viens à affirmer au garçon, qui demeure tourné vers moi et sur qui je me suis penché comme une fleur qui se tourne vers la lumière, que les vêtements ne sont qu'utilitaires et que l'été, ou même l'hiver à l'intérieur, nous devrions vivre nus. Ce qui doit vouloir dire: «J'aimerais tant qu'on se déshabille, te regarder longuement, être regardé par toi, te toucher tout partout et être touché tout partout par toi, te palper, te reconnaître et te sortir du fond de tes abîmes pour te porter en moi, enfant toujours vivant, jusqu'à la fin des temps.»

Un délire qui fait mal. Mais mes propos avant-gardistes ont piqué à vif. La discussion se généralise. Mère, dans une envolée verbale indescriptible au cours de laquelle le geste épouse parfaitement la parole, signale à tous mon brio, mon génie oserai-je dire.

Mais moi je me suis tu. Je me sens triste et seul. Lorsque la rumeur s'est apaisée, j'entends la radio qui clame que le manitou de la révolution populaire vient d'être passé par les armes. On précise son identité. J'ai connu ce type. C'est l'ex-amant de ma femme. Je suis seul dans ce vaste bar à l'atmosphère froide. Une serveuse chromée s'agite derrière le comptoir. Il fait froid. Je suis seul. Mais où est donc passée Erem?

Le baroque est né de nouveau. Vive le baroque. Le gentil style est mort. Crève le style gentil. Vive le baroque et vive la pierre massive. Les phrases se chassent l'une l'autre comme les coups de marteau enfoncent le clou. On arme le béton, répand le ciment, coule l'asphalte.

Lubriques, les villes pleuvent grises sur la croûte terrestre. La pesanteur précise. La lourdeur est donc bonne.

On crée des parcs nationaux sur mesure pour les sauvages lâchés lousses une quinzaine par année. On rase les gazons. Des hommes précis en ont précisé les lignes dans leurs moindres détails, dirigés eux-mêmes par des architectes aussi précis précisément campés dans leurs précis bureaux. La géométrie précise. La géométrie est bonne.

Cent siècles plus tard, précisément vieillie jusqu'à la moelle de l'os, acharnée sur une toile déjà sèche elle cause toujours du compas et du rapporteur d'angle. Les triangles et les cercles. La mort précisant, elle meurt enfin, parce que la mort est bonne.

J'ai quatre ans tout au plus. Autour de moi c'est la prairie où paissent les vaches cailles dans leur sollicitude bon enfant. C'est le temps rouge clair des merises qui tirent sur les nerfs des joues. C'est la verdure chantante. C'est la sérénité blanche. C'est le temps qu'il fait spontanément en moi.

Si j'avais eu à choisir, je serais venu au monde dans un pré. J'aurais tiré ma tétée du pis gonflé d'une Jersey magnifique. J'aurais marché librement dès les premiers jours. Je n'aurais jamais parlé. Les mots sont menteurs. On est faux chez les hommes. Je ne vis bien et vrai que dans le champ. Les couleurs qui me stimulent sont celles du chardon, de la marguerite et du pissenlit, je... Lorsque j'aurais atteint la puberté, j'aurais poussé mon membre pointu dans le sexe chaud d'une jeune taure silencieuse et le garçon-taureau qu'elle aurait mis bas n'aurait jamais eu le goût de la corrida sanglante.

Ce lieu unique m'appartient en propre à jamais. S'inscrivent à l'encre indélébile dans mon subconscient ces meuglements paresseux, ces touffes érectiles de noisetiers, ces bocages feuillus, ces aulnes fléchissants, ces longs bouleaux blancs bandés dans le vert de leurs têtes frémissantes et ces merisiers dont les petits fruits rouge vif éclatent en excitant les papilles et donnent mal au ventre, oui, certain, de ce mal subtil qui te fait te sentir bien vivant. Là! Je suis.

Je me marie à cette terre. Je me dépucelle à son contact toujours intime. Je me dore au soleil sur le Petit Cap. Je m'enroule nu dans la mousse. J'agace les fourmis dans les souches et je patauge à poil dans la mare aux limons. Voici ce que je suis. Vraiment seul.

*
*   *

Dès le moment de la conception je me suis senti sevré du père. Si loin du père. Aujourd'hui, c'est à peine s'il ose me prodiguer la timide caresse du maître fatigué à son chien trop pressant. Il n'y a pas de père extérieur. Tous les liens sont coupés sitôt l'orgasme épuisé. Il n'y a que l'intrinsèque mais si minime influx vital de la goutte de sperme originelle et pour tout puiser là, le moment venu de satisfaire des besoins qui te dépassent il faut... J'ai quatre ans. Je suis seul. Et le lit que je partage avec mon frère aîné je m'en arrange comme je m'accommode de la chaleur du corps de l'autre serré contre le mien. Seuls.

Mais tout cela n'est plus et je cours à pleines jambes vers le parc. Ni frère. Ni sœur. Ni père. Ni mère. Ni taure. Ni garçon-taureau. Ni merises. Ni têtard de la mare dans la main. Ni mare. Ni main mi-ouverte. Ni Petit Cap. Ni soleil caressant.

Un vaste brouillard dans la tête, seulement. Je cours vers le parc sans penser à rien. Un grand brouillard épais laiteux dans la tête uniquement et tout le corps qui fait mal en profondeur, je cours.

*
* *

Non mes amis vous n'aurez pas la peau de Pier Paolo Di...
Pier Paolo Di... entend même vos pensées de petits rats
jumeaux. Pier Paolo Di... va vous faire couler vivants dans
le ciment et vous faire balancer au fleuve mes bons-
hommes sans même avoir besoin de se salir les mains.
Voilà ce que c'est que le pouvoir mes enfants. Pier Paolo
Di... va vous faire voir, pour la dernière fois, qui c'est qui
est boss.

    — T'as chié dans tes culottes, Petit Rat. T'es encore
plus peureux que quand t'avais dix ou douze ans. Tu
pues, Petit Rat. T'as chié dans tes culottes sur le siège
arrière de ma Cadie. T'es rien qu'un petit salaud qui
voulait se faire la peau de Pier Paolo Di... Hein, mon Petit
Rat? T'es rien qu'une couille écrasée entre deux roches
et ton autre salaud de complice qui ne s'est même pas
pointé on va le liquider dès demain, c'est Pier Paolo Di...
qui te le dit. Tiens! Une autre odeur de merde, Petit Rat!
Ça serait-y ton comparse qu'a chié à son tour? J'vas être
obligé de scrapper ma Cadillac, mes deux merdeux. Mais
des Cadillac, Pier Paolo Di... peut s'en payer treize à la
douzaine et le plaisir de vous voir chier dans vos frocs
vaut bien le déplacement et la Cadie. Envoye, Rocky III,
niaise pas dans les parages. Appuie sur la pédale qu'on
arrive au port au plus maudit. J'ai hâte de les voir pisser
pour délayer leur merde.

*
* *

«Mona, je craque! Mona, tout mon mental s'est fissuré. Chacune de mes pensées est une scratch de plus dans mon système nerveux.»

Je m'agrippe à son bras. Elle me parle, bien sûr! Mais elle garderait le plus parfait silence que ce serait du pareil au même. Elle appartient à un autre monde. Je suis seul. Tout mon esprit s'est fissuré. Je n'ai plus aucun contrôle sur les idées folles qui circulent dans ma tête et tout mon organisme est en alerte. Une immense, une indescriptible douleur s'est cramponnée à mon estomac. Mon cœur bat trop vite, ton moulin va trop fort. J'ai des muscles qui sautillent un peu partout dans le corps. Ma main gauche est engourdie. J'ai le cœur qui se serre comme dans un étau et qui cogne à se rompre. Je respire bruyamment dans l'espoir que cela m'aidera à parvenir à contrôler mes chimères. Je rote et je pète. Je suis gazé à l'extrême limite du possible. Ma personnalité s'est éclatée. Je ne sais plus qui je suis.

— Veux-tu que je te mène à l'urgence?

Je l'entends bel et bien sa proposition conne. Je sais qu'elle pense que je n'ai rien de réel, que je suis fou. Je suis spontanément bête et méchant.

— Va donc chier! Sacrement! Donne-moi les clefs de la Renault m'a m'y conduire moi-même à l'urgence, hostie!

Sans plus tergiverser, je la plaque sur le trottoir avec son propre désarroi. Elle pleure silencieusement et je me sens salaud dans chacune de mes fibres. Je démarre la Renault 10 qui lui appartient et je quitte le secteur aussi vite que la voiture peut le faire, compte tenu du fait qu'il s'agit du pire citron jamais sorti d'une usine de montage.

J'ai des larmes acides plein les yeux et mon corps tout entier est agité de spasmes violents. J'ai mal et j'ai peur. Infiniment mal et infiniment peur. Et je ne distingue plus le plus vaste de ces deux infinis, tellement la douleur et la peur se juxtaposent jusqu'à se confondre parfaitement.

*

* *

J'ai chié dans mes culottes. Je ne comprends pas ce qui s'est passé. Rocky III conduit la Cadillac à Pier Paolo Di... à fond de train dans les rues de la ville endormie. Mais ce n'est pas de la vitesse que naît ma peur. J'ai l'intime certitude que mes minutes sont désormais comptées. Ce n'est pas juste. Carlo nous aurait-il vendus? Cela expliquerait pourquoi il ne s'est pas pointé. Mais ça n'a plus aucune espèce d'importance.

Pier Paolo Di... sait ce que je me proposais de faire pour prendre la tête de l'organisation. Qu'il sache ou pas importe peu d'ailleurs. S'il a décidé de nous liquider, il nous liquidera peu importe la raison.

C'est ainsi que Pier Paolo Di... tient les ficelles de nos destins. C'est ainsi que Pier Paolo Di... encule à sec des garçons de dix ans tenus immobiles par deux gardes du corps. Des petits garçons bâillonnés avec du papier de toilette usagé plein la bouche. Et c'est ainsi que des garçons de dix ans finissent par bander dans le mal, une écharde de contreplaqué rugueux plantée dans le tissus du pénis, en se rivant le nez sur la destinée la rose aux bois, des larmes sulfuriques leur perforant les yeux.

J'ai chié dans mon froc Pier Paolo Di... Un jour un gosse de tes victimes aura le scrotum assez plein de couilles et les couilles assez chargées de sève pour t'envoyer mordre la poussière à ton tour, te décharger un gun dans la face ou t'enfoncer un pieu dans le cul. T'as beau lire dans mes pensées Pier Paolo Di... Ce sont des

pensées de salaud comme les tiennes, des pensées de
sexe et de meurtres à la Une comme les manchettes de
tes hebdomadaires policiers, Grand Boss. Je serre les
dents en chiant dans mes culottes. Tu finiras bien par te
faire la peau de tous tes valets, jusqu'à ce qu'il ne reste
plus personne pour te servir et alors ta solitude sera aussi
cosmique que fut infinie ton universelle connerie. «Nous
avons été créés pour Le connaître, L'aimer et Le servir
en ce monde comme dans l'autre et pour être heureux
avec Lui dans l'éternité.» Ta désolation, Pier Paolo Di...,
sera alors absolue. Il ne te restera plus dans les narines
que le souvenir exécrable de l'épouvantable odeur de
pourriture des corps de tes victimes. Et tu contempleras,
dans ton infinie tristesse, tes noirs charognards qui char-
rieront leur viande aux cieux.

*
*   *

Je suis malade. J'ai vidé toute la cafetière en pondant ce
texte absurde. Je suis fiévreuse et surexcitée. Ce n'est pas
moi, me dit ma raison. Mais oui, c'est bien toi, me hurle
toute ma conscience. Voilà ce que tu es.

   Tu es ouverte et soumise comme une truie et tous
les verrats du monde te passent à travers le corps, laissant
en toi les très profonds stigmates de leurs propres déchi-
rures. Tu es baisée à cent milles à l'heure. Tu es faite
comme une putain qui pleure dans un panier à salade.
Comme une putain humiliée devant les caméras des Ti-
Kid Kodak qui meublent les *front pages* des hebdos du
sexe et du crime. Te voici. Voici ton écriture étalée devant toi. Voici ta peinture sur le chevalet. Voici l'implaca-
ble portrait de ton intérieur souillon. Voici ta souillure
d'âme devant toi étalée. Regarde! Refuser de voir n'est

pas la solution. Regarde! N'aie pas peur de regarder et de lire entre les lignes. C'est de toi-même que tu parles avec tant d'éloquence. Il s'agit de tes propres relations avec le monde et avec Dieu. Ce sont bien là tes rapports avec ton propre ego. Te voici. Tu es là, nue et faible devant tes propres yeux accusateurs, totalement désarmée grâce à tes propres armes.

Je ne peux plus voir ça. Je ne veux plus me voir. Je ne peux plus m'entendre. Je prends mes clefs sur la table, juste à côté de la dactylo. J'enfile mon manteau et je sors. Je vais chercher de la peau au centre-ville. J'ai besoin d'un corps sauvage à qui frotter le mien. J'ai besoin d'un instant d'éternité. D'un organe dur pour un orgasme bienfaisant. J'ai besoin d'oublier ma tête endolorie et je connais un truc, le seul que j'aie jamais appris: transférer toute mon attention ailleurs, laisser dominer un moment sur ma vie l'espace entre mes jambes, le laisser chanter, si brièvement que ce soit, son incomparable envie de vivre, baiser longuement. Et oublier. Baiser longuement et oublier.

La Mustang file à toute allure sur le boulevard. J'ai le pied lourd sur l'accélérateur. J'ai le cœur qui palpite de plus en plus vite. Je me mouille. J'ai le goût. Je suis attentive à tous les corps. Je trouverai quelqu'un.

*
* *

Il s'en est fallu de peu pour que j'aie le temps de lui vider mon gun dans la poitrine. Mais alors, ses deux colosses m'auraient troué comme une passoire.

Aussitôt que se présente une faille, je donne le coup de la mort. J'ai peut-être encore une chance de m'en sortir. Je ne donne pourtant pas cher de la peau de Petit

Rat, qui a l'air complètement hypnotisé. Tant pis. À partir de maintenant, c'est chacun pour soi. La Cadillac fonce à pleine vitesse. Si la police pouvait se pointer. C'est bien la première fois de ma vie qu'une pareille idée me passe par la tête. J'ai pas envie de mourir, moi.

*
*   *

Et voici que j'émerge d'un très long coma. J'ai passé treize semaines dans le plus absolu silence. Mona se penche sur moi chaque soir et me parle longuement du temps que j'ai passé à côtoyer la mort.

Mais avant tout, toutes ces voix en moi se sont tues et je repose dans une espèce d'indifférence bienheureuse et somnolente. J'ai beau être couvert de plaies de lit, les médicaments qu'on m'administre parviennent à éliminer presque toute sensation de douleur.

Le soleil pénètre chaque jour un peu plus avant dans ma chambre. Je m'accroche à ses rayons. Je repose en silence.

Bientôt, j'arrive à me mouvoir un peu et, avec l'aide du personnel de la clinique, je parviens finalement à me lever et à m'asseoir une heure chaque jour tout près de la fenêtre.

Il ne me reste presque rien en mémoire. Je suis indifférent à tout. Un jour, j'entreprends la lecture d'un vieux journal que Mona a conservé et qui relate les circonstances de mon accident.

«Trois voitures, une Renault 10, une Mustang et une Cadillac se sont embouties à la croisée du Boulevard X et de la rue Y. L'accident a causé la mort de huit personnes. Une autre gît dans un état critique à l'hôpital. Parmi les victimes, un jeune enfant qui courait sur le trottoir au moment de l'accident, et une femme artiste-peintre entre deux âges et à la renommée incertaine. Chose curieuse, le corps du bambin n'a pas été réclamé et demeure non-identifié. Les six autres victimes étaient de présumés membres de la petite mafia montréalaise et ils voyageaient à bord de la Cadillac. Quant au blessé, il s'agit d'un jeune écrivain qui approfondissait ou expérimentait la recherche littéraire combinée à un usage intensif de certaines drogues psychédéliques.»

Toutes mes voix se sont tues et mon corps se répare tranquillement. Je pourrai prochainement quitter l'hôpital. Pour l'instant, me suffit le rayon de soleil qui pénètre la mince couche de chair qui recouvre mon avant-bras posé sur le calorifère.

*
* *

Voilà maintenant quelques mois que je suis sorti de la clinique. J'ai divorcé de Mona. Je vis seul. J'écris. Je suis télépathe.

ALBERT LABERGE: *Les noces d'or* 11

MARCEL GODIN: *Simone* 25

JACQUES FERRON: *Cadieu* 33

JACQUES FERRON: *Le paysagiste* 45

ANNE HÉBERT: *Un grand mariage* 51

ANDRÉ MAJOR: *Le temps de l'agonie* 81

ROCH CARRIER: *La jeune fille* 93

ROCH CARRIER: *Le métro* 97

H. JACQUES RENAUD: *...and on earth peace* 101

CLAUDE MATHIEU: *Autobiographie* 111

CLÉMENCE DESROCHERS: *Napoleon's last charge* 125

MADELEINE FERRON: *Les vertus des anges* 129

GABRIELLE ROY: *La route d'Altamont* 135

ANDRÉE MAILLET: *Ici Léon Duranceau* 177

MICHEL TREMBLAY: *1er buveur: Le pendu* 185

YVETTE NAUBERT: *«C'est ce soir qu'il revient»* 191

MONIQUE CHAMPAGNE: *L'enterrement d'Arsène Langevin* 201

MADELEINE GAGNON-MAHONEY: *La laide* 213

MIMI VERDI: *Tuez-moi s'il vous plaît* 225

GILLES ARCHAMBAULT: *Curriculum vitæ* 233

YVETTE NAUBERT: *L'obéissance* 239

CLAUDETTE CHARBONNEAU-TISSOT: *Relent* 249

NAÏM KATTAN: *L'opération* 261

JEAN-FRANÇOIS SOMAIN: *La répétition* 275

PIERRE GÉRIN: *Échec et mat* 295

MARCEL GODIN: *Le poisson rouge* 301

LOUIS-PHILIPPE HÉBERT: *Le Manoir de la taupinière* 315

MADELEINE FERRON: *Ce sexe équivoque* 327

LISE LACASSE: *Le sang coule vers l'amont* 341

JEAN DAUNAIS: *Chaud comme le marbre* 353

SUZANNE JACOB: *Le réveillon* 363

MADELEINE OUELLETTE-MICHALSKA: *Pays perdu* 369

MARILÚ MALLET: *How are you?* 379

ANNE DANDURAND: *Esquisses inachevées* 393

JEAN-MARC CORMIER: *La symphonie déconcertante* 401

Achevé Imprimerie
d'imprimer Gagné Ltée
au Canada Louiseville